El Gran León de Dios

Taylor
Caldwell

El Gran León de Dios

grijalbo

EL GRAN LEÓN DE DIOS

Título original en inglés: *Great Lion of God*

Traducción: Amparo García Burgos,
(revisada por Doménec Guansé)
de la primera edición de
Doubleday & Company, Inc.,
Garden City, N.Y.

ISBN 970-05-0824-2

IMPRESO EN MÉXICO

Al juez Edward L.
y a Janet L. Robinson,
con afecto.

Introducción

Largos años de intensos estudios han fructificado en esta novela cuyo protagonista es el más apasionado, inteligente y docto de los Apóstoles del cristianismo primitivo: Saulo de Tarsich o, para nombrarlo a la manera romana, Pablo de Tarso, fariseo de vastos conocimientos, versado en leyes, teólogo y merecedor del título de Apóstol de los gentiles.

Saulo ha influido mucho más de lo que generalmente se admite no sólo en el conjunto de la cristiandad, sino en todo el mundo occidental, pues el judeo-cristianismo que incansablemente propagaba constituye la base, firme como una roca, de la moral y de la filosofía de Occidente. Su irradiación espiritual, actuando a través de dos mil años, fue transformando las estructuras sociales al paso que contribuía de manera decisiva al progreso de la causa de la libertad. Si Moisés fue el primero que proclamó que todos los pobladores de la Tierra eran libres por naturaleza, Saulo de Tarso, reanudándolo, predicaba con su habitual vehemencia que la libertad espiritual, mental y corporal es necesaria al hombre, conceptos entonces completamente nuevos. No puede, por consiguiente, sorprendernos que los enemigos de la libertad persigan una religión que ha pretendido liberar a los hombres.

Los problemas con los cuales tenemos actualmente que enfrentarnos son todavía los mismos que afectaban al mundo de Saulo. Ciertamente podemos sentirnos gozosos al comprobar que la fuerza indomable del hombre es capaz de derribar las más feroces tiranías y de sobrevivirlas; pero entristece el ánimo pensar en lo poco provechosa que acostumbra a ser la experiencia: ya decía Aristóteles que los pueblos que no aprenden las lecciones de la historia están condenados a repetir sus errores.

Y he aquí que esto es lo que actualmente nos sucede.

En los días de Saulo de Tarso el imperio romano empezaba a desmoronarse, tal como hoy en día declinan países tan poderosos como Estados Unidos. Y por idénticos motivos: relajación social, inmoralidad, guerras interminables, impuestos confiscatorios, destrucción implacable de las clases medias, el cínico desprecio de las virtudes éticas y principios humanos establecidos, el desmesurado afán de riquezas materiales, el abandono de la religión, la venalidad de los políticos que halagan a las masas para obtener sus votos, la inflación, el desequilibrio del sistema monetario, los sobornos, la criminalidad, los incendios, los disturbios y demostraciones callejeras, la liberación de criminales con el fin de crear el terror y provocar el caos que justifiquen la implantación de la dictadura en nombre del "estado de emergencia", el amortiguamiento de la virilidad, las costumbres afeminadas, los escándalos en el gobierno, el saqueo del erario, las deudas, la tolerancia de la injusticia y de la explotación, la burocracia y los burócratas que promulgan constantemente reglamentos favorables a sus conveniencias, por nefastos que sean, la centralización del gobierno, el desprecio público de los hombres honrados y, sobre todo, la filosofía de que "Dios ha muerto y de que el hombre es el ser supremo".

Con todo esto se enfrentó Saulo de Tarso en su tiempo, en el cual la palabra moderno iba de boca en boca. Se cree generalmente que en la Iglesia primitiva el fervor y la unanimidad eran absolutos. Sucedía todo lo contrario. Apenas había transcurrido dos años después de la resurrección de Cristo, que las disensiones y cismas estuvieron a punto de destruir la nueva Iglesia. Lo advertía Saulo con amargura: "Hasta los más insignificantes obispos y diáconos en lejanas y polvorientas aldeas establecen y definen sus dogmas". Estos hombres contaban también con multitud de seguidores vehementemente en desacuerdo, que se pelea-

ban con los otros cristianos, y la enemistad era intensa. Durante muchos años existió también esa enemistad entre San Pedro y San Pablo, y casi destruyó a la Iglesia. Cómo se reconciliaron, es una historia divertida en sí misma... ¡pero nunca se quisieron realmente! En resumen, eran demasiado humanos, y todos podemos comprenderlos, pero, del mismo modo que la humanidad siempre se encuentra adorable, también podemos hallar adorables a aquellos dos ardorosos y decididos contendientes.

Existe también el error de creer que todos los primeros cristianos fueron "santos mártires" en un mundo malvado, y tan puros y pacientes como corderos. ¡Al contrario también! A menudo eran insufribles, e intolerantes con el mundo que los rodeaba, y provocaban deliberadamente a "los paganos", y en ocasiones se hacían odiosos. No fueron perseguidos, como se ha supuesto casi siempre, "por su fe", pues el mundo romano era cínico y totalmente tolerante con todas las religiones, aunque ninguna le inspirara devoción. Pero los primeros cristianos llamaron peligrosamente la atención de las autoridades gobernantes en Roma y en Israel, dominado por Roma, por sus ruidosas y repetidas objeciones a casi todo, incluidos los templos "paganos". Eran también culpables de invadir esos templos durante las ceremonias religiosas, lanzando amenazas y derribando las imágenes, para atacar luego desde el púlpito a las autoridades gubernamentales y al gobierno establecido... y ¿dónde hemos oído eso, desde entonces? Por otra parte, la Fe era extendida no por estos militantes, que pensaban que Nuestro Señor estaba a punto de volver a la hora siguiente, o al día siguiente para exaltarlos y hacerlos absolutos gobernantes del mundo, sino por hombres devotos, inteligentes y pacíficos, que trabajaban a menudo en la soledad y la oración; los cristianos militantes —que casi destruyeron a la Iglesia, recién nacida, con sus disensiones, protestas y beligerancia— habían olvidado que Nuestro Señor dijo: "No he venido a dividir a los hombres; mi reino no es de este mundo" y "Dad al César lo que es del César, y a Dios lo que es de Dios". ¡Ay! como tantos millones de los que hoy vivimos, creían que el establecimiento del Reino de Dios significaba el poder y la riqueza material... para ellos mismos. Es curioso que los militantes raras veces sean espirituales, y sólo se preocupen egoístamente de las ventajas materiales y el "castigo" de los "enemigos".

La naturaleza del hombre sólo puede cambiar por el poder de Dios y la religión. Ninguna "educación" ni exhortación seculares conseguirán civilizar al hombre.

Muchas novelas y libros sobre San Pablo han referido, con toda suerte de detalles, lo que él hizo y llevó a cabo en su vida y viajes misioneros. Se han preocupado, sobre todo, del Apóstol. Contrariamente, en este trabajo, además del intrépido santo, he tratado de reflejar al hombre tal como fue: un hombre como nosotros, con nuestras angustias, dudas, ansiedades, cóleras e intolerancias, y con las "concupiscencias de la carne". Asimismo, me han interesado las diversas circunstancias que influyeron en la juventud de este ciudadano romano, judío fariseo de gran erudición, enorme inteligencia y fe inquebrantable. Por esto me he detenido en su última partida de su amado país, Israel. Todos conocemos sus viajes posteriores y su martirio en Roma, pero creo que la última visión de su amado país da fin a la novela con una nota conmovedora. La muerte no es peor para un hombre que la visión final de su país y su pueblo, que abandona para siempre.

Si con este libro pudiera influir tan sólo en diez personas para que sigan el consejo de Nuestro Señor de "estudiar las Escrituras", tanto el Antiguo como el Nuevo Testamento, creería haber tenido éxito. Por tanto, dedico este libro "Urbi et Orbi".

TAYLOR CALDWELL

Primera parte

Pues él fue un verdadero león,
un león rojo, el gran león de Dios.

SAN AGUSTÍN

Capítulo 1

—Es muy feo —dijo su madre—. Mis hermanos son todos guapos, mi madre era famosa por su belleza, y yo misma no soy mal parecida. ¿Cómo es posible, pues, que haya dado a luz a un niño tan repelente?

—Pero es un varón. ¡Alégrate! —replicó su marido—. Antes sólo tuviste dos muchachas que nacieron muertas. Ahora tenemos un hijo.

—Hablas como un judío —dijo la madre, con un ligero ademán de su blanca y delicada mano—. Y nosotros somos también ciudadanos romanos. Hablamos en griego, y no en el bárbaro arameo.

Contempló al niño, en la cuna, con creciente melancolía y algo de aversión, ya que tenía pretensiones helénicas e incluso había escrito algunos poemas en pentámetros griegos. Los amigos de su padre hablaban de su buen gusto, mencionando a Safo, y su padre se había sentido altamente halagado.

—Sin embargo seguimos siendo judíos —dijo Hilel ben Boruch. Se acarició la rubia barba y miró de nuevo al niño. Un hijo es un hijo, aunque no sea hermoso. Además, ¿qué es la belleza a los ojos de Dios, bendito sea Su Nombre, al menos la belleza física? Había considerable controversia, especialmente en aquellos días, sobre si el hombre poseía alma o no, pero ¿no había habido siempre controversia, incluso entre los devotos? La función del hombre era glorificar a Dios, y que poseyera alma o no, carecía de importancia. Hilel confió en que el hijo recién nacido tuviera un alma encantadora, pues ciertamente su aspecto no hacía estallar de gozo a las nodrizas. Pero, ¿qué es el cuerpo? Polvo, estiércol, orín, sarna. La luz interior era lo fundamental.

Débora suspiró. Su magnífica cabellera de color cobrizo sólo quedaba parcialmente oculta bajo el finísimo velo de seda ligera y transparente. Sus grandes ojos, cuyas pestañas de entonación rojiza parpadeaban sobre las pupilas de un azul tan puro como el cielo de Grecia, tenían una expresión a la vez de inocencia y de recelo. Todo el mundo excepto su marido la consideraba muy instruida. En general se tenía a Hilel ben Boruch por un hombre afortunado, pues Débora, celebrada por su gracia, su deliciosa sonrisa, su cultura y sus modales, había tenido en Jerusalén los mejores preceptores y constituía el orgullo de su padre, un gran erudito. Alta, de busto bien modelado, manos y pies de escultura griega, tenía diecinueve años, y sus trajes se le adaptaban graciosamente, como sintiéndose felices de abrazar aquel cuerpo.

El rostro ovalado, terso como el mármol, la boca una rosa apenas entreabierta, el mentón firme, hendido por un hoyuelo, la nariz suavemente formada, vestía a la manera romana una estola azul recamada de oro, calzaba sandalias de piel dorada y toda ella irradiaba una luminosa belleza. Un joven romano, de noble y opulenta familia, la había solicitado en matrimonio; ella lo había deseado también; pero supersticiones y prejuicios se interpusieron y acabó casándose con Hilel ben Boruch, joven famoso por su piedad y sabiduría, de una casa antigua y honorable.

—Saulo —dijo Hilel, de pronto.

—¿Cómo? ¡Saulo! —exclamó Débora—. No es un nombre distinguido para nuestros amigos.

—Saulo —replicó Hilel—. Él es un león de Dios.

Débora frunció las cejas, reflexionando; pero en seguida se relajó: el ceño fruncido producía tales arrugas que ni la miel ni la leche de almendras hacían desaparecer.

—Mejor es Pablo —aseguró ella—. No puedes objetarlo. Pablo es la traducción romana.

—Saulo ben Hilel —insistió el Padre—. Saulo de Tarsich.

—Pablo de Tarso —replicó Débora—. Sólo los bárbaros llaman Tarsich a Tarso.

Hilel sonrió, y su sonrisa era tan gentil que avivó la ternura de su esposa.

—Es lo mismo —dijo.

Pensaba que Débora era encantadora, y algo estúpida. Pero, lamentablemente, eso se debía sin duda a haber nacido de padres saduceos, tan ignorantes de los asuntos que agradaban a Dios; y complacer a Dios era la razón para la que el hombre nace y vive. No había nada más. A menudo se compadecía de los saduceos, cuyas vidas, firmemente ancladas en un mundo secular, no les permitían aceptar nada que no pudiera demostrarse con los cinco sentidos, y así confundían el simple estudio con la inteligencia y sus sofismas de charlatanes con la sabiduría.

—¿En qué piensas? —preguntó Débora con cierta suspicacia, pues no le gustaba la expresión de su marido cuando éste hablaba consigo mismo. La dejaba inquieta, y demasiado consciente de su juventud, en comparación con los treinta años de él.

—Soy fariseo —respondió Hilel—, y nosotros creemos en la reencarnación. De manera que meditaba en la existencia anterior de nuestro hijo, y me preguntaba de dónde habrá venido y por qué está ahora aquí, entre nosotros.

Débora arqueó las cejas despectivamente:

—¡Vaya una tontería! —exclamó—. Él es carne de nuestra carne, hueso de nuestros huesos y espíritu de nuestros espíritus. No hubo antes nadie como él ni habrá jamás otro igual.

—Cierto —dijo Hilel—. Dios nunca se repite, ni siquiera en una hojita de hierba. Todas las almas son únicas desde el principio, pero eso no niega que, si son eternas, como aseguramos, su vida debe ser eterna también, pasando de carne a carne, según la voluntad de Dios. La adquisición de conocimientos no termina nunca. Su imperativo no acaba en la tumba.

Débora bostezó. Mañana debía ir al Templo para la presentación de su hijo, y el pensamiento la molestaba. Cierto que los saduceos obedecían también la antigua ley, pero se reían de ella en secreto, aunque la honraran como tradición. ¿Cómo podría explicar la ceremonia a sus amigos griegos y romanos de Tarso? Se sentirían muy divertidos.

Hilel sabía por qué le habían concedido la mano de Débora. Los saduceos tal vez no creyeran en la vida eterna, ni siquiera en Dios, y eran puramente mundanos, pero preferían que sus hijas se casaran con hombres religiosos. Hacían como los banqueros, que invierten prudentemente parte del dinero en negocios que acaso podrían resultar una buena inversión. Así entregaban sus hijas a un Dios en el cual no creían. Pero, ¡quién sabe! Tal vez existía, y era fama que sus venganzas eran terribles.

Hilel tenía ojos castaños, grandes y brillantes, rostro pálido, ascético, nariz prominente como los hititas, barba y cejas rubias y una frente abombada de la que se alzaba la espesa mata de su cabello dorado, en parte cubierto por un gorro que exasperaba a Débora. Aunque de anchas espaldas, manos fuertes y piernas firmes, no era tan alto como su esposa, a la cual esto también disgustaba. ¿Acaso no se había dirigido a ella en una ocasión un noble griego con estas palabras de Homero: "Hija de los dioses, divinamente alta, divinamente rubia"? Hilel llevaba también aquellos estúpidos rizos delante de las orejas, e invariablemente —o así le parecía a ella— el chal de la plegaria, pues siempre estaba rezando. Las ceremonias de la fe judaica le eran profundamente desconcertantes y totalmente desconocidas. Los tiempos cambiaban, el mundo progresaba, las verdades de ayer eran la risa de hoy. Dios era una hipótesis arcaica, intercambiable con los dioses de Grecia y Roma, con cierto sabor de Babilonia y Egipto. Débora había nacido en una casa serena y alegre en Jerusalén, una casa cosmopolita. Lamentó dejarla por ésta, donde los fariseos se movían y debatían gravemente, y la miraban casi con desaprobación.

Un pavo real chilló furioso en el exterior, celoso de los cisnes negros del estanque del jardín, a los que sabía muy admirados. Hilel dio un respingo; tenía un oído muy sensible. Y dijo, olvidando su habitual prudencia:

—Ese avechucho chilla como una mujer de mal genio. Ha despertado al niño.

Débora se sintió ofendida por esta observación que denigraba a su sexo. Alzó la cabeza con altivez y dijo:

—Entonces te libraré también de mi presencia, para que no tengas que pensar en las mujeres.

—Débora... —empezó Hilel, pero ella podía moverse con la rapidez de una niña y desapareció en un instante, cortando la luz y sombras de las columnas que guardaban el pórtico exterior. Hilel suspiró y sonrió. Siempre estaba ofendiendo a Débora, que era una niña adorable (jamás podía pensar en ella como mujer adulta). Ella había admirado recientemente un collar de hermosos ópalos en su joyería, aunque el precio la obligara a meditar prudentemente. ¿Qué hacer? Dos barcos de rico cargamento habían conseguido llegar de Cilicia a Roma sin encontrar a los audaces y ubicuos piratas cilicios —no totalmente destruidos por Julio César y sus sucesores— y Hilel había invertido bastante en aquellos navíos y su cargamento, consiguiendo un buen beneficio. Por tanto, Débora tendría sus hermosos ópalos.

El pavo real chilló de nuevo, y el niño se quejó otra vez, en su cuna de ébano y marfil. La habitación estaba impregnada del perfume nocturno de los cercanos jazmines en flor, aunque el sol todavía no se había puesto y su luz rojiza se reflejaba en las blancas paredes de mármol y en el suelo, también de mármol, pero blanco y negro. La sombra de una palmera se alargó sobre la pared más cercana al niño, y éste volvió rápidamente la cabeza para mirarla, lo que dejó maravillado a Hilel. ¡Un niño tan pequeño, recién nacido, y ya veía! Dicen que los niños no ven más que luz y sombras hasta los dos meses, pero con seguridad que este niño no sólo veía, sino que comprendía. Hilel no podía sentirse más orgulloso cuando se inclinó sobre la cuna y habló a su hijo:

—Saulo —dijo, con su voz más suave—. ¡Saulo!

Al niño todavía no le habían impuesto el nombre en el templo; pero un hombre lleva de antemano grabado en el corazón el nombre de su hijo. Hilel y el niño estaban solos en aquella habitación deslumbrante. El rostro y la barba rubia del padre brillaban como si la luz de su propio espíritu los iluminara. Sintió un amor apasionado, e inmediatamente murmuró una plegaria, pues sobre todo uno debe amar a Dios con todo su corazón, y mente, y alma, y ese amor debe sobrepasar a cualquier amor humano. Confió por un instante en no haber ofendido a Dios omnipresente ni incurrido en su ira, que podía caer sobre el inocente niño en su cuna.

El pequeño volvió de nuevo la cabeza rápidamente y miró a su padre, que se inclinaba, observándolo. Como dijo Débora, no era hermoso; era casi feo y más pequeño de lo que por la edad correspondía a un bebé normal; pero parecía lleno y robusto, y desnudo, excepto la parte que recubría un paño alrededor de sus caderas, aquel cuerpecito no era propiamente blanco como el de sus padres, sino de una tonalidad cobriza como si hubiera estado largo tiempo expuesto a los rayos del sol. Las niñeras habían recordado a Hércules, cosa que agradó a Débora, pero Hilel pensaba en David, el rey guerrero. Los músculos del pequeño eran fuertes y visibles bajo la piel entresudada, como diminutas placas de armadura, y sus brazos eran los de un soldado. Las piernas, también fuertes, estaban un poco arqueadas, como el que ha cabalgado desde la infancia. Movía los deditos de los pies vigorosamente, con una especie de ritmo, como los de las manos. Parecía moverlos con cierto propósito, pensó Hilel.

Tenía la cabeza redonda, viril y firme, pero demasiado grande para el cuerpo, y grandes orejas muy encarnadas. Desgraciadamente su pelo, espeso y grueso, era más rojo aún. No tenía un tono agradable, como el cabello de Débora. Era esa clase de rojo chillón que generalmente despertaba la desconfianza entre los supersticiosos judíos. Además, crecía hasta muy abajo de su frente, y esto le daba el aspecto batallador de un irritable romano.

Este aspecto era acentuado por la rareza de sus ojos: redondos, enormes y dominadores, bajo las cejas rojas que casi se juntaban sobre una nariz aún más aguileña que la de Hilel. (Por lo menos, pensó éste, no es una nariz chata, como la de un campesino.) Pero la impresión que causaban aquellos ojos se debía principalmente a su color, de un curioso azul metálico, como el brillo de una daga pulida, un azul concentrado e intenso, que no conseguían apagar sus rubias y largas pestañas. Había fuerza y decisión en aquellos ojos, nada infantiles, nada inocentes, sino sabios y firmes. Hilel, aunque fariseo, no creía del todo en la transmigración de las almas, pero ahora meditó en ello. Los ojos de Saulo no eran los de un niño. Su mirada se cruzaba con la de su padre, con la expresión de una curiosidad penetrante y sagaz.

—¿Quién eres tú, hijo mío? —susurró inquieto—. ¿De dónde viniste? ¿Cuál es tu destino?

Gaia, la pequeña niñera griega, entró animadamente en la habitación, repicando las losas con sus sandalias. Apenas era más que una niña, pero muy competente, de cabello castaño, ojos claros y rostro alegre. Llevaba una túnica larga y fina de tela rosa, atada con lazos azules a la cintura. Se inclinó ante Hilel, que alzó automáticamente la mano en gesto de bendición, aunque ella fuera pagana, y la saludó afablemente.

—La nodriza espera al pequeño, amo —dijo ella.

Hilel había imaginado a Débora amamantando a su hijo, pero ésta se había decidido en contra. Ninguna dama griega o romana daba ya el pecho a su hijo, ni tampoco las ilustradas damas judías que tenían deberes y responsabilidades aparte de las simples exigencias del cuerpo. La desilusión de Hilel había sido grande. Recordaba el cuadro que formaban sus hermanos y hermanas en el regazo de su madre, el ambiente de cálida ternura que reinaba en la habitación de los pequeños, sus juegos, sus canciones y la luz dorada del crepúsculo que armonizaba el conjunto.

En cambio, en aquella misma hora Débora se estaría ilustrando en la biblioteca. Hilel no se había quejado nunca de ello: era demasiado amable y gentil. Lo sabía y lo deploraba. Los viejos patriarcas habían sido temidos por sus esposas e hijas en el pasado, pero ¡ay! Hilel no era un patriarca.

Así que, sin una palabra, observó cómo la pequeña Gaia tomaba al niño en brazos y la oyó hablar del pañalito, que al parecer la otra niñera había descuidado, y, después de enrollarlo en la sabanita, salió de la habitación. Cuando la muchacha llegaba a la puerta, el niño lanzó de pronto un extraño fuerte grito, no un chillido infantil, ni un sollozo, sino un grito de humillación y disgusto. Como si dijera: "¡Detesto mi presente condición y debilidad, y no la soportaré por mucho tiempo!"

"Estoy tan tonto como un padre novato", pensó Hilel, y, atravesando el pórtico exterior, bajó al jardín. Ya era la hora de la plegaria de la tarde en el cálido y perfumado silencio. Como judío piadoso, sabía que las plegarias debían recitarse en una sinagoga, pero él y Débora vivían en la casa que el padre de ella comprara en los suburbios más alejados de Tarso. ("Mi hija es de constitución muy delicada.") No había sinagoga a menos de una hora de distancia, y Hilel entonces se estaba recuperando de unas fiebres palúdicas que le habían dejado algo débiles sus robustas piernas y el corazón demasiado sensible a todo esfuerzo. No era buen jinete, y le disgustaban las afeminadas literas, y, aunque poseía un buen carruaje y un carro ligero, tampoco le agradaban. El hombre está hecho para caminar. No hubiera rechazado un humilde asno, pero eso habría molestado a Débora, y Hilel era hombre de paz. Los hombres podían hablar de los severos patriarcas, pero los maridos no eran tan valientes.

Miró en torno, en el luminoso y sereno atardecer. Su casa, en las afueras de Tarso, estaba hundida en el silencio, tranquila, aunque los esclavos y sirvientes trabajaran, rieran o cantaran... pues era una casa feliz. Hasta los gritos discordantes de los pavos reales, de los cisnes y de las aves de rapiña sonaban musicalmente fundidos en el suave susurro de las palmeras, de los sicomoros, de los arbustos fragantes; y ni las mismas tormentas de verano desvanecían aquella atmósfera apacible. Chanceándose, amigos griegos y romanos de Hilel aseguraban que su casa y los extensos terrenos que la rodeaban estaban custodiados por viejos dioses agrestes, ninfas y faunos. Y es lo cierto que la casa se erigía en una tierra baja, regada por arroyos y corrientes que ni en la estación más seca se extinguían, en aquel valle fértil y lujuriante de Isos, parte de Cilicia que acababa de ser unida a Siria y a Fenicia por Julio César.

La propiedad se extendía en torno a la casa en ondulaciones de verdor cambiante, coronadas por ramilletes de árboles frondosos de oscuros tonos de esmeralda, cuya sombra protegía los macizos de flores, los senderos rojizos y las avenidas recubiertas de guijos. Aquí y allá las fuentes vertían sus aguas doradas por el sol; fluyen de manos de mármol, de cuernos de la abundancia, de fauces de bestias fabulosas.

Obediente a las Tablas de la Ley, Hilel se propuso destruir las imágenes idólatras de fuentes y terrenos, erigidas por el antiguo propietario, romano. Pero Débora se mostró tan desolada, sus protestas, sus lágrimas, sus ruegos, fueron tantos, que consiguió que su marido, siempre dispuesto a complacerla, desistiera de sus piadosos propósitos. Pero insistía en no mirar las graciosas estatuas de grutas y fuentes, aunque a veces su vista, naturalmente perceptiva y apreciativa, se le escapaba hacia ellas. Cuando se lo reprochaban sus amigos, más rígidamente religiosos, reía y cambiaba de conversación. Aunque parezca extraño en un hombre tan amable, podía infundir a su voz un tono de tranquila autoridad y carácter, que silenciaba incluso a los más coléricos o rebeldes, y sus ojos castaños sabían brillar con firme frialdad. Enfrentado con ello, su contrincante jamás se atrevía de nuevo a discutir o a criticar a su anfitrión o amo, sino que ya para siempre le tenía no sólo respeto sino también algo de temor.

Un gran estanque natural fulguraba en el mismo centro de la propiedad, azul y púrpura bajo el sol, escudo de plata bajo la luna. Cisnes blancos y negros se deslizaban elegantemente por su superficie. Y, a veces, esos raros patos de la China que parecen de madera pintada en varios colores, les disputaban el dominio de las aguas. Durante los periodos de migración, las cigüeñas de patas rojas, procedentes de África, se detenían en el estanque para devorar los peces que se criaban en él con abundancia, o las ruidosas ranas y las nubes de insectos. Los pavos reales, en perpetua riña con los cisnes, se acercaban a beber en sus orillas, y lo mismo hacían los animalitos del bosque. Alimentado por claros manantiales, el estanque estaba siempre límpido y puro en las rocas que lo circundaban, y en cuyas hendiduras brotaba una vegetación salvaje de flores doradas y rojas e incluso helechos. En las tardes calurosas los esclavos lo aprovechaban para bañarse, con gran indignación de sus habituales y batalladores ocupantes. Mientras nadaban, sus juveniles manos atrapaban peces iridiscentes que luego soltaban entre bulliciosas risas. El antiguo propietario, que había residido en países orientales, erigió, en la parte más encogida del estanque, un complicado puente, cuyos singulares adornos ponían una nota exótica a su sencilla decoración natural: dragones, serpientes y vides esculpidos se entrelazaban en la barandilla. Los animalillos allí figurados tenían ojos de plata o lapislázuli, y las diminutas uvas eran de jade o topacio. Los esclavos jovencitos se inclinaban a menudo sobre el arco del puente para examinarlo, maravillándose ante un tan delicado trabajo artístico y descubriendo cada vez nuevos adornos y filigranas de marfil.

Bajo los espesos árboles había pequeños refugios para el descanso, con toldos rayados en azul, rojo o verde, y Hilel se sentaba en uno de ellos a meditar cuando la conciencia le reprochaba tanta admiración por la belleza. Débora también solía reunirse allí con sus amigas, para tomar vino con especias, pastelillos y frutas. Cuando Hilel oía sus voces agudas y chillonas, acostumbraba a desaparecer, aunque luego Débora le reprocharía su descortesía y le recordaría los deberes de un anfitrión.

La propiedad había costado una considerable fortuna al padre de Débora, el cual a menudo hacía constar a Hilel la importancia de aquellas tierras. Además, le llenaba la casa de esclavos y de sirvientes. Incluso le envió uno de sus mejores cocineros para que sirviera a su hija. "No olvides que mi hija es la única niña entre sus hermanos; está acostumbrada a toda clase de refinamientos y no podría soportar las privaciones." Y acompañaba la advertencia con una dura mirada, después de lo cual quedaba convencido de haber molestado a su yerno. Pero éste, siempre comprensivo, sonreía interiormente.

Aquella tarde, pues, juntando las manos, en pie entre las flores de sus jardines, murmuró en alta voz: "¡Oye, oh, Israel! Fuera de Ti nada existe".

Meditó cuidadosamente estas últimas palabras. El universo estaba lleno de la grandeza de Dios. La más lejana estrella estaba llena de Su gloria. Los mundos —tan numerosos como las arenas del mar— cantaban Sus alabanzas. La más pequeña flor salvaje aferrada a las rocas del estanque, con su color y vitalidad, anunciaba Su poder sobre los pequeños y humildes, así como sobre los poderosos, y Su vida invencible, Su omnipresencia. Sus altares no estaban sólo en el Templo y la sinagoga, sino en cada trozo de tierra, en los troncos de los árboles, en las frondas de las palmeras y en el arco iris de las alas de aves e insectos. Su voz estaba en el trueno, el brillo de Su ojo vigilante en el rayo, el movimiento de sus vestiduras en el viento. Su aliento movía los árboles e inclinaba la hierba. Sus pasos revelaban las piedras y montañas. Suya era la fría sombra, el grito de los seres inocentes, la niebla que se levantaba al atardecer, el aroma de las flores, el perfume de la fresca tierra y del agua. "Fuera de Ti nada existe." Nada existía sino Dios.

El corazón de Hilel se llenó de apasionada exaltación. Todo exultaba en Dios y Lo reconocía..., excepto el hombre. Todo obedecía implícitamente Su menor orden..., excepto el hombre. Todo vivía en belleza..., excepto el hombre. Todo se inclinaba ante Él, existiendo sólo en Él..., excepto el hombre. El hombre era un proscrito, el rebelde, la imagen distorsionada que asolaba la tierra, la voz que silenciaba la música del Edén, la mano que se alzaba con obscenidades y blasfemias. El hombre era el paria, el leproso moral en este traslúcido espejo del cielo. El que ensuciaba las aguas de cristal, el que despojaba los bosques, asesinaba a los inocentes y desafiaba a Dios. Era el asesino de santos y profetas, pues hablaban de lo que Él no quería oír, en la oscuridad de su espíritu.

Hilel prefería pensar bien de los hombres, ser compasivo, y a menudo reflexionaba en las penas y dificultades de la humanidad, pero no podía convencerse siempre de que el hombre mereciera vivir. Cuando se hallaba en esta tristeza crepuscular, como esta tarde —lo cual era en sí un misterio—, recordaba las profecías referentes al Mesías y citaba las palabras de Isaías: "Él librará a su pueblo de sus pecados".

Los pocos saduceos que conocía Hilel, y que recibía en su casa, se reían de él cuando confesaba —después de unas copas de vino— que él "sentía" que en el mundo había ocurrido ya algo de divino; que se había verificado un poderoso suceso que cambiaría la faz de la historia y revitalizaría al hombre con la Voz de Dios. "Es tu reclusión voluntaria —le decían con cariño—. Este mundo, bajo el poder de Roma, es de roca y materia, tal es la realidad, y sólo los locos niegan la realidad. Abandona las estrellas, amigo mío, y la Cábala, y las profecías de antiguos profetas que olían a estiércol y a túnicas de pelo de cabra, y a sudor. Vivían en épocas más simples. Hoy el mundo es complejo, y civilizado, y lleno de grandes ciudades, de comercio, de artes y ciencias. El hombre ya es mayor de edad. Es un ser complicado, ciudadano del mundo romano, al menos por existencia, si no por derecho. Conoce todo lo que hay que conocer. Ya no es presa de fantasías, esperanzas y engaños. Sabe lo que son las estrellas. Sabe lo que es la materia. Conoce su lugar en el universo. Ya no es supersticioso. Ya no siente terror ante los fenómenos naturales; ahora los comprende. Tiene sus escuelas y sabios maestros. Pocas doncellas judías quedan, hoy en día, que sueñen concebir al Mesías, pues saben que no habrá tal Mesías, que esa ilusión fue tan sólo el anhelo de los antiguos e inocentes ancianos. Aún honramos la sabiduría infantil de aquellos hombres, y nos parece notable, considerando que no tenían acceso a nuestras bibliotecas y escuelas. Pero era la sabiduría de hombres ingenuos, que no conocían las ciudades y el mundo de hoy."

"Una virgen dará a luz..." Pero nadie hablaba de eso en estos días, excepto algunos fariseos entre los amigos de Hilel, e incluso ellos lo consideraban como un suceso aún oculto en el tiempo, y posiblemente sólo una esperanza mística. Hilel se sentía solo. De noche meditaba con frecuencia en su singular seguridad de que algo había ocurrido ya en la faz del mundo, y que la creación entera parecía retener el aliento.

En una ocasión dijo a un amigo, a quien honraba en Tarso, un viejo judío doblado por los años, pero con la mente de un joven:

—He tenido noticias de una prima mía en Jerusalén, casada —y no lamento decirlo— con un centurión romano. Un buen hombre, que adora a mi prima y la trata muy bien, lo cual, en opinión de algunos, lo hace menos hombre, aunque yo nunca he creído que fuera prueba de virilidad el despreciar a las mujeres. En muchos aspectos posee gran ingenio y, en contra de la creencia popular de que todos los romanos son monstruosos, es muy amable y de buen humor.

Hablaba con timidez, mientras su huésped fruncía las cejas ante esa opinión, indudablemente exagerada, de los romanos, conquistadores de la Tierra Santa de Dios.

—También él es supersticioso —continuó Hilel—. Llevaba casado seis años con Ana, pero Dios no había querido bendecirlos con un hijo, aunque tienen ya cuatro hermosas hijas. Ana sufría por ello, aunque Aulo parecía felizmente resignado. Sin embargo, hace cuatro años, después del solsticio de invierno, cuando los romanos celebraban sus alegres saturnales incluso en Jerusalén —aunque ahora han sido restringidas por orden de César Augusto, que es un hombre sensato—, Ana dio a luz a un hijo. Aulo estaba acompañando a algunos hombres en una torre de vigilancia en las alturas de Jerusalén, pues tenían guardia aquella noche y no podían unirse a las últimas festividades, que él me aseguró son las más... agradables de todas. Era una fría noche, y Aulo miraba en dirección a Belén, lugar de nacimiento del Rey David, y todas las estrellas brillaban esplendorosas.

Hilel miró en tono de disculpa a su viejo visitante, que aceptó más vino de un esclavo y dio señales de aburrimiento; incluso bostezó.

—Llegó un mensajero para comunicarle el nacimiento de su primer hijo, e inmediatamente Aulo sirvió vino a sus compañeros, y declaró que también tendrían fiesta en la torre. Estaba bebiendo el tercer vaso de vino cuando miró de nuevo por casualidad a Belén, y entonces vio algo asombroso.

—Estaba borracho —dijo el viejo—. Conozco a esos romanos. Siempre están borrachos.

Hilel se sintió algo enojado:

—¿No fue David el que dijo: «Aceite para que brille el semblante y vino para alegrar el corazón del hombre»? Los consideraba excelentes dones de Dios, que no había que rechazar. Aulo es prudente. Sólo lo he visto borracho cinco veces.

El otro gruñó:

—Los libros Sagrados abominan la borrachera. Recuerda el caso de Noé. ¿Qué sabe de Noé, tu amigo?

—Yo no hablaba de Noé. Aulo contemplaba el cielo estrellado sobre Belén y sus colinas, y vio algo realmente prodigioso. Entre las estrellas había una totalmente desconocida según los astrónomos: resplandecía y era tan enorme como la luna llena; temblorosa, ardiendo con un fuego blanco, se movía girando, como si obedeciera a un determinado propósito.

—Ese Aulo estaba realmente borracho, o bien observó lo que los astrólogos llaman una nova..., una nueva estrella. No es, en realidad, un fenómeno verdaderamente extraordinario.

—Las estrellas no se destruyen a sí mismas en un estallido de llamas, y en un instante —dijo Hilel ligeramente enrojecidas las mejillas, al ver cómo se rechazaba su excitante historia—. Si aparece una nova, al menos es visible en noches sucesivas y durante considerable tiempo. Es cierto que la estrella duró varios días y luego desapareció, pero no apagándose lentamente. Terminó de pronto, como si su misión estuviera ya cumplida. Querido amigo, cesó en su movimiento aquella primera noche y quedó suspendida como una poderosa luminaria sobre cierto lugar, fija, inmóvil, inalterable, hasta que desapareció tan rápidamente como había aparecido. Su luz era tan intensa que, como la luna llena, proyectaba sombras sobre la tierra, y el pánico se apoderó de la gente en aquellos lugares. Aulo —prosiguió explicando Hilel— estaba seguro de que habría nacido un gran héroe, aunque dudaba que un acontecimiento tal hubiera ocurrido en una pobre aldea como Belén. Ana, la esposa de Aulo, pretendía que la estrella había anunciado el nacimiento de su hijo.

—Debieron nacer varios centenares de niños aquella noche en Jerusalén y en Belén —dijo su amigo—. ¿Cuál es el profeta o el héroe?

Hilel miró sus manos cruzadas, que descansaban en el blanco lino del mantel.

—No lo sé —murmuró—. Pero, cuando recibí la carta de Ana, un júbilo misterioso se apoderó de mí, una gran exaltación, esto es lo que no comprendo. Fue como si un ángel me hubiera tocado.

El otro agitó la cabeza:

—He sabido por tu padre y tu abuelo, Hilel ben Boruch, que siempre fuiste un muchacho místico.

Hilel se enfureció al verle rechazar de aquel modo su historia, y cambió de tema. Se sentía ridículo, y nunca volvió a hablar de ello a nadie.

Pero había sido profetizado, hacía siglos, que el Mesías, de la Casa de David, nacería en Belén. Sin embargo, si era así, ¿por qué no había habido ángeles cantando, ni trompetas de los cielos, al aparecer aquella estrella, y por qué no se había unido el mundo entero en indecible gozo? Seguramente el Mesías no habría de nacer en la oscuridad, pues Su trono era la santa Sión, como anunciaran las profecías, y el Rey de Reyes no nacería como el menor de los hombres. Por otra parte habían transcurrido ya varios años y no se habían visto nuevos signos.

Cuando aquella noche se puso de pie en su jardín, oyó un repentino grito y se asustó. El grito rompió el suave silencio como una orden seca, brusca y autoritaria. Pasaron unos instantes antes de que comprendiera que era la voz de su hijo, que pasaba en brazos de una niñera bajo la columnata. Aquello lo dejó agitado. La voz del niño le había recordado a su propio padre, imperioso, inflexible, y firme, incluso didáctico, que no aceptaba dudas, y desdeñaba las vacilaciones. Era absurdo, pensó, al restablecerse el silencio. Un simple chillido infantil... y el formidable viejo que gobernaba la casa con el simple poder de su terrible voz. Por un momento Hilel consideró la idea de que su padre hubiera reencarnado en el niño Saulo y luego se echó a reír. ¡Qué delicioso sería dar una azotaina a un alma que en su vida anterior había mantenido aterrorizados a su esposa y a sus hijos! Quizá, en cierta medida, sería justicia.

Ahora escuchó a Débora charlando con sus amigas griegas y romanas, y su voz era viva y alegre, la voz de una niña feliz y complaciente. Agitó la cabeza levemente como si le reprochara, pero, en cierto modo, aquel sonido trivial y ligero lo consoló, aunque no sabía por qué.

—Te aseguré, Débora —decía una joven matrona romana a su anfitriona, en la calma del brillante atardecer—, que la medalla de Delfos te haría concebir un hijo.

—La llevé junto al corazón —dijo Débora. Vaciló—: Sin embargo, ¡podía haber sido más guapo!

Capítulo 2

Hilel ben Boruch había invitado a cenar a diversos amigos, entre ellos al viejo rabino y gran fariseo Isaac ben Ezequiel, y a su cuñado, hermano de Débora, el elegante aristócrata de Jerusalén, David de Chabua. En uno de los extremos de la larga mesa cubierta de damasco, presidía Débora, demasiado moderna para resignarse a vivir confinada en las habitaciones destinadas a las mujeres, a pesar de la explícita desaprobación del rabino Isaac, un viejo aburrido y bastante sucio según ella. A su lado tenía al griego Aristo, joven preceptor del pequeño Saulo que había cumplido ya los cinco años. Claro está que Débora no ignoraba que tanto la presencia del pagano griego como la del niño molestaba al viejo rabino; pero causarle esta molestia la divertía como a una muchacha maliciosa y traviesa.

Caía el sol, y las terribles e impresionantes montañas rojas se recortaban sobre el cielo, más allá de las abiertas puertas y ventanales del comedor; chillaron los pavos reales y el aire estaba cargado de aromas de flores, de polvo y de piedras calientes. Débora escuchaba el susurro de las fuentes, el murmullo de las ramas de los árboles. Podía ver el verdor de la hierba, las torres oscuras de los cipreses y los capullos púrpura de los mirtos. Se sentía orgullosa y contenta. Quizá su casa no fuera la más grande del vecindario, o la más espléndida, pero sí una obra de arte y de buen gusto. El comedor era espacioso y cuadrado, de perfectas proporciones, con el suelo de mármol, negro y amarillo, oro y ébano; los murales de las paredes eran excelentes, aunque un poco extremados, según la opinión conservadora de Hilel, y el techo de yeso estaba decorado con rosetas de oro y azul oscuro. El mobiliario, aparadores, mesas y sillas, seguía la moda oriental de acoplarse al ambiente, y era de oscuro ébano y teca, tallado e incrustados de marfil. Aquí y allá se extendían brillantes alfombras persas, de complicado dibujo y delicada manufactura. Una fresca brisa corría entre las columnas del pórtico, esparciendo puros aromas campestres. Las campanas de los templos paganos dedicados a Serapis, Juno, Afrodita y a todos los dioses y diosas del panteón romano, griego y oriental, empezaron a sonar suavemente, en una competencia de notas armoniosas, pero finalmente acordadas para crear un fondo musical de sones dulces y nostálgicos.

David, hermano de Débora (en opinión de Hilel —que podía ser muy duro en ocasiones—), era afeminado, ridículo, presuntuoso y una parodia de elegancia. Tenía cuatro años más que su hermana, y estaba casado con una muchacha romana de noble familia. Vivía más en Roma que en Jerusalén, y se definía a sí mismo como "un judío emancipado, el nuevo judío". Amigo íntimo de Herodes, frecuentaba la corte y vivía con opulencia. Desenvuelto y guapo, sus cabellos y sus ojos eran los mismos de Débora; de cutis claro, hoyuelo en el mentón y nariz griega de la que se sentía tan orgulloso como de su figura esbelta y elegante. Decadente en exceso, según Hilel, olía como una mujer, y llevaba demasiados anillos en los dedos largos y delicados. Un complicado collar egipcio colgaba del cuello, brazaletes de gemas adornaban sus brazos, un pendiente enjoyado brillaba en el lóbulo de una de sus orejas, su toga, de la seda más blanca y suave, era bordada en oro; el oro brillaba también en sus sandalias.

Hilel siempre se proponía despreciarlo como decadente traidor a su raza y a su Dios, pero David era tan encantador, tan divertido e incluso tan erudito, que invariablemente, y sin poder evitarlo, se dejaba seducir y apreciaba sus poco frecuentes visitas. David, desde luego, era saduceo, y por tanto peor incluso que un pagano, pero era muy letrado; estaba al corriente de todo tanto en su terreno al discutir de Tora, Filón, Eurípides, Sófocles, Virgilio y Homero, como al hablar de los últimos escándalos de Roma y Jerusalén, Alejandría y Atenas, o de la política, la poesía, la ciencia, el mercado de valores, el estado del dracma y del sextercio, la nueva favorita de César Augusto, los jueces augustales en Roma, los rumores del Palatino, la arquitectura, la arqueología, el comercio y la religión en todas sus formas, por no mencionar las últimas modas en el vestir, comer y divertirse.

Una o dos veces, por exasperación ante tanta dulzura y urbanidad, Hilel, el más amable de los hombres, había intentado provocarlo, pero David jamás abandonaba su pose —si era una pose— de hombre totalmente civilizado. Nunca se impondría a su mujer, pensaba Hilel con poca amabilidad, si ella no estaba dispuesta, ni pelearía de modo vulgar con un comerciante, ni discutiría con un corredor, o se rascaría la nariz o el trasero, aunque no ponía objeciones a una historia picante y podía insinuar inmencionables perversidades en la conducta de amigos y conocidos.

El rabino Isaac, su viejo amigo fariseo, parecía muy triste esta noche, sentado a la derecha de Hilel, y lanzando miradas de enojo alternativamente a Débora, que se limitaba a ignorarlo, y más enojadas aún al perfumado David. Agitaba la mano, cuando hablaba éste con su acento musical y culto —en griego, por supuesto—, como si alejara una nube de mosquitos, y emitía groseros sonidos al masticar y beber vino. (Un auténtico cerdo, pensó Débora, sin caridad alguna.) Sólo cuando Hilel hablaba prestaba atención, y dejaba de llenarse la boca con grandes trozos de pan, o de examinar cada plato con intensa suspicacia, como si estuvieran envenenados o no fueran adecuados a los puros intestinos de un devoto judío. Era un hombre gruñón y nudoso, aunque curiosamente gordo, y lucía larga barba negra, sin una sola cana a pesar de su edad. Sus ropas eran del lino más vulgar, y de un tono marrón sucio, y Débora estaba segura de que olería mal, lo cual no era cierto. Era rico e instruido, y muy temeroso de Dios, y a menudo iba a Jerusalén, y hablaba de sí mismo como del más pobre y humilde de los hombres, pero era orgulloso, aferrado a sus opiniones e intolerante. Era también lo que David llamaba "un cazador de herejías", ferozmente consagrado a la Ley y al Libro, y por tanto un anacronismo en aquellos días de progreso. Débora lo detestaba.

La enfureció enterarse por su marido de que Isaac no sólo instruiría al joven Saulo en los adecuados estudios de un judío farisaico —ya estaba instruyendo al niño—, sino que sería su mentor y escogería su oficio. Él era tejedor de pelo de cabra. Seguramente, protestaba Débora entre lágrimas, ni siquiera un judío septuagenario podía creer, ya que todos los judíos debían ser no sólo instruidos en la ley mosaica, sino que habían de abrazar un humilde oficio que supusiera la labor manual, por muy rica y distinguida que fuera su familia. Era ridículo. ¿Acaso Hilel practicaba ahora su oficio de ebanista? Ciertamente, a veces le complacía tallar un mueblecillo, o una silla para el cuarto del niño, o una mesita, pero ¿lo hacía diligentemente como exigía la Ley? En verdad que no. "Uno nunca sabe", decía Hilel misteriosamente, pero sin explicar jamás a qué se refería. ¡Era insoportable!

Aquella noche Débora se sentía feliz. David era su hermano favorito. Le molestaba que Hilel, siempre que David estaba en casa, invitara también a aquel odioso y viejo fariseo a su mesa. Ella ignoraba que ambos irritaban igualmente a su marido, pero que al mismo tiempo lo excitaban y hacían más agudas sus réplicas. (A veces Hilel se preguntaba qué se sentiría al ser romano, y poseer tanta certeza materialista, sin dudas, y recorrer el camino con firmeza sin hallar pregunta alguna en la tierra.)

Hilel miró al pequeño Saulo, sentado en silencio junto a su madre. Le sonrió afectuosamente, pero Saulo escuchaba a su tío David con aquella extraña intensidad suya, nada infantil. Desde luego no era guapo, pero sí curiosamente dominador. El pelo, audazmente rojo, se lo habían cortado a la moda romana, como un soldado, y las grandes orejas se separaban del cráneo redondo y viril. Débora podía deplorar su nariz fenicia, e insinuar cierta mezcla en la impecable familia de Hilel —lo que era probable, admitía éste—, pero a él le parecía que la nariz de su hijo era muy varonil y, sin saber por qué, se sentía confortado. También le gustaban las manos del chico, cuadradas y morenas, con breves uñas cuadradas, y el firme cuello, y el tono saludable de sus mejillas y las pecas que le salpicaban el rostro. La boca de Saulo lo dejaba dudoso: grande, de labios finos, siempre en movimiento, le sugería un carácter obstinado y discutidor. En conjunto, el aspecto del muchacho respiraba orgullo y concentración, y también un temperamento rencoroso que, reflexionaba Hilel, le procuraría más enemigos que amigos en el futuro.

Pensó ahora en su hija Séfora, una hermosa niña rubia, de ojos dorados, modales afectuosos y hoyuelos en las mejillas. Se reía de Saulo y se metía con él. Éste, que pocas veces toleraba a nadie, ni siquiera a sus padres, lo aceptaba todo de Séfora, y jugaba con ella en sus ratos de ocio, y la reñía, aunque jamás conseguía hacerla llorar. Débora se sentía orgullosísima de su belleza, y se maravillaba ante sus ojos dorados, y le rizaba los rubios cabellos y defendía del sol su delicado cutis con toda suerte de cosméticos, hablándole de las ropas que debían llevarse a cada hora del día, y enseñándole a cantar.

El rabino Isaac insistía siempre en que deseaba "sólo la comida más sencilla" cuando visitaba a sus amigos, pero todos sabían que su esposa Lea era una magnífica cocinera. Débora creía inocentemente que el rabino era un hombre austero, y ascético, de manera que cuando su marido lo invitaba disponía invariablemente la comida más sencilla. Esto encantaba a Hilel, que se sentía maliciosamente satisfecho de gastar esta broma a su viejo amigo, y asimismo de contemplar a David esforzándose en contener una mueca de desagrado.

En cuanto a Aristo, nadie le dirigía la palabra, ni siquiera los desdeñosos esclavos, pues era sólo un liberto, aunque él se creía superior a todos en la mesa, ya que era ateniense, y brillantemente educado. Sus pequeños ojos negros, inteligentes e inquietos, pasaban de un rostro a otro, limitándose a escuchar y a sonreír para sí. De todos los presentes sólo Hilel ben Boruch le inspiraba respeto y una verdadera estimación. Lo consideraba un intelectual y un hombre bueno y de valor. La ley judía exigía que todo esclavo fuera liberado al cabo de siete años. Hilel, un día, prometió a Aristo liberarlo dentro de dos años. Aristo había pensado en ello con inquietud y luego le había consultado:

—Dentro de dos años, amo, seré libre. Y entonces, ¿a dónde iré?

Hilel había reflexionado, comprensivo. Un liberto era responsable de las propias acciones ante Dios y el hombre, responsable incluso de los propios pensamientos. ¡Cuánto peor era haber sido protegido y alimentado toda la vida, sin tener que dar cuenta más que a un amo, y de pronto ser lanzado a las regiones heladas donde uno era responsable ante todos! Por tanto, Hilel había dicho:

—Fuiste comprado para mi hijo, y, según la ley, deberás quedar libre dentro de dos años más. Pero ¿por qué dejarnos? En este mundo de múltiples gentes y filosofías, ¿no necesito, acaso, que sigas enseñando a mi hijo cuando sea mayor? Por tanto, antes de terminar el tiempo, visitaremos juntos al pretor, y quedarás libre lo antes posible, y, a partir de aquel momento, recibirás una paga mensual que ya acordaremos, y serás un honrado miembro de esta casa.

Por consiguiente, Aristo se había convertido en liberto, con un generoso salario que le permitía adquirir poco a poco algunos huertos de olivos para su vejez.

"Los judíos, pensaba entretanto Aristo, no pueden dejar en paz a Dios ni un momento. No es, pues, sorprendente que Él, exasperado, los castigue a menudo, puesto que ellos siempre se quejan."

—Con Dios, bendito sea su nombre, compartimos nuestra inmortalidad —iba diciendo Isaac—. De manera que también nosotros hablamos por siglos en nuestra alma.

David intervino procurando disimular cortésmente su aburrimiento:

—La resurrección de la carne, si se me permite decirlo, no es una doctrina exclusivamente judía. Los egipcios han creído en ella durante siglos, mucho antes de que Israel existiera, y lo mismo los babilonios. Es una creencia arraigada en todas las religiones. Sólo los griegos y los romanos no lo admiten, pero en cambio creen en fantasmas —y se echó a reír suavemente.

—Nadie cree en ello como nosotros —insistió el rabino con acento desafiador.

—¡Nadie cree exactamente como su vecino! —replicó David, sin casi reprimir un bostezo—. Probablemente Hilel tiene toda la razón al decir que si todos los hombres pensaran de la misma manera el resultado sería catastrófico.

Isaac, en su celo e intención no sólo de rescatar a Hilel de lo que creía tibieza, sino de impedir la contaminación del alma del joven Saulo, se lanzó de nuevo a la palestra:

—Los hombres como ustedes hacen complejas las cosas más sencillas, mediante sus confusas elucubraciones. Dios es la suprema claridad. Cuando Él, bendito sea su nombre, dice "Yo soy el Señor, tu Dios", ha dicho todo lo que hay que decir, toda la sabiduría, todo lo que un hombre o un ángel pudiera soñar en conocer. Pero ustedes inventan filosofías.

—Nosotros no inventamos a sus interminables y pesados comentaristas —cortó David—, que siempre están reinterpretando a

Dios, o revisando lo que Él ha dicho, para adecuarlo a cada nueva situación o aclarar un punto oscuro.

"Muy cierto", pensó Hilel. De nuevo, en aquella disputa entre el rabino Isaac y David, creyó ver saltar una chispa de la llama incandescente de la verdad que ninguno de los dos conocía por completo. Ni él tampoco. Dijo:

—Dios es sencillo. Sólo el hombre es complicado.

Isaac le lanzó una mirada de aprobación. Pero David insistió:

—Yo creo que nada es simple, y nada es oscuro. Sólo el pensamiento lo hace así, y a menudo me siento cansado de pensar.

—Y por eso te entregas a las fantasías de griegos y romanos —dijo el rabino—, como todos ustedes, los saduceos, tan unidos a los romanos, al ambicioso recaudador de impuestos, ¡al agresor, que destruye a mi pueblo forzándolo a la desesperación, a la ruina y a la pobreza, destrozando el Arca, rompiendo el velo del Templo y escribiendo en sus muros!

Sus ojos se llenaron de lágrimas al pensar en la degradación, esclavitud y desamparo de su pueblo, dentro de los sagrados muros de Jerusalén. Su emoción se comunicó a todos. Los ojos de Saulo brillaron de ira.

—Tú te ríes —dijo Isaac a David, que, desde luego, no se reía—. Pero Dios no será burlado; enviará su Mesías, bendito sea Su Nombre, y toda la maldad del mundo será borrada como la niebla de un pantano, y llegará el amanecer —hablaba amenazadoramente, agitando el índice ante David.

—Amén —murmuró Hilel. Entonces cruzó su mente el recuerdo de lo que le habían contado de la grande e impresionante estrella sobre Belén. Vaciló, pero sentía el poderoso impulso de hablar, y se inclinó hacia David, que sonreía negligentemente al rabino.

—David, hace tiempo que deseaba hacerte una pregunta, pues tú vives en Jerusalén. Tengo una prima casada con un romano, Aulo, joven centurión. Éste me escribió hace años que, en una noche de invierno, observó una magnífica y terrible estrella que se movía sobre Belén... —se detuvo, pues el rabino Isaac lo miraba con ojos impacientes.

—...Y el romano pensó que era una prueba de que su hijo, nacido aquella noche, era una manifestación de sus deidades paganas —lo interrumpió éste.

Pero Hilel miraba ansiosamente a David. Esperaba que sonriera y rechazara el relato con un vago gesto de la mano. Pero el joven estaba pensativo.

—También yo la vi —dijo—. Y muchos otros la vieron. —inclinó la hermosa cabeza y pareció meditar. Luego se encogió de hombros—: Sería un meteoro ardiente, como informaron los astrólogos, o una nova. Era una visión magnífica. Se alzó sobre las lejanas colinas de Belén como una luna llena. Brilló firmemente durante unas cuantas noches, y después desapareció. Como todas las novas, su luz y duración fueron efímeras. Pero, mientras duró, fue indescriptible, pura y blanca, girando como sobre un enorme eje. Nos reunimos en los tejados para verla. Algunos supersticiosos la creyeron un enorme cometa que iba a destruirnos. Algunos dijeron que las velas y antorchas del templo parecían brillar más mientras la estrella se mantenía sobre Belén. Algunos declararon que oían voces celestiales... —de nuevo se encogió de hombros—: Fue hermoso, pero no significaba nada.

—¿Y nadie de Jerusalén fue a Belén... para ver? —preguntó Hilel. El rabino Isaac afectaba un aire desdeñoso, retrepado en la silla, y sonriendo—. ¿Nadie se preocupó de investigar?

David meditó de nuevo.

—Uno lo hizo —contestó, encogiéndose de hombros.

Hilel no comprendía por qué su corazón saltaba de nuevo, pero gritó:

—¿Quién?

Su voz, extrañamente vibrante e intensa, hizo que hasta los ojos de Saulo se clavaran en él, maravillados. Las cejas de David se alzaron asombradas ante esta extraordinaria muestra de emoción en su cuñado, siempre tan moderado.

—Un joven, José de Arimatea, que tú no conoces —respondió con voz suave, como temeroso de que aquel ardor inexplicable fuera peligroso—. Es amigo mío, honorable consejero, que —tosió apurado—, al parecer, había estado esperando el Reino de Dios. También es miembro del Sanedrín, a pesar de su juventud, ya que es estimado por su sabiduría, y la sabiduría de su padre. Es muy devoto, pero también avanzado, y muy rico.

—¿Y él siguió a la estrella?

—No había nada que seguir. Estaba allí, sobre Belén. José fue con un séquito. Pero una vez en la posada... (debo mencionar que la posada estaba llena hasta los topes, incluso los establos, porque César Augusto había ordenado un censo y el pueblo de Galilea había acudido allí), José dejó a sus sirvientes y siguió un poco más a pie. Uno de sus sirvientes contó a uno de los míos que José llevaba una pequeña arquilla de oro en sus manos, un objeto precioso, y que, cuando volvió a medianoche, ya no la llevaba y jamás fue vista de nuevo.

—¿Eso es todo? —preguntó Hilel, al ver que no seguía.

—Eso es todo. ¿Qué más puede haber? Recuerdo que pregunté a José qué había hallado en Belén, y él se limitó a sonreír. Es hombre de pocas palabras.

—Una historia estúpida —dijo el rabino Isaac—. Tu amigo es muy misterioso. Si el mensajero de Dios hubiera nacido aquella noche, habrían resonado las trompetas y los cielos se hubieran iluminado de zenit a nadir, llamando a todos los hombres a la adoración y la oración. La santa colina de Sión hubiera ardido como el sol y los romanos hubieran quedado instantáneamente calcinados. Israel hubiera sido alzada hasta los cielos, con todas sus murallas convertidas en oro y sus almenas pobladas de ángeles. Y Él, bendito sea su nombre, hubiera sido proclamado en todos los rincones de la tierra.

—Cierto —dijo David ben Chebua—. Así se ha profetizado.

—Es posible que no lo conozcan cuando aparezca por primera vez ante ellos —dijo Hilel, sintiendo ahora su corazón lleno de dudas y de melancolía.

El rabino alzó los ojos al techo, como pidiendo paciencia al Todopoderoso. Luego dijo:

—El sol se pone. Es la hora de la plegaria.

El joven Saulo había estado escuchándolos, y había un profundo brillo en sus extraordinarios ojos, cosa que Aristo deploraba de corazón, pues sospechaba fanatismo, y además la atención del niño había estado pendiente del rabino, y no de su padre. Él mismo había escuchado estas disputas hebraicas con aburrimiento. ¿Por qué no podían calmarse los judíos y aceptar el nacimiento de los dioses como lo aceptaban los griegos, con gracia y alegría?

Débora se había retirado en silencio. El rabino Isaac, oscura y pesada figura, dirigía la marcha hacia el jardín, con pasos que resonaban entre las blancas columnas. Hilel y su hijo Saulo lo siguieron. David sonrió y se dirigió hacia la puerta del fondo.

Aristo salió al pórtico, y quedó tras una columna, observando. Los jardines estaban bañados de oro y bermellón; había una suave neblina en las ramas de los árboles y las palmeras susurraban suavemente bajo el viento de la tarde. Más allá comenzaban aquellas increíbles montañas rojas, pero sobre sus cumbres el cielo parecía verde y solamente brillaba una estrella. Los pájaros se entregaban a sus coloquios, pero Aristo dudaba que cantaran las plegarias de la tarde, como el joven Saulo le asegurara una vez. Sin embargo, era un hermoso pensamiento, y había que animar el sentido poético en los jóvenes.

Saulo siguió las plegarias de su padre y el rabino, alzando en respuesta su firme voz infantil.

Capítulo 3

—No entiendo este asunto de las almas y la caridad —dijo Aristo a Saulo—. Ciertamente Sócrates la recomendaba, pero era un pensamiento tan extraño a sus conciudadanos que apenas lo tomaron en cuenta.

"Ayer diste tu último dracma a un mendigo junto a la puerta de la sinagoga. Era repulsivo a la vista, y bastante ofensivo al olfato. Observé que la diste sin tristeza ni compasión.

—Ya he dicho antes —dijo Saulo, con toda la exasperación de un joven de catorce años— que se nos ordena dar diezmos y limosnas. Es un mandato santo. En realidad, un deber. ¿Qué importa que el objeto de nuestra caridad sea repulsivo, quizás incluso detestable? Eso no influye en nosotros.

—En resumen —dijo Aristo—, que la das porque es una orden de tu Dios, no porque sientas compasión por el objeto de tus limosnas.

Las rojizas y espesas cejas de Saulo se fruncieron con disgusto. Aristo tenía la habilidad de llevar la cuestión por donde quería. Vaciló:

—Sé que mi padre da con piedad, y el rabino Isaac con una bendición. Si yo no siento compasión por el mendigo es por mi dureza de corazón, o a causa de mi juventud, que el tiempo se encargará de cambiar. Mientras tanto, obedezco. Pero esto tú no lo comprendes.

Aristo meditó en ello, y agitó lentamente la cabeza:

—¿No se te ha ocurrido, naturalmente, que la caridad puede destruir al que la recibe? Escucha esta vieja historia:

"Un bondadoso sabio cabalgaba en su asno hacia el mercado. En el camino se le acercó un mendigo que le pidió una moneda para comprar pan. El sabio, conmovido por la miseria del hombre, vació su bolsa en la mano del mendigo. Recobrado de su asombro, el mendigo elogió la bella capa que abrigaba al sabio. Éste, después de vacilar unos instantes, se la sacó y la puso sobre los hombros del mendigo. Entonces éste comprendió que había dado con un hombre de pocas luces, o con un loco. Admiró su cinturón y la hermosa daga alejandrina, y consiguió ambas cosas. Luego llegó a las botas de piel, forradas de lana, y pronto estuvo sentado en el polvo calzándoselas.

"Al levantarse se quejó de que estaba lejos de la ciudad y deseoso de visitar una taberna en la que gastarse la limosna en comida y vino reconfortante. El sabio vaciló, pero recordando que tenía una buena casa, con un huerto de olivos, y que no tenía hambre, y que contaba en la ciudad con amigos que le darían de comer desmontó del asno y con noble gesto invitó al mendigo a que lo montara. Éste obedeció con rapidez, se sentó y cogió el látigo con arrogancia. Entonces, viendo al sabio de pie en el camino, con los pies desnudos en el polvo, sin capa y sin una moneda en la bolsa, lo miró con desprecio: "¡Aparta, mendigo!", gritó, y, cruzándole el rostro con el látigo, se alejó cabalgando alegremente.

"Y ahora, mi querido Saulo, ¿podrías adivinar los pensamientos del sabio?

Saulo cerró los ojos. Observó subrepticiamente a Aristo, sabiendo que el griego le tendía una trampa con sus palabras; luego dijo:

—Si era sabio, se consolaría con el pensamiento de que el mendigo tenía ahora su dinero y sus bienes, y estaría contento.

—Si pensaba esa tontería, entonces no era sabio —dijo Aristo—. Ni humano tampoco. Saulo, si tú fueras ese hombre, ¿cuáles serían tus pensamientos?

El chico lo miró con sus ojos extraños. Luego su rostro pecoso estalló en una carcajada:

—¡Yo hubiera perseguido al mendigo, le hubiera tirado del asno y le hubiera azotado con todas mis fuerzas!

—¡Saulo, Saulo, aún siento esperanzas con respecto a ti! —dijo Aristo, dándole una palmada en el fuerte brazo—. Pero, ¿qué hubiera hecho el rabino Isaac?

El muchacho rió de nuevo:

—Habría calculado juiciosamente el diezmo exacto de su bolsa para dárselo al mendigo.

—Ya me has atrapado —dijo el griego—. Sin embargo, es una historia interesante que ilustra lo que sucede cuando la virtud es excesiva.

—Aún no te lo había dicho —dijo Saulo—. Voy a ir a la universidad de Tarso y, entre otras cosas, estudiaré la ley romana. Seré un abogado para mi pueblo.

—Serás un excelente abogado. Siempre crees tener razón.

Aunque el muchacho, vestido con una sencilla túnica gris sin bordados, estaba tranquilamente sentado en una silla, saboreando unas frutas, no daba la impresión de paz y serenidad. Toda su interior turbulencia se reflejaba en los continuos cambios de expresión de su rostro, en sus cejas movibles, en los rápidos movimientos de sus manos, en la posición de sus anchas espaldas. Llevaba el anillo que, siguiendo la tradición judía, le regaló su padre cuando "se hizo hombre": un sencillo aro de oro sin adornos, con un rubí cuyo fuego era semejante al de sus cabellos. Hilel, pensó Aristo, conoce a su hijo y ha sabido elegir lo que mejor lo representa. A los ojos del griego Aristo, aquel Saulo, a quien su madre encontraba feo, estaba dotado de una belleza particular que emanaba de su fortaleza. Seguramente, se dijo, con la madurez adquirirá una personalidad impresionante, temiblemente dominadora. Si fuera más alto, siguió pensando Aristo, que sentía por su discípulo un afecto sólo adivinado por Hilel, este Saulo sería un auténtico Titán. Lo cierto es que si era violento, no era brutal ni vengativo; que si le gustaba discutir, combatiendo, nunca insultaba ni molestaba en nada a su contrincante, y que si las ideas de los demás a veces lo exasperaban, no llegaba nunca al punto de declarar obtusos o poco inteligentes a los que las mantenían: prefería declararse incomprendido. "Saulo, Saulo, pensó Aristo el griego, no, el mundo no te recibirá amablemente. Los hombres como tú pueden promover holocaustos, pero acostumbran a ser las primeras víctimas del fuego."

—Los higos están muy maduros y dulces, Aristo —dijo Saulo, observando con su mirada la doliente expresión de su preceptor—. ¡Cómete éste!

Y le ofreció el más grande, que rezumaba miel.

—¡Tragones! —exclamó una voz alegre junto a ellos. Alzaron la vista y vieron a una adolescente que les sonreía echándose hacia atrás la mata dorada de sus cabellos relucientes al sol. Sus ojos, casi tan dorados como los cabellos, miraban burlonamente a los dos hombres que, como atontados, se tragaban los higos. El calor, coloreándolo, hacía más atractivo aquel rostro realmente hechicero. Un año más joven que Saulo, tenía entonces trece; era más alta que él y sus senos núbiles se dibujaban apenas bajo la túnica verde. Si Saulo tenía el vigor impetuoso de un novillo, Séfora se extremecía ligeramente como una flor mecida por la brisa estival.

Estaba ya prometida a su primo Ezequiel, de Jerusalén, y se casaría con él al cumplir los catorce años.

—Esa túnica —dijo Saulo— es una desvergüenza para una joven de tu edad, una modesta doncella judía.

—¡Bah! —dijo—. ¿A quién preocupa la modestia en este jardín? Además, hace mucho calor —sus piernas brillaban como el mármol besado por el sol. Metióse bajo el toldo, cogió una cidra, le quitó la piel y hundió los blancos dientes en la pulpa. El jugo de la fruta rezumaba de su boca y ella lo recogía golosamente lamiéndose los labios con la punta rosada de la lengua.

—Estoy pensando que no me casaré con Ezequiel —dijo, y cogió una ciruela.

Sólo cuando miraba a Séfora los ojos de Saulo perdían el brillo metálico.

—No está bien que una chica de tu edad se pasee con esta túnica de muchacho. ¿Cómo te lo permite tu madre? Los mosquitos te han picado las rodillas, y esto no va con una chica. Y además las llevas sucias. ¿Te has arrastrado por el lodo, hermanita?

—No es una túnica de muchacho. Me han crecido las piernas. ¿Acaso yo te pregunto dónde vas tan en secreto por las mañanas, cuando apenas ha amanecido? —preguntó ella, cogiendo un racimo de uva.

Con gran asombro de Aristo, Saulo enrojeció intensamente. Séfora se rió:

—Debe ser para ir a visitar a una chica, una pastora quizás, o la muchacha de las cabras —dijo. Agitó ante él un dedito manchado de zumo de uva—: ¡Qué vergüenza, en verdad! Sales de casa cuando apenas hay luz, y, cuando te veo, he de meter la cabeza bajo la almohada para poder sofocar la risa. ¿Quién es la damisela, hermanito?

Aristo estudió divertido a su alumno, ya que el color de Saulo aumentaba por momentos y parecía sudar. El griego se compadeció al fin de él:

—Es normal que un joven de la edad de Saulo, lleno de sueños, fantasías y extraños anhelos, salga, meditando, a contemplar cómo amanece.

Séfora también pensaba que esto era probablemente cierto, pero siguió burlándose de él:

—Una mañana te seguiré, y descubriré a esa ninfa entre los arbustos.

—Estás confundiéndola con Moisés —dijo Saulo con extraña voz—. Deja ya de hablar de ninfas, lávate y vístete con más modestia.

—Gruñón —dijo Séfora, y se alejó cantando.

—Una hechicera —dijo Aristo—. Una verdadera Atalanta.

Saulo se encogió de hombros:

—No es más que una cría. Y con la lengua de víbora.

Quedaron en silencio, conscientes de lo que no se había dicho, y, cuando se miraron, fue como si hubieran firmado entre ellos un pacto de honor. Saulo dijo sonriendo:

—Yo la quiero mucho. Aunque no tenga seso, y sea sólo una chiquilla.

Saulo comprendió que había llegado a la virilidad pocos meses antes de este día de otoño en el jardín, cuando le faltaban dos meses para su quinceavo cumpleaños.

Como los judíos tenían un enfoque realista de la vida, Saulo había sido debidamente instruido en los usos, significados y deberes inherentes a la sexualidad desde su infancia. Su padre habría querido hacerlo de modo más delicado que el viejo rabino Isaac, que juzgaba las vacilaciones de Hilel sobre este tema no sólo ridículas, sino increíbles.

—Dios nos hizo como somos —había dicho, mirándolo como si sospechara una herejía—. Y estamos naturalmente dotados de apetitos que deben ser dominados, si hemos de alcanzar la civilizada virilidad. Dime, Hilel ben Boruch, ¿dirías solamente a tu hijo "No es prudente acariciar o besar a una mujer"? El muchacho se sentiría confuso e inseguro. Pero si le dices: "No entrarás y te acostarás con una mujer cuando no está permitido", sabrá con certeza lo que quieres decir, pues los niños no son tan puros e inocentes como tú sospechas. Tienen instintos, y algunos de ellos son más fuertes que los de los hombres.

El viejo rabino sonrió, divertido. Saulo, por supuesto, había visto aparearse a los cisnes, a las cabras y a otros animales, y había comprendido que su hermana no era el resultado de alguna visita angelical...

Se había acostumbrado a levantarse antes del amanecer para dar un paseo a la débil luz matutina hasta la pequeña escuela del rabino Isaac, cercana a la ciudad. Al llegar a la austera habitación, era el primero en saludar al maestro, y luego rezaban juntos una plegaria. Comprendiendo que Saulo poseía peculiares y poderosas facultades espirituales, Isaac, sin dejar de mostrársele bondadoso, había decidido tratarlo con mayor severidad que a los demás estudiantes, ser con él más dado a las censuras, avisos y advertencias que a los halagos. Saulo era un alma extraña, un vaso que contendría la Gracia de Dios... si se le enseñaba bien y se le dirigía sabiamente. Si el rabino Isaac tenía algún temor era el de no ser lo bastante sabio para guiar aquella alma, y, por tanto, Saulo era a menudo el objeto de sus mayores plegarias.

Aunque robusto y musculoso, Saulo no participaba en las peleas de los otros cuando dejaban los bancos y los libros. Pero su aspecto era formidable, y por eso no lo atacaban, aunque lo consideraban el más provocador. Sin embargo, se burlaban de él, llamándolo Pelirrojo, y discutían en su presencia sus arqueadas piernas. Saulo no sentía animosidad contra sus compañeros. Su actitud era de indiferencia, algo que aquéllos no podían soportar, y por eso se metían con él. Los juzgaba vanos, débiles y superficiales, y se compadecía de Isaac por tener que enseñarles. No tenían auténtica reverencia por la Palabra de Dios, ni profunda piedad. Por consiguiente debía evitarlos, para que no lo arrastraran al abismo.

—Es adecuado que dediques tu vida a Dios, hijo mío —le dijo un día el rabino—, si ése es tu destino y tu deseo. Pero eres joven. Dios no ha prohibido a los jóvenes que disfruten de simples placeres, ni de la sociedad de los amigos.

Saulo replicó impasible:

—Me siento alegre a menudo, rabino, y hay muchas cosas que me divierten; pero otras no me causan impresión alguna. ¿Entonces tengo que reírme para resultar agradable al que las hace o que las dice? ¿Vale la pena esforzarse en buscar la aprobación de las personas triviales?

—Serás un sabio, un digno hijo de Israel, Saulo.

Al griego no le sorprendieron estas palabras, pero sí la melancolía con que fueron dichas, pues creía al viejo rabino muy fanático.

Y una mañana, al despertarse, Saulo se sintió más inquieto que de costumbre. Saltó de la cama y quedó inmóvil, preguntándose qué le había hecho levantarse así. Se dio cuenta de su joven y fuerte cuerpo, de los músculos de su estómago, brazos y hombros.

Estaban tensos, a punto de saltar. Luego se puso las sandalias y la túnica, y se echó una ligera capa sobre los hombros. Salió al jardín oscuro y silencioso, sintiendo el rocío bajo sus pies. Se lavó las manos y el rostro en la fuente, y lo hizo lentamente, sintiendo una nueva sensualidad. Miró hacia el Este. Una suave corona escarlata se adivinaba ya, pero el sol aún no se veía. Empezó a caminar despacio hacia Tarso, contento, por una vez, simplemente con sentir y no pensar.

En la penumbra, pasaba ante las casas silenciosas y las ventanas cerradas. No podía ver el río que corría por el anchuroso valle, ni tan sólo las montañas, pero oía de vez en cuando el gorjeo de los pájaros y veía sus formas —las oía más bien— saltando en un vuelo de un árbol a otro. No pasaría mucho rato sin que el camino se volviera ruidoso, animado por los gritos y disputas de los campesinos que transportaban sus productos al mercado, las ruedas chirriantes de los carros, los latigazos restallando sobre los lomos de los cansados asnos. Los verdes tamarindos elevaban sus copas al cielo; las barcazas traficaban por el río, y el puerto lejano se llenaba de blancas velas desplegadas. Rebaños de cabras y ovejas invadían también el camino, carretas repletas de patos y gallinas se les añadían, y todo, en conjunto, aumentaba el confuso ruido con balidos, mugidos y cacareos destemplados. A veces, un destacamento de soldados romanos a caballo se abría paso brutalmente mientras los campesinos se apartaban jurando y maldiciendo. A veces era un carro romano transportando centuriones o recaudadores de impuestos el que pasaba rozándolos, y más de un puño se levantaba airado y amenazador. Impasibles, los romanos no dirigían siquiera una mirada a los pobres campesinos vestidos de ropas raídas y oscuras; pero una bonita esclava que esperara junto a la puerta de una villa podía atraerse su atención, y un ligero saludo, y entonces ella agitaría la mano en complacida respuesta. Los cipreses seguirían su rígida guardia junto al camino y habría en ocasiones un atisbo de verdes praderas, y palmas en flor... Y todo impregnado de olor a sudor, y a animales, y hombres, en el ardiente camino...

Saulo conocía todo esto. Encontraría la misma muchedumbre al regreso de Tarso por la noche.

Un día, tratando de apartarse del barullo había descubierto un sendero solitario y escarpado que se apartaba del camino romano y, en un impulso de curiosidad, lo había recorrido. Nunca supo, ni trató de enterarse, de quién era la propiedad que atravesaba, con verdes prados, arroyuelos, árboles enormes y viñedos. De súbito se había encontrado en un paraje rocoso, en lo alto del cual caía retumbando una cascada que formaba una laguna al pie de las rocas. El agua era del color de los limoneros. Árboles frondosos y encendidas flores salvajes la rodeaban, y sólo se oía el retumbar de la cascada y el gorjeo de los pájaros. Junto a la orilla, Saulo se quitó las sandalias y refrescó sus pies polvorientos en el agua, que le pareció fría como el hielo.

Muchas veces había vuelto allí durante el verano. El lugar, siempre el mismo y siempre cambiante, le producía una sensación de paz placentera. Con el tiempo se convirtió en su lugar favorito, donde no sólo podía estudiar sino rezar también, con renovado ardor y comprensión. Pasaron meses. Nunca vio cerca un ser humano, aunque, a veces, un cervatillo o un cordero llegaban allí tímidamente a beber, mirándolo con ojos inocentes, para marcharse luego tan silenciosamente como habían venido.

De modo que esta mañana llegó también a su precioso santuario, más temprano que de costumbre, cuando las rocas se veían aún grises y el agua tenía un sonido más tumultuoso en el absoluto silencio. Hacía mucho fresco y la cascada parecía dialogar con el lago donde se derramaba.

Lentamente, cuando Saulo se sentó en la roca, el cielo fue tornándose opalino y empezó el despertar de árboles y pájaros. Después las flores recobraron sus colores como arco iris que surgieran de la tierra y le llegó el aroma de los almendros en flor.

Deleitándose con la belleza de los sentidos Saulo estaba muy quieto, todo ojos y oídos. De pronto oyó un ligero rumor y el sonido de la grava bajo unos pies. Miró asustado al otro lado del estanque: una jovencita había aparecido al borde del agua. Un año o dos mayor que él, hermosa y esbelta, aunque Saulo pensó inmediatamente en una ninfa, era una muchacha judía. Llevaba una simple túnica de seda ordinaria, atada con una cinta bajo los senos juveniles. Sus pies desnudos, lo mismo que su cuello y sus brazos, eran tan blancos como la luz de la luna en la nieve de las montañas. La cabellera larga y ondulada, oscura como la noche, enmarcaba un rostro infantil de una suave tonalidad ambarina y rosada, y sus ojos, a la clara luz del alba, eran enormes y negros. Por los pies descalzos, el vestido ordinario y sus movimientos tímidos, Saulo adivinó que era una esclava, seguramente de alguna casa de aquellos contornos. Entretanto ella, mirando a hurtadillas a su alrededor se metía en el agua, y, al levantarse la túnica, Saulo vio sus muslos tan firmes, torneados y pulidos como sus brazos.

Saulo había pensado a menudo que, si alguna vez se encontraba allí con algún otro mortal, el lugar quedaría profanado para siempre y él no volvería; pero, contrariamente, ahora aquella aparición no le estropeaba el paisaje. Comprendía que la muchacha se imaginaba encontrarse sola. Vio cómo se inclinaba para beber aquella agua tan pura, en la cuenca de la mano, cómo se la echaba por la cara riendo y meneaba la cabeza mientras el aire agitaba como un manto su larga y espesa cabellera. Entonó una canción y su voz era tan natural y pura como el canto de un pájaro. Ganó luego la orilla y desapareció entre los árboles. Saulo entonces se dio cuenta de que, durante aquel tiempo, había estado reteniendo el aliento y que los latidos de su corazón resonaban más fuertemente que el retumbar de la cascada. Tembloroso, se humedeció los labios resecos.

Sabía que lo que sentía era su primer anhelo viril, así como una extraña ternura jamás antes experimentada, y un incontenible y misterioso deseo. Había visto antes muchachas bonitas en las calles de Tarso, y trabajando en los campos, e incluso en el jardín de su padre, pero las había mirado con indiferencia. En cierto asombroso modo, esta chica era diferente de las otras, y él creyó que le pertenecía, como la roca y la catarata y el estanque eran suyos también.

Ahora se sentía como un joven Adán que hubiera visto por primera vez a Eva.

—¿En qué sueñas, Saulo ben Hilel? —le preguntó el rabino aquel día—. Pareces ausente.

Mañana tras mañana siguió Saulo llegando silenciosamente a las rocas del lago, pero no volvió a ver a la muchacha durante casi un mes, y entonces ella ya estaba allí cuando él llegó, cantando como una niña mientras paseaba por el agua, recogiéndola en las manos y lanzándosela sobre el rostro. Él estaba convencido de haberla soñado o que, si llegaba de nuevo, no le parecería tan hermosa y su visión se desvanecería. Pero al sorprenderla tras el tronco de un árbol, la vio más hermosa que nunca y sintió que, de nuevo, su deseo despertaba salvajemente.

Una calurosa mañana de verano, la muchacha no estaba. Saulo, desolado, se sentó en una roca. Cuando ya decidía marcharse, oyó un ligero ruido y, al volverse, la vio a su lado riendo silenciosamente. Se miraron sin hablar, y Saulo percibió su perfume fresco como la hierba y dulce como la miel. Podía ver las venas en su garganta infantil, y las uñas rosadas de sus manos y pies, y la boca entreabierta con el brillo de los dientes blancos, y los oscuros ojos.

Entonces habló ella, con voz dulce, como una niña:

—¿Por qué me espías por las mañanas?

Saulo sintió que rompía a sudar de embarazo y alegría. Le contestó en la misma lengua de Cilicia, que ella utilizaba:

—¿Te molesta?

Agitó ella la cabeza:

—No, me divierte. ¿Quién eres tú?

Se puso en pie. Estaban muy próximos. Ella no era más alta que Saulo, y su rostro quedaba al mismo nivel que el suyo:

—Mi nombre es Saulo.

—Saulo —repitió la muchacha, saboreando el nombre como si le gustara, y Saulo lo adivinó con alegría—. Es un nombre extraño —añadió ella—. ¿Está muy lejos tu casa?

Lo miraba con curiosidad, y él estudió sus ojos, la profunda luz de las pupilas oscuras, las espesas pestañas. Contempló la suave curva de sus cejas y deseó tocarlas, como uno desea acariciar las plumas de un pájaro.

—Sí, estoy lejos de casa —dijo—. Voy a la ciudad, desde la casa de mi padre, para estudiar con mi maestro.

Siempre se había sentido tímido ante los desconocidos, pero le parecía algo totalmente natural hablar con esta muchacha.

—¿Cuál es tu nombre, y dónde vives? —le preguntó, con una voz tan amable que hubiera sorprendido a su familia.

—Mi nombre es Dacil —dijo ella—. Y soy esclava de mi amo Centorio, el capitán romano pretor de Tarso. Soy la doncella de su noble esposa Fabiola —señaló la parte superior de la roca—. Su villa está más allá de la pradera, tras una avenida, y ésta es su propiedad, y la noble Fabiola me mira como a una hija.

Contemplaba a Saulo con aire inocente, esperando su comentario. Pero él se sentía fascinado por el aspecto de la muchacha.

Le pareció horrible que fuera una esclava de los romanos, que no liberaban a sus esclavos siete años después de haberlos adquirido, como exigía la ley judía. Para ellos, como para los griegos, un esclavo no era un ser humano, y los designaban con una palabra que significaba "cosa". En resumen, no tenía derechos, como no lo tienen las cosas ni los animales.

—¿Eres griega, Dacil? —preguntó.

Sus ojos se abrieron asombrados:

—No lo sé —dijo—. No sé lo que soy, ni quiénes fueron mis padres.

Sonreía con una felicidad que le desconcertó, y de pronto comprendió que hablaba como una niña porque en realidad lo era.

—Yo soy judío —dijo Saulo—. Mi padre es Hilel ben Boruch, y vivimos en la propiedad más allá del camino que lleva a la ciudad. ¿Te azota tu ama?

—¡No! Mi noble ama es tan gentil como una paloma, y sus esclavos la adoran.

Esto dejó confuso a Saulo. Sólo conocía a dos o tres romanos, y no demasiado bien, y se había burlado de sus rostros poderosos y arrogantes, y de sus narices prominentes, y jamás hubiera admitido, como lo admitía su padre, que se parecían mucho a los judíos, no sólo en su aspecto sino en el temperamento. Insistió:

—¿Y el pretor? ¿Es duro contigo?

Ella se echó a reír:

—No. Mi noble señor es muy amable, aunque firme. Mientras le sirvamos con obediencia y sin discusiones ni impertinencias, es justo y generoso. No permite que el vigilante nos insulte. Lo queremos.

Se alejó corriendo por la orilla del lago, luego se volvió para saludarlo alegremente y, después de hacerlo, desapareció.

“No se da cuenta —pensó Saulo—. No lamenta su terrible estado. No concibe siquiera que sea horrible. No conoce el dolor. No piensa más que en el presente”. Le pareció monstruoso el hecho de que no pensara en el futuro. Un esclavo, sin esperanza de libertad, era algo trágico para él, y su corazón se dolió.

No volvió a aquel lugar durante siete días, y cada mañana se repitió que jamás volvería. Era demasiado penoso ver a Dacil y preguntarse sobre su destino.

—¿Te aflige alguna enfermedad del cuerpo o del espíritu? —le preguntó el rabino Isaac con aspereza—. Tu mente parece alejarse, y tus pensamientos no están aquí, y esto es blasfemo cuando estudiamos las Escrituras y el Tora. Tu aspecto es más melancólico que de costumbre; Saulo ben Hilel, tus ojos están ausentes.

Aristo fue más agudo. Miraba a las jóvenes sirvientes de la casa y se preguntaba cuál había llamado la atención de Saulo.

Al octavo día, Saulo no pudo resistir más el terrible deseo de ver de nuevo a Dacil. Y así volvió al lago, y no de mala gana, sino corriendo como una liebre, sin aliento, a la luz gris del amanecer. El viento agitaba su cabellera roja; sus sandalias resonaban en las losas del camino silencioso.

Dacil parecía aguardarlo, blanca estatua de alabastro reflejada en el verde pálido del agua. Al verlo, sonrió radiante, se recogió la túnica para que no se le mojara, y vadeó el lago. Recubierto de gotitas de agua, le brillaba el rostro. Él le cogió la mano y el contacto subió como un rayo por su brazo hasta llegarle al corazón con violencia. Dacil reía. Y fue para Saulo la cosa más natural del mundo, inclinarse sobre ella para besarla en los labios. Era su primer beso de amor.

Eran más dulces, más suaves y más fragantes de lo que había soñado durante aquellos últimos días de tormento. Tenía miedo de haberla asustado, pero entonces los labios de Dacil se movieron bajo los suyos y el mismo Saulo quedó asustado, pues él no sabía que las mujeres respondieran a los hombres de aquel modo. Su aliento estaba en su boca y él la miró a los ojos, que brillaban alegres. Después, riendo de nuevo, Dacil lo apartó.

—Creí que me habías abandonado —dijo—. Malo, ¿querías hacerme llorar?

—No vine porque no pude.

Ella lo miró, comprensiva. Según su mentalidad de esclava, los hombres tenían negocios serios y excesivamente tediosos, y Saulo vio en seguida que la explicación que él tenía dispuesta a su pregunta no la hubiera comprendido; ni deseaba ninguna explicación, y, por primera vez, Saulo supo al fin que había muchas mentes incapaces de comprenderlo en absoluto, y no sólo a él, sino a todo lo que él simbolizaba.

Antes había topado con la incomprensión de sus compañeros de escuela o de su familia: lo había juzgado malicia o estupidez, o lo había atribuido a falta de recursos para expresarse. Ahora, de pronto, comprendía el gran aislamiento en que todos los hombres se encuentran, comprendía que ni el más elocuente podía expresar, hablando o escribiendo, la complejidad y profundidad de sus pensamientos y de sus varios impulsos. Se encontraba en un mundo en el que nadie se comunicaba realmente con otro, y en esto se basaba el mayor dolor. Ni siquiera el amor lograba crear, en absoluto, un lenguaje que fuera común a todos.

—¿Por qué estás tan triste? —preguntó Dacil, pero Saulo no tenía respuesta—. Alegrémonos, que el día es muy bueno —continuó la muchacha, y, cogiéndolo de la mano, ambos entraron juntos en el agua y rieron como niños mientras se salpicaban.

Y así fue durante muchos días del verano; y Saulo se volvió joven de corazón y espíritu como jamás lo fuera antes. Guardaba su secreto, no por vergüenza, sino por temor a que, si hablaba de ella, la magia se desvanecería, como Artemisa, la diosa favorita de Dacil, que huyó por las plateadas praderas de la luna.

La muchacha agudizaba todos sus sentidos, aportaba incandescentes significados al Cantar de Salomón, y nuevas sutilezas a los alegres salmos de David. Como Dacil jamás reflexionaba en el futuro, ni siquiera en el mañana, también él perdió el sentido del tiempo, maravillándose ante la profunda tonalidad de los colores de la tierra y el cielo, de la belleza de cada flor, y de lo excitante que resultaban las formas de los árboles, las sombras, las sensaciones..., cuán deliciosa la comida y qué gloriosos sus sueños. Una copa de vino ya no era únicamente vino para él: tenía el color y el gusto de los labios de Dacil, y el brillo de sus ojos. Ahora todo cobraba un significado más amplio. Sin embargo, Dacil jamás pronunció una palabra profunda; no poseía tan sólo la inconsciente sabiduría del iletrado y del ignorante. La muchacha no exaltaba, pues, la mente de Saulo, pero sí otros puntos más secretos, más sabios, aunque más primitivos, con la frescura de la primera mañana de la Creación. Era una rosa, que extendía sus fragantes pétalos al sol, y ofrendaba la divina esencia de su perfume. Jugaba con Saulo como juega un niño, con la entrega de un niño, aunque era mayor que él. Le besaba y le acariciaba las manos y el cuello, y, en aquellos momentos Saulo, arrobado, caía en un éxtasis profundo. Pero lo que valía más que todo, es que ella le abría, y ya para siempre, la percepción de la naturaleza humana.

Capítulo 4

Tarso, llamada por sus habitantes "la joya del río Cidno", era esencialmente una ciudad fenicia, comercial, cuyo tráfico marítimo y terrestre le infundían una vitalidad trepidante. Además, estaba dotada de academias y de escuelas excelentes, de templos, de establecimientos mercantiles y de circos para los combates entre gladiadores. Helénica por el aspecto exterior, oriental en sus íntimos repliegues, sus hábiles artesanos la hacían famosa y sus piratas que, respetados unánimemente, vivían en villas suntuosas, la enriquecían. Orgullosamente, los nativos la consideraban "una pequeña Roma", por la gente de tan diversas razas que en ella convivían: sirios y sidonios, estudiantes llegados del Asia Menor, nubienses, griegos, romanos, bárbaros de ojos azulados procedentes de los bosques de la Europa central, todos los cuales con sus charlas y griteríos en los más diversos dialectos, convertían en una Babel los estrechos callejones de la ciudad. Además de artistas y orfebres, de escribas que dominaban una docena de lenguas, de médicos y de hombres de ciencias, de libreros, de herreros y tejedores y de sus innumerables comerciantes, hormigueaban por la ciudad millares de ociosos que sólo trabajaban cuando el hambre los obligaba, se apretujaban en el circo, promovían alborotos, jugaban a los dados, robaban, combinaban estafas, perseguían a las doncellas indefensas, admiraban y exaltaban a los actores, gladiadores, acróbatas y luego, para divertirse, los obligaban a jugarse la vida. Es decir que se comportaban como siempre se ha comportado la chusma y como seguirá comportándose. Apasionados, pintorescos, peligrosos y divertidos, aprovechaban la vida con todas sus energías para disfrutarla, blasfemaban constantemente de los dioses y sólo pagaban los impuestos cuando los perseguía un resuelto publicano, acompañado de una cuadrilla de esclavos, armados de palos, o cuando intervenían los líctores.

—Las ciudades no sobrevivirían sin la chusma —decía Aristo a su alumno—. Se morirían de aburrimiento, puesto que la respetabilidad lleva en sí cierto aburrimiento y tristeza, cierta falta de vitalidad. En cambio ese populacho que sabe ganar hábilmente un dracma o un sextercio o una simple piececilla por aquí o por allá, es quien suscita y anima el comercio, inspira el afán de obtener grandes ganancias, madre de la ambición y de la fortuna, que hace erigir los templos, que cambia el rostro de los dioses, que incita a nuevas modas y que forma esa gran masa contra la cual luchan sacerdotes, pedagogos y legisladores —¿qué otra cosa podrían hacer?— y aunque este populacho sea naturalmente vulgar y vocinglero, no puede despreciarse. Su charlatanería, sus hurtos descarados, su ingenio y astucia, su crueldad y compasión, se acercan más a la auténtica naturaleza del hombre, amigo Saulo, que los filósofos de rostro severo y/o que los escritores.

Saulo se decía que Aristo se chanceaba, entregado a su maligno gusto de contradecir; pero pensando en Dacil rechazó esta idea. La muchacha, esclava como era, formaba parte de aquel populacho. Verdaderamente, a través de ella, veía a la humanidad como era, y no como él esperaba que fuese. Pero no podía creer, con el sonriente Aristo, que la maldad fuera tan necesaria como el bien, y que el bien sin el mal llegara a ser un verdadero infierno de silencio y oscuridad. Le explicaba una y otra vez las glorias y dulzuras del perdido Edén, pero Aristo contestaba siempre:

—Deberían estar agradecidos a sus Adán y Eva. No sólo liberaron al hombre de la absoluta virtud, sino que lo hicieron totalmente humano. Engendraron la belleza y locura de las ciudades, el desenvolvimiento del comercio, la delicia de los actores y bailarinas, y toda la infinita variedad de la vida, tal como la conocemos, y sin la cual viviríamos en un mundo monocolor, como los niños en la cuna. Fueron también muy sabios: comieron del Árbol de la Vida antes de regalarse con el Árbol de la Sabiduría, pues ¿qué hombre no desearía ser inmortal?

Sobre esto siempre habían disputado, y Aristo, en opinión de Saulo, se crecía en las discusiones, cínico y lleno de escepticismo, feliz con su agudeza. Pero, desde que el muchacho conociera a Dacil, lo escuchaba con mayor interés, pues Aristo sabía dar cierto giro original a cualquier discurso, y aun cuando estuvieran en desacuerdo, lo encontraba estimulante y enardecía su imaginación.

Durante su corta vida, Saulo no había visto nunca una mañana tan absolutamente dorada, con tantos contrastes de luces y sombras, tan efervescente y llena de vida, a pesar de que ya terminaba el otoño y el año tocaba a su fin.

Saulo llevaba en la mano un cesto de granadas para Dacil, y el perfume de la fruta, mezclado con el agreste aroma de la tierra, lo excitaba extrañamente, y su corazón latía ante promesas de sensaciones desconocidas, que lo obligaban a apresurarse por el solitario y tortuoso camino hacia el lago y la cascada. Buscó a Dacil, pero aún no estaba allí.

De pronto, le asaltó el pánico. Un chacal había aparecido ante él, al lado opuesto del lago. No lo vio hasta aquel momento, pues se había abstraído por completo en la contemplación de cuanto lo rodeaba. Todos sabían que los chacales podían estar rabiosos, y llevar la infección, "la herida incurable" mencionada por Hipócrates, y Saulo había visto morir a su sirviente favorito hacía años, tras el mordisco de un chacal.

Eran bestias sagaces, pero cobardes. A menos que estuvieran locos, no atacaban a los seres humanos. Pero, una vez rabiosos, eran como tigres. El primer impulso de Saulo fue echar a correr, buscar a Dacil e impedirle que se acercara al estanque. Pero quedó quieto. El chacal lo había visto. En vez de huir, según era su naturaleza, el animal afirmó rígidamente las patas mientras su piel se erizaba toda. Le brillaban los ojos, y de su garganta salió un terrible aullido. ¡Estaba rabioso! Saulo vio ahora la espuma sanguinolenta que caía de sus fauces.

Dominado por el terror, el muchacho no podía apartar la vista del chacal. No se atrevía a correr por miedo a ser perseguido. Sin quitar los ojos del animal se inclinó lentamente y cogió una pesada piedra de bordes cortantes. Entonces lanzó un grito amenazador. El chacal se retiró un paso o dos, pero aulló, un aullido de locura, y tembló de la cabeza a los pies. Y ya no se movió.

Entonces fue cuando apareció Dacil, riendo, llamando a Saulo porque había oído el grito y creído que la llamaba impaciente. Se quedó en pie, apenas a unos pasos del chacal, en la pendiente del estanque, mirándolo y sonriendo.

El sudor bañó la piel del muchacho, incapaz de hablar. Después, al verla agitar la mano, un poco perpleja, halló al fin la voz:

—¡Métete en el agua, Dacil! —gritó—. ¡Nada hacia aquí! ¡Hay un chacal cerca de ti, y está rabioso!

La muchacha volvió la cabeza y vio a la bestia que ya se inclinaba para saltar sobre ella.

Dacil se lanzó al agua sin quitarse la túnica gruesa que llevaba para librarse del frío de la mañana. La ropa le impedía nadar, y avanzaba muy lentamente. Saulo dejó caer el cesto de fruta y se lanzó al agua. Tenía la confusa idea de que, como la rabia llevaba consigo el temor al agua, el chacal daría media vuelta. Pero, apenas se había alejado unos pasos de la orilla cuando el animal se lanzó al estanque en persecución de Dacil. Ahora aullaba rabioso y sus horribles aullidos resonaban en el tranquilo silencio.

Saulo cogió la piedra y empezó a nadar hacia Dacil. Trataba de ponerse entre ella y la bestia, cuya cabeza era una mancha amarilla sobre el agua. Saulo se quitó las sandalias y la capa de un tirón e hizo acopio de fuerzas para interceptar el paso al chacal y salvar a Dacil del fatal mordisco. El agua estaba helada, hasta paralizarle. Saulo vio el rostro desesperado y pálido de la muchacha sobre el agua, y la mata de cabello que flotaba tras ellas, y la capa que dificultaba sus movimientos. Trataba de huir, y con la mirada le pedía auxilio.

Ahora se hallaba ya entre el chacal y ella.

—¡Nada más aprisa! —gritó, enfrentándose resueltamente con el atormentado animal—. ¡A la orilla!

Había oído decir que los animales temen la fuerza de la mirada del hombre, y él fijó la vista en el chacal, sin mirar de nuevo a Dacil, cuyo resuello resonaba a sus espaldas.

El chacal, sin embargo, no sabía nada, al parecer, del poder hipnótico del hombre, o estaba demasiado rabioso. Se detuvo brevemente en el agua y después dedicó toda su atención a Saulo. Éste sintió un renovado terror, pues su propia vida estaba en peligro. Le parecía que sus piernas tenían vida propia y le impulsaban a huir y salvarse. Pero no podía abandonar a Dacil; este pensamiento ni siquiera se le ocurrió.

En ese instante, las piernas de Saulo tropezaron con una roca en el agua, sobre la que se puso en pie, y su firme cuerpo se preparó para el ataque y todo temor lo abandonó, mientras su mente discurría con notable velocidad.

Esperó hasta que el chacal estuvo casi sobre él, abiertas las mandíbulas, los dientes chorreantes de sangre. Entonces se enderezó, y, con un rápido movimiento de su puño de hierro, inmovilizó al animal por la garganta y con la otra mano lo golpeó fieramente en el cráneo con la afilada piedra que sostenía. La punta fue a dar entre los ojos, y se hundió allí furiosamente. Estalló un horrible aullido de dolor. El animal trató de soltarse, mientras la sangre corría hasta el agua. Saulo tembló de asco a su vista.

Sintió entonces relajarse el cuerpo del animal.

Saulo, observando cómo desaparecía, tembló. Nunca había matado. Sólo se oía su agitada respiración en el silencio. Se retiró del lugar donde desapareciera el animal y empezó a lavarse ansiosamente las manos y brazos con agua limpia, por temor a las gotas de sangre caídas en ellos, y la saliva, y la espuma que pudiera haber tocado su carne.

Entonces pensó en Dacil. Se volvió y comenzó a nadar hacia la orilla. La esclava yacía en un montón de húmedas ropas, y el rostro estaba rígido cuando lo observó acercarse. No podía moverse. Aun teniéndolo a su lado apenas pudo hacer más que mirarlo, muy abiertos los negros ojos.

Saulo dijo:

—El animal ha muerto. Ahora el estanque está envenenado. ¡Pobre Dacil! Ya ha terminado todo. No debes tener miedo.

Le cogió una mano y trató de calentarla entre las suyas.

Ambos chorreaban, pero su alivio y su amor les daba abrigo, y pronto el sol comenzó a calentar sus cuerpos. Dacil tomó una de las manos de Saulo y la besó. Sus húmedos cabellos, tan suaves como la seda, vinieron a caer sobre el desnudo brazo del muchacho. Al toque de sus labios Saulo tembló de nuevo, y el deseo le atacó como un cuchillo. Cuando la muchacha alzó el rostro, él busco sus labios, no amable y suavemente, como durante el verano, sino con ardor, deseo y pasión. Dacil abrió rendida los labios y le enlazó los brazos en torno al cuello y apretó su cuerpo contra el del muchacho, murmurando palabras sin sentido. Saulo sintió el contacto de aquellos jóvenes senos, turgentes y firmes. Instintivamente acogió amorosamente uno de ellos en la mano como en una copa. No había tocado nunca unos pechos de mujer y la impresión que le produjo el contacto le comunicó una especie de delirio. Se estrecharon más, y sus cuerpos unidos rodaron entre las altas yerbas. Encima se oía derramarse la catarata, brillaba el sol y un polvillo dorado flotaba en el aire.

Completamente perdido, Saulo obedeció los instintos de la carne, la poderosa intensidad, dulce pero terrible, de su deseo. Extendiéndose sobre Dacil, la tomó salvajemente, mientras ella le mordía el cuello gimiendo de placer. Sus cuerpos ardían como llamas y se fundieron los dos en una sola llama en la yerba olorosa al ritmo del agua que se derramaba. Bajo su cuerpo, Saulo sentía removerse a la muchacha y cada movimiento intensificaba sus sensaciones que entre el dolor y el placer se hacían inefables. Sintió todavía que la muchacha le mordisqueaba tiernamente una de las orejas, se aceleraron sus movimientos y él se sintió morir en una explosión de delicias, pero esa muerte era más grande que la vida, algo así como el estallido del sol, o la lluvia de estrellas.

Con los ojos cerrados, sudoroso y recuperado el aliento, quedó echado sobre la chica, y pasaron unos momentos antes que cayera a su lado, abrumado por tantas sensaciones. No tuvo pensamientos inmediatos. Sólo el recuerdo de algo inmenso e increíble, de gozo y arrobamiento que no admitían comparación con nada.

Dacil se incorporó sobre un codo y lo miró sonriendo, los labios brillantes y encendidos, el pelo colgando sobre sus hombros y senos desnudos. Él sintió sus movimientos y abrió los ojos, y vio su rostro inclinarse hacia él, y era lo más hermoso que jamás había conocido. Lentamente alzó la mano y le tocó la mejilla y ella lo besó a su vez en la palma de la mano. Percibió un suave gemido en su garganta, de contento y afecto. Una de sus piernas, larga y pálida, estaba aún enlazada con las del muchacho.

Entonces, Saulo como si un puño helado lo golpeara en el corazón, pensó: "¡He arruinado, desflorado y violado a esta niña inocente, y estoy maldito!"

—¿Qué te pasa, amado mío? —preguntó Dacil, alarmada ante la palidez y rigidez del rostro de Saulo.

Saulo apartó la cabeza. Deseaba llorar de desesperación y vergüenza por haber tomado a aquella joven pura, que se había sometido a su deseo por gratitud, por ser sólo una esclava que no podía negarse.

Dacil comenzó a acariciarle el rojizo cabello y la garganta:

—Eres un verdadero héroe, amado mío —dijo con su voz infantil—. Y soy tuya para siempre. Soy tu esclava. Ni siquiera Venus tuvo un protector tan fuerte.

Él dijo:

—Perdóname, querida, perdóname si te es posible.

Los ojos de Dacil se abrieron con asombro. Se inclinó para mirarlo mejor, como incrédula de haber oído aquellas palabras. El azul metálico de los ojos de Saulo, extraños ahora para ella, estaba sofocado por las lágrimas y la muchacha quedó desconcertada.

—¡Perdonarte! —exclamó—. Eres tú quien debe perdonarme por ponerte en peligro con mi descuido. ¿Perdonarte? ¡Yo te adoro! Si la vida ya no tiene nada más que ofrecerme que esta mañana, aún me sentiré agradecida a los dioses porque han permitido que te confortara y recompensara.

—Pero yo me aproveché de tu estado. ¿Quién podrá devolverte la pureza?

Dacil se incorporó bruscamente, lo miró desconcertada, y después, tras un largo instante, empezó a sonreír y su sonrisa era la de una mujer, no una niña:

—¿Es eso lo que te preocupa, tonto? —dijo con suave acento—. ¡Vamos! Tengo diecisiete años, y no soy virgen. ¡Seguramente no creerías que lo fuera! —se echó a reír con ternura—. Dejé de serlo a los doce años. Fui entregada al guardián de la propiedad de mi amo a aquella edad, y hemos de casarnos. Mi ama, la noble Fabiola, me prometió a él, y entonces nos darán la libertad y un huerto de olivos, y seremos felices. Pero yo te amaré siempre, aun cuando no vuelva a verte.

Asombrado y confuso, Saulo escuchaba aquella voz, ligera y feliz, y finalmente comprendió. Había estado pensando como judío, pero la muchacha era pagana, y había nacido y vivido en un ambiente extraño a su conocimiento, a su comprensión. Para ella, no se había cometido pecado alguno. Había gustado el placer como uno elige un juguete, para una hora de diversión, y luego lo olvida. Vivía y pertenecía a una sociedad hedonista donde todo estaba permitido, la honra se despreciaba, la profanación era asunto de risa, el adulterio un momento de satisfacción, la fornicación se aceptaba sin recato, y la lascivia era algo digno de cultivar. Pertenecía a un mundo detestado y temido por los devotos judíos, execrado por ellos, evitado por ellos, y ahora ya no era Dacil la inocente esclava por la que él había llorado en secreto, sino la mujer extraña, cuyos labios eran las puertas del infierno. En el abismo de su cuerpo, él, Saulo ben Hilel, había pecado por concupiscencia, y había caído, caído hasta lo más hondo, y ahora estaba perdido.

Saulo se incorporó y Dacil lo miró sin comprender. ¿Por qué no hablaba ni sonreía? ¿Por qué evitaba sus ojos? ¿En qué lo había ofendido?

Entonces, sin una palabra más, Saulo huyó de ella y pronto se perdió entre los árboles. La muchacha quedó sola, asombrada por la peculiar conducta del que amaba, y al que, en algún modo, había ofendido mortalmente.

Vio la cesta de fruta que le trajera Saulo; cogió una granada. Luego se rió suavemente y se encogió de hombros. ¡Qué difíciles de entender eran los hombres! Un día volvería a ella. Miró su cuerpo, hermoso y desnudo, y se sintió complacida.

Pero Saulo jamás volvió a aquel adorable lugar, y ya nunca pensó de nuevo en él sin aversión y vergüenza. El recuerdo lo persiguió toda su vida. Peor aún, adquirió una repulsión tal hacia las mujeres que ya nunca lo abandonaría. A partir de entonces, toda carne femenina estuvo manchada con el perfume de Dacil sobre la cálida hierba de otoño, y los brazos de las mujeres eran como pálidas serpientes, a menos que fueran vírgenes, u honorables viudas. Pero aun en ese caso eran sospechosas, y siempre temibles.

Hilel ben Boruch visitó a Aristo en la pequeña pero cómoda habitación del liberto.

—¿Qué le ocurre a mi hijo, Aristo? —preguntó ansiosamente—. Está silencioso, pálido y meditabundo. Él te quiere. ¿No ha confiado en ti, de modo que puedas ayudarle?

Aristo conocía a su alumno mucho mejor que sus padres o que su maestro, el rabino Isaac. Sospechaba que, en algún lugar desconocido, a hora desconocida, el rígido y joven fariseo había encontrado a la mujer que agitara su corazón. Si no fuera tan divertido, Aristo se sentiría preocupado. Sabía que Saulo ya no se alejaba silenciosamente y demasiado temprano hacia su escuela. Por tanto, se trataba de una mujer. Suspiró: ¡Estos judíos...! Miraban el placer humano con suspicacia, y lo evitaban. ¡Qué Deidad más tristona la suya!

—¿Qué es lo que sospechas, Aristo? —preguntó el padre, preocupado, examinándolo con penetrante mirada.

—No puedo hablar de sospechas, señor —dijo Aristo con respeto—, pues no tengo ninguna. Pero quizá a nuestro Saulo le atormenten las inquietudes de la pubertad, y se sienta molesto por sus anhelos y deseos.

Hilel enrojeció, lo que divertió al griego, y dijo:

—Saulo no está preparado aún para el matrimonio.

Aristo no pudo menos de responder:

—Entonces, concédele alguna complaciente esclava.

Lo miró con dureza:

—Se nos ha prohibido que abusemos de las mujeres, sean esclavas o sirvientes.

Aristo bajó la cabeza:

—Eso no está de acuerdo con sus enseñanzas, según Saulo me ha informado. ¿Acaso David, su rey, no deseó a Betseba y ordenó el asesinato de su marido para conseguir poseerla? Y he leído también el Cantar de los Cantares. Seguramente Salomón no dirigía esos cantos a sus esposas, que posiblemente eran unas decentes y poco interesantes matronas —sonrió—. Siempre he juzgado a su José un tonto o un eunuco al rechazar a la esposa de Putifar. Querido amo: los judíos son muy rígidos, y no disfrutan de la vida. ¡Seguramente su Dios no es fariseo!

Hilel no pudo evitar una sonrisa:

—El rabino Isaac así lo cree, aunque yo no.

Aristo dijo:

—Recuerda tu propia juventud, señor, pues eres un hombre hermoso y sin duda inspiraste algunas miradas de las doncellas. Es tu propio secreto. Que Saulo guarde el suyo.

Hilel suspiró:

—La vida es una enfermedad de la que no nos recobramos, pero por la que estamos mortalmente heridos. Guardaré mi secreto, como dices, Aristo. No preguntaré a Saulo. Las preguntas de los padres son siempre insultantes —hizo una pausa—. Es extraño que los que amamos sean siempre desconocidos para nosotros, y sólo comprendidos por otros seres... ¿Acaso con ello nos recuerda Dios que no poseemos a nuestros hijos, que sólo les damos su carne, y que nunca debemos reclamarlos, sino dejarlos ir? Sus almas pertenecen a Dios, y no a nosotros. Es triste ser padre.

Capítulo 5

La familia de Hilel ben Boruch se había propuesto salir hacia Jerusalén con motivo del matrimonio de Séfora, después del

Hanukah, la Fiesta de la Luz, que aquel año coincidía con las Saturnales romanas. Tarso estaba en fiestas y parecía no dormir esos días; las antorchas lucían toda la noche en los muros y las calles resonaban de música, címbalos, tambores y flautas, y risas y carreras, y gritos de mujeres y voces de aviso de los vigilantes que también estaban un poco borrachos.

Llegó al puerto de Tarso un buque de Grecia, un pequeño navío mercante cargado del vino resinoso que los griegos de la ciudad preferían a todos los demás. Pero no descargó, aunque estuvo anclado varios días. De pronto, al cuarto día, levantó la bandera amarilla y salió sigilosamente al mar, y los centuriones romanos lo vieron alejarse a la pálida luz del amanecer y maldijeron, y agitaron sus puños orando en silencio. El capitán les aconsejó que no hablaran de eso a nadie, y los soldados, tocando las medallas sagradas que llevaban al cuello, saludaron y, puestos en fila, se alejaron.

Aunque el navío había quedado bajo una estrecha vigilancia, después de que los doctores examinaron a diversos miembros de la tripulación, el daño estaba hecho: algunas ratas se deslizaron a tierra durante la noche, llevando con ellas la enfermedad y las pulgas que la propagaban. Las ratas murieron antes del amanecer, pero las pulgas descubrieron pronto otros roedores para nutrirse.

Tres semanas más tarde, los médicos griegos y egipcios de los dos hospitales de Tarso constataron la terrible realidad: la peste se había filtrado en la ciudad.

Había llegado el invierno, el aire era claro y frío, los campos y jardines tenían tonos más oscuros, y el sol pálido. Las montañas refulgían de nieve y el río corría como una cinta de plata por las fértiles tierras del valle. Tarso olía a pan caliente, carne asada y vino en los mercados y tabernas. No pasó mucho tiempo sin que se observara que ningún barco entraba en el puerto, generalmente turbulento, sino que se quedaban en el mar y descargaban botes que llegaban a tierra con olivas, lana, alfombras, sedas, vinos, cerveza, aceite, especias y otras mercancías. No se dio razón alguna, aunque también se observó que ningún buque de Tarso salía al mar. Comenzaron las preguntas cuando los visitantes esperados no llegaban. Uno a uno se cerraron los edificios públicos. Entonces, porque ya cundían demasiadas preguntas y rumores, la bandera amarilla se izó sobre la elevada torre de guardia romana, en el puerto, el pueblo se sintió dominado por el terror y los soldados comenzaron a recorrer las calles por la noche con las espadas desenvainadas.

La casa de Hilel ben Boruch estaba caldeada con braseros constantemente alimentados, cortinas de lana gruesas y pesadas ante las ventanas, que impedían el paso del viento, y las puertas bien aseguradas. Débora, bajo su frívola apariencia, era una excelente ama, y la despensa estaba bien abastecida. La familia, pues, se hallaba preparada para soportar un sitio, y todos sabían ahora que, en realidad, estaban sitiados, y por algo más terrible que un enemigo humano.

Ojos ávidos y aterrorizados observaron que por las calles se veían muy pocos funerales judíos, y empezaron a correr malignos rumores, pues según una antigua creencia, los judíos poseían remedios mágicos en defensa de la peste, cuyo secreto no querían revelar a sus vecinos. Pero los médicos sabían que la insistencia de los judíos en la absoluta limpieza, su constante lucha contra piojos, chinches y demás miseria, era lo que les daba cierta medida de protección contra la enfermedad. Alarmados, sin embargo, ante los rumores, los judíos avisaron a los centuriones romanos, y estos conquistadores, que en verdad han sido los más tolerantes, amigos del orden e insensibles a las delaciones sin fundamento, decidieron proteger a los judíos y dictaron edictos advirtiendo que los maleantes sorprendidos cometiendo un delito serían castigados según la ley antigua; es decir, ejecutados inmediatamente. Asimismo, los incendiarios serían lanzados a su propia hoguera, ya fueran viejos, hombres, mujeres o niños. No había una calle, ni a la luz del día, que no tuviera su patrulla de soldados armados. El sol brillaba en sus espadas, y en los cascos y armaduras. Los pasos resueltos de los soldados resonaban en las piedras, y las voces de sus oficiales retumbaban en la silenciosa ciudad. Los estandartes de Roma flotaban bajo el cielo azul, demostrando al pueblo que la ley estaba por encima de todo, y que no habría disturbios en Tarso mientras quedara vivo un romano.

Hilel se enteró de todo esto, pero no informó a los de su casa. No recibía visitas y se sentía contento de vivir en los suburbios. Los muros y pisos de su casa eran lavados al amanecer por los sirvientes y se cazaba sin piedad a las ratas y ratones. Todos permanecían dentro de la casa, aparte de las indispensables salidas al jardín para coger fruta. El temor reinaba en ella, como en muchas otras casas, pero era un temor apaciguado por las plegarias.

Sin embargo, la peste siguió extendiéndose. Y precisamente cuando empezaban a florecer los almendros del jardín, Débora y su hijo Saulo fueron atacados. Como la casa era pequeña y sin pretensiones, no poseían un médico familiar, y Hilel, por primera vez en su vida, montó a caballo y fue a Tarso. No quiso utilizar el carruaje familiar por no poner en peligro al esclavo o sirviente que lo condujera, ya que él no se atrevía a conducirlo solo. Los caballos no le preocupaban, aunque estaba acostumbrado a montar en asnos, dóciles y pacientes, no como este caballo que corría con demasiada rapidez para él. Los soldados romanos se rieron al verlo pasar.

Fue al hospital más importante y preguntó por su amigo, el famoso médico egipcio Aramis. Mientras esperaba en el amplio vestíbulo de mármol escuchó los gritos y gemidos de los moribundos en la sala, y apretándose bien la capa en torno, rezó la plegaria de los moribundos. Cuando Aramis, acercándosele, lo tocó en el brazo, vio lágrimas en sus ojos.

El egipcio era un hombre muy alto, moreno, de rostro delgado.

—Querido amigo —dijo, muy preocupado—. ¡No me digas que alguien de tu familia ha sido atacado!

Hilel asintió. No pudo hablar por unos instantes, pero al fin dijo:

—Mi esposa Débora y mi único hijo, Saulo. Los conoces bien.

—Iré en seguida —dijo Aramis. Fue a buscar su bolsa y Hilel, tratando de controlar su desesperación, aguardó con paciencia. Volvió Aramis con una capa de lana gris y la bolsa en la mano. Su caballo, un magnífico ejemplar árabe, aguardaba ya en la puerta.

—No sé cómo darte las gracias —murmuró Hilel al montar. No era diestro, casi se cayó por el otro lado y se agarró desesperadamente a la silla. El sirviente de Aramis lo cogió y gravemente lo colocó en su sitio. Hilel apenas se había dado cuenta de lo sucedido; miraba al médico.

—Sálvalos —dijo—. Sálvalos, y todo lo que tengo es tuyo.

—No desesperes. La peste va perdiendo fuerza, y los que caen ahora no corren tanto peligro. Muchos sobreviven. Antes de que llegue el verano, esta maldición habrá dejado la ciudad.

Pero cuando vio a Débora, en su lecho tallado de ébano y marfil, supo que se moría. La peste había alcanzado los pulmones y la sangre corría ya por sus labios. Aramis la miró con tristeza y piedad. Una mujer tan joven y hermosa... y condenada. Lo único que podía hacer por ella era aliviar su agonía, de modo que preparó una poción de opio y dijo a los sirvientes que se la dieran a cucharaditas mientras pudiera tragar. Después corrió las cortinas y dejó que el viento y el sol entraran en la habitación para que al menos Débora pudiera confortarse mirando el cielo y no muriera en la oscuridad y la reclusión. Se inclinó sobre ella y le tocó la mejilla. Débora entreabrió los ojos ya marcados por la muerte. El médico volvió junto a Hilel que esperaba en el atrio, paseando inquieto, y le cogió las manos. Hilel adivinó lo que temía. Silenciosamente inclinó la cabeza.

Aramis visitó a Saulo, que estaba delirando y se agitaba salvajemente en la cama, retenido a la fuerza por dos sirvientes. Atacado por la peste bubónica, y aunque muy grave, daba más esperanzas que su madre. Las pústulas supuraban pus y sangre, y las blancas sábanas de lino estaban manchadas. Pero Aramis reflexionó: el joven era fuerte, de hercúlea constitución y jamás había estado enfermo. Tenía posibilidades de salvarse. Dio sus órdenes a los sirviente, dejó dos pociones en sus frascos, y ordenó baños fríos perfumados con verbena. Se volvió a Hilel y trató de sonreír.

—Reza —dijo—. Tengo esperanzas para Saulo, pues la juventud y la vida están con él.

—Mi esposa... —dijo Hilel, y empezó a llorar. Se cubrió la cabeza con el manto y se dirigió a Dios en silencio, suplicando piedad.

Aramis se quedó en casa de su amigo hasta la puesta del sol, momento en que Débora bas Chebua murió con un suave gemido. Aramis pasó el brazo sobre los hombros de Hilel ben Boruch, que observaba, muy pálido, cómo una sirviente cerraba suavemente los ojos de su esposa, y le cruzaba las manos sobre el pecho, cubriendo después el rostro con la sábana. Empezó a temblar visiblemente. Se cubrió el rostro con el manto y rezó en voz alta el salmo de David:

Desde lo profundo te he llamado, Señor,
Señor, escucha mi voz;
Estén atentos tus oídos a la voz de mi súplica.
Si tú castigas las iniquidades, oh, Señor, ¿quién resistirá?
Pues contigo está el perdón
y Tú eres temido.
Espero al Señor, mi alma espera,
y en tu Palabra confío.
Mi alma espera al Señor,
más que el vigilante la mañana,
sí, más que el vigilante la mañana.
¡Oh, Israel, espera en el Señor!
Pues con el Señor hay piedad,
y con Él la redención.

Luego no pudo soportar más, y hundió el rostro en el lecho de su esposa.

Su madre llevaba ya varios días en la tumba cuando Saulo recuperó el conocimiento, con debilidad, dolor y sudor frío. Despertó para ver el rostro de Aramis inclinado hacia él, a la luz del amanecer, y sintió la palma de su mano en la frente.

—¿Saulo? —dijo el médico con suavidad—. ¿Me conoces, Saulo?

Los primeros rayos del sol iluminaban las brillantes paredes blancas del cubículo, y un cálido viento, ya primaveral, agitaba las cortinas de las ventanas. Los labios de Saulo, secos y cortados, se movieron en débil susurro, y Aramis sonrió satisfecho. El muchacho viviría. Pidió una bebida fría, vino y agua mezclados con huevos batidos, y la acercó a los labios del enfermo. El joven obedeció, sin dejar de mirar fijamente el rostro del egipcio. El suyo estaba hundido; los amplios huesos eran como piedras sobre las que se hubiera estirado la piel gris. No había carne. Sólo el pelo rojo conservaba su vitalidad. Los ojos azules parecían remotos, como si recordaran un tiempo y lugar lejanos.

Susurró al fin:

—Creí que había muerto.

—Todavía no —dijo Aramis, satisfecho de que Saulo se lo hubiera bebido todo—. Has derrotado a la muerte, y la derrotarás una y otra vez.

Hilel había envejecido, y su rostro y barba estaban más blancos, y el rostro delgado y marcado por el sufrimiento, de tantas lágrimas como habían derramado sus ojos.

Entonces Saulo recordó que él había enfermado al día siguiente de caer su madre. Preguntó, y supo la verdad. El dolor lo dominó, dolor de espíritu, no por Débora, sino por Hilel, al que tan profundamente quería; buscó débilmente la mano de su padre y las de Hilel se cerraron sobre la playa. Después bajó la cabeza y repitió la oración:

—El Señor da, el Señor quita. Bendito sea el nombre del Señor.

Pasaron algunas semanas antes de que Saulo se restableciera, aunque su antiguo vigor, su inagotable energía, no volvería a recuperarlos. Desde entonces, la debilidad física, el cansancio corporal lo acompañarían durante toda la vida. Sólo la fortaleza de su espíritu indomable no desfallecería nunca. Volvía de regiones lejanas, donde había dejado para siempre una gran parte de sí mismo. Mientras duraba su convalecencia, a veces recordaba a Dacil. Entonces temblaba como ante una aparición diabólica e imploraba a Dios para que lo librara de tales recuerdos.

Consideraba a su hermana Séfora menos agradable que antes y se mostraba menos indulgente con sus burlas y ligerezas.

Sentía un gran vacío en el corazón. Deseaba algo ardientemente, pero lo que deseaba y había de sustituir lo que había perdido, la ignoraba todavía.

Capítulo 6

Llegó de nuevo el otoño, antes de que Hilel ben Boruch llevara a Séfora y a Saulo a Jerusalén, para casar a Séfora en la Ciudad Santa.

Salieron de Tarso en un día cálido y ambarino. Saulo permanecía en la cubierta del barco, contemplando alejarse su ciudad vivamente coloreada, ruidosa y comercial como siempre, y, al fondo, la cordillera que cerraba el valle. El sol brillaba, el mar era como un aceite amarillo, y los tejados se enrojecían como si fueran de fuego. Entre las velas azules, verdes y blancas del puerto, el barco se abría camino cuidadosamente, y sus propias velas se hincharon al empuje del caluroso viento, desplegándose como las grandes alas de un pájaro bajo el ardiente azul del cielo. Saulo aspiraba olores de brea y de madera recalentada, de sal y de cordajes, mientras la cubierta se balanceaba bajo sus pies. Todo le resultaba extraño. Era la primera vez que salía de Tarso, e intentaba analizar sus contradictorias emociones. Saltó la barandilla y se acercó a su padre y a su hermana.

—Ven con nosotros a tomar un refresco. Tenemos vino y fruta —le dijo Hilel, apartándose para dejarle sitio.

El barco se agitaba, los demás pasajeros conversaban en voz alta. Había mucho movimiento por las escaleras y las poderosas velas parecían querer ascender al cielo. Un grupo de jóvenes legionarios romanos estaba a cierta distancia, bebiendo, contando chistes obscenos, vacilando sobre sus pies, y mirando a hurtadillas la belleza de Séfora.

Saulo lo vio, y lanzó de pronto a los soldados una fiera mirada.

Séfora estaba reclinada en el suave diván, consciente de la admiración que provocaba en aquellos hombres. Llevaba una túnica de seda azul, bordada en oro y plata, y los hermosos brazos desnudos, como la garganta. Su velo era como una niebla sobre su cabello dorado, y sus pies calzaban zapatillas escarlata. Brillaban sus ojos, y los labios eran como húmedos rubíes, y asumía un aire de mundana languidez. Un delicado perfume la envolvía, y Saulo se acordó de pronto del perfume de las flores y la hierba sobre la cual había rodado estrechando el cuerpo de Dacil.

—Pareces una cortesana, hermana mía —dijo entre dientes—. Llevas pintados los ojos y la boca. Tus brazos están desnudos y dejas ver los tobillos. ¿Dónde están tu modestia y tu decoro?

Jamás había hablado en ese tono a Séfora. La muchacha palideció. Los soldados romanos escuchaban asombrados.

Entonces Hilel se enderezó en su asiento y por primera vez vio Saulo a su padre realmente enojado con él, ultrajado. Los ojos oscuros se posaron en él y lo miraron amenazadores.

—Saulo —dijo—, márchate hasta que hayas preparado una disculpa. Cenaremos solos —seguía mirándolo duramente—. Se dice que el que insulta a otro en público, sin provocación, incurre en la ira de Dios. Medítalo mientras cenas a solas.

También por primera vez en su vida, Saulo siguió erguido ante la ira de su padre. Lo miró con un rostro tan implacable y unos ojos tan fríos y formidables, que Hilel se sintió horrorizado. Era un extraño el que tenía ante él, no a su hijo.

Luego Saulo inclinó la cabeza, dio media vuelta y los dejó. Bajó las escaleras hasta el camarote que compartía con Hilel. Éste lo observó y la tristeza inundó sus ojos.

—Padre —dijo Séfora al verlo—, Saulo es inocente de ofensa. Habla así por alguna pena que le devora el alma. Lo he comprendido desde hace más de un año. Su enfermedad lo ha destrozado.

Hilel acarició la suave mano:

—No. El cambio surgió antes de su enfermedad, antes de la muerte de su madre. Ésta poseído, pero, de qué está poseído, no lo sé. Y no puedo llegar a su interior, ya que él me cierra la puerta.

Hilel siguió diciendo a Séfora, muy preocupada por la tristeza de su rostro:

—Me temo que es como dijo Aristo (¡y yo, en mi ignorancia me atreví a reír cuando él habló!): que dos gigantes luchan en el alma de mi hijo. El normal anhelo de gozar de la vida y la certeza de que eso es malo, y debe ser ahogado, con objeto de que todos los pensamientos se centren en Dios. Saulo se priva de su juventud y de su natural alegría, de sus esperanzas del mañana, y de sus dones, considerándolo todo indigno para su alma. Él envolvería a Dios en nubes crepusculares y rayos terribles, y haría de Él no un Padre amoroso, lleno de caridad, sino un Juez, armado con el terror y la venganza, buscando el más pequeño pecado o error para castigarlo cruelmente.

Saulo, desde la cubierta, vio el gran puerto de Jopa, o Jaffa, que se alzaba del enrojecido mar contra un cielo escarlata y terrible. Era la tierra de sus padres, la Tierra Santa, el suelo sagrado de los profetas, el hogar de los patriarcas, la cuna del Mesías, la tierra donde resonaría la Voz que había de reconciliar a todas las naciones y traer al mundo la paz eterna.

Ahora pudo contemplar el famoso puerto, lleno de barcos, pequeños y grandes, un bosque de desnudos mástiles como las ramas desnudas de un bosque en invierno. Sobre el agua resonaban voces, gritos, juramentos, carcajadas. Linternas y antorchas brillaban aquí y allá, diseminadas por los muelles, y al viento flotaban, rojos contra el rojo del cielo, los estandartes de Roma. Pero Saulo sabía lo que había escrito en ellos: S.P.Q.R. *Senatos Populusque Romanus*.

Apretó furiosamente los puños. Hubiera llorado de cólera, odio y ultraje. Alguien le tocó en el brazo. Hilel dijo:

—Vamos a entrar en el puerto. Cálmate, hijo mío.

Su rostro estaba pálido y ensombrecido.

—Esto no puede soportarse —murmuró Saulo entre dientes.

—Lo que se ha de soportar, se ha de soportar —dijo Hilel, y se volvió a Séfora y a sus doncellas.

Bajo el resplandor de las antorchas de los muelles estaban los ubicuos soldados romanos, con el yelmo y la famosa espada corta pendiente del cinto, las piernas separadas, los rostros en apariencia indiferentes, cubierto el pecho con peto de cuero. Más allá se empinaban sobre sus pies los familiares que aguardaban, y tras ellos, un grupo de carros, caballos y trabajadores, esperando para descargar el navío, y grandes carretas con asnos y bueyes. La luz de las antorchas daba un tinte rojizo a sus rostros, después quedaban por un instante en la oscuridad y sólo se llegaba a ver unas manos que se agitaban en frenético saludo. Saulo halló todo aquel ruido insoportable, así como el inesperado calor, ya que era otoño.

Aulo, el centurión, con calma y serenos gestos romanos, iba haciendo avanzar a los familiares hacia el barco. Todos los pasajeros trataban de ver quién era así honrado y el capitán del barco se adelantó a saludar al oficial romano. Saulo lo miró con desprecio a la luz de las linternas, encendidas ahora en el navío. Aulo era un hombre de unos cuarenta y cinco años, corto de estatura, pero fuerte, con un rostro jovial bajo el casco, grandes dientes blancos, una enorme nariz y ojos de firme mirada. Fue el primero en abrazar a Hilel, estrechándolo entre sus brazos y besando sus mejillas. Olía a sudor, a buena comida, a ajo y a cuero.

—Mi querido Aulo —dijo Hilel conmovido—. *Shalom.*

—*Shalom* —repitió Aulo; dio a Hilel un afectuoso golpe en el hombro—. He venido para conducirte a Jerusalén.

Y entonces apareció ante ellos toda la familia de Débora: su elegante hermano David, perfumado y cortés, vestido de fina lana, y seda púrpura y oro; el hermano mayor, Simón, menos elegante, pero evidentemente un hombre próspero, excesivamente grueso, enjoyado y vestido de azul y plata, con una daga alejandrina en el cinto, y José ben Chebua, su hermano gemelo y casi una réplica de él. Todos tenían el delicado cutis de Débora, sus gruesos labios y ojos azules de rojizas pestañas, y el cabello rizado y perfumado al estilo griego. En cambio, el joven Ezequiel, apenas mayor que Saulo permanecía apartado. Era delgado, bajo y muy romano de aspecto. Tenía la nariz de su madre, pero los ojos eran los de su padre, David, azules y sonrientes. Llevaba una larga túnica de lino blanco, con bordados en oro, pero sólo había un anillo en su mano, y no llevaba brazaletes de oro y gemas, como su padre y sus tíos.

La familia no gritó "¡*Shalom*!", como Aulo el centurión. Abrazaron serenamente a Hilel y lo saludaron y le dieron la bienvenida. Miraron a Saulo con cierta curiosidad, aunque con toda cortesía, y David pensó que el joven no había mejorado de aspecto, sino que había perdido aquel brillante color que antes le diera un aire de exuberancia. Hilel respondió a su saludo con la misma grave formalidad. Estaba algo molesto porque el joven Ezequiel había acompañado a su padre. Una novia no debía mirar al novio hasta el día en que estuvieran casados, pero, evidentemente, la familia Ben Chebua juzgaba eso un anacronismo, algo pasado de moda, e indigno de unos saduceos civilizados y cosmopolitas.

"No son judíos —pensó Saulo con amargura y desdén—. Son helenistas y paganos." Vio que Aulo le sonreía amablemente y apartó la vista. Miró a su hermana. Con sorpresa y aprobación por su parte, comprobó que se había dejado caer el velo sobre el rostro, de modo que sus facciones sólo pudieran adivinarse, y se hallaba discretamente rodeada de sus doncellas. Pero su tío, David, alzó el velo y, a la luz de las linternas, todos vieron su belleza virginal, y Ezequiel, su novio, se encendió como la grana de timidez y admiración. Los tíos besaron a la muchacha en las mejillas, sintiéndose orgullosos de ella.

—Es tan encantadora como nuestra Débora —dijo David, y pensó en la rica dote de la niña.

Los sirvientes de la casa de Chebua llevaron los cofres de los viajeros a los carruajes, ricos y adornados, junto a los cuales estaba el ligero carro romano de dos ruedas de Aulo, y los caballos de sus legionarios. Aquellos carruajes de cuatro ruedas iban tirados por caballos árabes, negros como la noche, lustrosos como la seda, con arneses de plata, y sus cascos brillaban como si fueran de plata también.

Saulo se halló colocado en el carro de su tío, Simón ben Chebua, y al lado de Ezequiel. Se sentó melancólico en los almohadones de seda amarilla. Los otros ocupantes eran los sirvientes, encargados de conducir, vestidos de fino lino y con casco, como los soldados, con gran enojo de Saulo. Delante iba Aulo, y Saulo se enfureció al ver el estandarte de Roma portado por el soldado que galopaba a su lado. Cuando Ezequiel le hizo tímidamente una pregunta sobre el viaje, afectó no haberle oído, y envolviéndose en su capa, se echó la capucha sobre la frente. Simón lo vio, y pensó que el hijo de Débora tenía los modales de un campesino.

Jaffa se extendía a su alrededor, calurosa, con calles estrechas pavimentadas de piedra negra, que brillaba a la frágil luz de la luna, y al resplandor de las antorchas. Los bazares aún estaban abiertos. Saulo pudo oír las voces de los mercaderes desgañitándose, y vio a las mujeres de rostros oscuros con cestos cargados de fruta en la cabeza, y bueyes y asnos, y a su olfato llegaron los densos y fuertes olores de la ciudad. Vio guardias romanos, soldados romanos, banderas romanas, y rostros que reconoció como griegos, sirios, árabes, y gentes de muchas otras razas, andando presurosos por las calles, hablando, gritando, con voces roncas y lenguajes incomprensibles. Pasaban junto a los muros más o menos altos de las casas; había aromas de ocultos jardines, de pinos, fuentes y también de comida. En alguna esquina estuvieron a punto de tropezarse con camellos, cuyos jinetes miraban asombrados a la comitiva. En una o dos ocasiones percibieron un estallido de música, risas femeninas y canciones tras los muros, y llantos de niños. Hilel había dicho que Jaffa se parecía a Tarso, pero en este aire dulcemente fétido, cargado de especias, Saulo no halló nada parecido a la ciudad de su nacimiento.

Pero éste era su país, se dijo. Aunque ciudadano romano, él, ante todo, era judío. Esta tierra era carne de su carne, sangre de su sangre, por muy extraña que le pareciera. Vio familias sentadas en grupos en los tejados planos de las casas, pequeñas, oscuras y de estrechas ventanas. Las cloacas eran ruidosas, y aguas malsanas corrían entre las piedras, y Saulo detectó un repentino olor de orina y estiércol. Había cesado ya el ligero viento, y desaparecido por completo el salino olor del mar, cuando penetraron más y más en la ciudad, hacia la amplia carretera romana.

Pasaron la noche en una tranquila y cómoda posada, ya dispuesta para ellos por la familia Chebua. Pero Saulo estuvo despierto hasta el amanecer, dominado por emociones que ni él mismo podía descifrar, y percatándose únicamente de su profunda tristeza y de la total soledad de su espíritu.

Capítulo 7

Partieron todos al amanecer para Jerusalén y vieron por última vez el mar, oscuro aún bajo el cielo que, al Oriente, sobre las colinas, se tornaba lila y oro. Hilel ben Boruch marchaba en el carro ligero de su amigo y primo Aulo Platonio, con la barba gris y oro, la capucha cubriéndole en parte el rostro, y la capa agitándose con el viento de la mañana. Realmente no le suponía un gran placer, y se mantenía en pie junto a Aulo pero aferrado a la barandilla del carro, con gran diversión del conductor, sentado en el único asiento del vehículo.

—¿Cómo te va, mi querido amigo? —preguntó Aulo.

—No demasiado bien —exclamó Hilel—. ¿Qué piensas de mi hijo Saulo, mi único hijo varón, al que nunca habías visto, Aulo?

—Apenas he podido verle —respondió vagamente el romano; pero como no era propio de un soldado mostrarse evasivo, añadió—: Me parece que sabrá imponerse, que su temperamento es dominador.

—¡Dominador! —exclamó Hilel con visible sorpresa—. Yo lo creía enérgico, impaciente y decidido, pero no estaba seguro de que supiera imponerse.

—Sí —insistió Aulo con expresión de hombre sagaz—. Posee el poderoso dominio de un antiguo romano, o, quizás, de un antiguo judío. Lo veo implícito en sus ojos, en sus menores ademanes. También posee autoridad, que es una consecuencia del poder. Tiene algo de soldado. Claro que decir de un hombre que es dominador, no siempre es un elogio, puesto que este atributo del alma se puede utilizar para anular a los demás. Peor he aquí lo que no hará nunca Saulo, y te lo digo con sinceridad: es un muchacho tan honrado como su padre.

Hilel dijo "gracias", débilmente y se atrevió a separar una de sus manos de la barandilla para tocar la de su amigo. Aulo sonrió, y ahora, a la creciente luz, Hilel pudo ver el brillo de los blancos dientes de Aulo entre sus labios. Estaba contento de que Hilel no le preguntara más. Porque no le había gustado Saulo. Lo había encontrado demasiado frío, indiferente, al parecer, a todo lo que lo rodeaba. Aulo había comprendido que lo veía todo y que nada le emocionaba. Era como el que vivía en un molde de hierro, o bien sufriendo algún tormento espiritual.

—¿Y cómo está Milo? —preguntó Hilel, refiriéndose al hijo de Aulo, que contaba con cinco años más que el suyo.

El pecho del romano se ensanchó de orgullo. Se echó el casco atrás y sonrió felizmente:

—En Roma, con la Guardia Petroriana. Es un gran honor ser elegido para la protección personal del César. ¡Es un magnífico soldado mi hijo Milo! Pero es que pertenece a dos razas guerreras, ¿no es verdad?

—¿Qué hacen nuestros zelotes y esenios?

Aulo sonrió secamente:

—Nos mantienen ocupados. Sirven para que mis hombres hagan ejercicio, pero este clima, estarás de acuerdo conmigo, no es tan sano como el de Roma, ni tan suave, y esas colinas de piedra son interminables. Vuestros zelotes y esenios todavía creen posible derrotar a Roma y arrojarnos al mar. Deben ser admirados por su patriotismo, aunque no por su inteligencia.

Pero Hilel no sonrió. ¡Aquellos infortunados y celosos jóvenes, que amaban a su Dios y su país por encima de todo, hostigando constantemente a los poderosos romanos! Era inútil... pero también noble. Había quienes no ignoraban a los romanos, como los fariseos, ni fraternizaban con ellos, admirándolos, como los saduceos. Era locura resistir; era más heroico que no resistir. Y ¿no había rescatado Dios a los israelitas del Faraón y de los muros de Babilonia cuando todo parecía perdido? ¿Quién conocía el futuro? El sueño de la libertad jamás abandona el corazón del hombre.

Ahora el sol como un guerrero victorioso se elevó por encima de las colinas y la tierra empezó a inundarse de luz. Era el otoño, las cosechas estaban recogidas y los pastores de rostros tostados y túnicas bastas, apacentaban las ovejas entre campos amarillentos; hileras de cipreses bordeaban el camino, alternando con pinos que segregaban su olorosa resina; más allá se extendían huertos de olivos cargados todavía de fruto verde y oscuro, luego limoneros. Las colinas cercanas eran grises o cobrizas. Los romanos las habían desnudado de árboles, cuya madera destinaban a construir embarcaciones. Y, aunque muchas de aquellas colinas estaban trabajadas en terraza, como escalones gigantescos, y cuidadosamente cultivadas con viñas, tenían un aspecto desolado, seco y hambriento. No eran tanto montañas como barreras entre los pueblos y ciudades de ladrillo, amarillo o marrón. Las palmeras arrojaban sobre ellos su brillante sombra.

El paisaje se volvió tembloroso por la reverberación solar, empañando la vista. Todo se movía bajo la luz, Hilel se quitó la capucha. No se cansaba de mirar su tierra natal. Las torres de guardia romana resguardaban con su sombra a los soldados, jóvenes de rostro alerta y ojos vivos, con los brillantes cascos y las piernas cubiertas de hierro. Algunos se apoyaban en la torre, y a escondidas mordían una fruta, o entraban al fresco interior para tomarse un vaso de vino, mientras sus oficiales simulaban no verlos.

—En Roma —dijo Aulo— siempre hay viento refrescante del mar, y el frío que llega de la Campaña, y la brisa de los Montes Albanos.

—Sí —asintió Hilel. Pero él juzgaba su país más vital que Roma, a pesar de ser un país pequeño y conquistado. Era extraño aquel ir y venir de hombres y razas y tantos choques de armas, y cambios, y terror, y esclavitud, pero la tierra, y los que trabajaban y se nutrían de ella, siempre permanecía. Había cierta serenidad eterna en la tierra que nadie podía impedir. Guardaba a los muertos y a los vivos, y era igualmente indiferente a ambos. Tenía su propio ser. Era una tumba gigante, pues incontables naciones yacían enterradas en ella, y su carne y sus huesos la nutrían y siempre acaba triunfando la vida.

Mientras que Hilel seguía contemplando esa tierra eterna —jamás avara de sus dones de agua, frutas y cosechas—, Saulo sólo veía en ella un país afligido y desolado. Donde Hilel veía a los morenos granjeros trabajando y sembrando a pesar de la ocupación romana (más sabios que los hombres de las ciudades), Saulo sólo veía esclavos. Hilel había oído pájaros y viento, risas de niños y mujeres, y canciones de los trabajadores; pero Saulo sólo había oído quejas, llantos y plegarias por la libertad. Hilel tenía paciencia, y el espíritu de Saulo jamás había conocido esa virtud. En resumen: donde Hilel veía cierta tranquilidad, una sencilla sabiduría y gran belleza, Saulo veía amargura y una tierra sin luz, cuyos hombres alargaban las manos esqueléticas hacia un tardío Mesías, pidiendo rescate, invocando maldiciones sobre los blasfemos romanos y ansiando ser libres y purificados.

Hilel veía ahora más soldados romanos en sus torres. Cerca de Cesárea, cuando pasaron por aquella blanca y licenciosa ciudad, había visto el anfiteatro en las afueras, donde reinaba la brutalidad y crueldad romanas. Aquí se había crucificado a los zelotes y esenios, perseguidos y capturados por su intransigencia, patriotismo y devoción a su Dios. Hilel había apartado los ojos del anfiteatro, murmurando suavemente las plegarias por los muertos y por el reposo de sus almas en el seno de Abraham.

Saulo no se cansaba tampoco de mirar la tierra de sus padres, pero no veía en ella lo mismo que Hilel; de ahí su agonía de espíritu. El apasionado azul del cielo se perdía para él lo mismo que la tierra, verde y dorada, y los huertos, los arroyos, los árboles y la vivacidad de las muchedumbres en los mercados de las viejas ciudades que atravesaban. Sólo le fascinaban los nombres de los lugares de nacimiento de héroes, contemplaba profetas y patriarcas. Anhelaba ver la tumba de David, y la gran tumba de Raquel, y otros santos lugares. Deseaba estar no sólo en Jerusalén, sino en Belén, donde nacería el Mesías.

Su hermana Séfora, que fascinaba a sus familiares en el carruaje de David, contemplaba Israel con interés y se preguntaba por su tímido novio, en el carro de delante, y a veces lo miraba con malicia. Había decidido que parecía amable y tímido, y que no sería un marido difícil. Por consiguiente no tendrían muchos problemas.

El camino romano, mientras el séquito continuaba tumultuosamente su marcha a la puesta del sol, horas más tarde, subía por escarpadas colinas y luego cruzaba valles llenos de casitas oscuras, huertas y arroyuelos. Entonces Aulo señaló a lo lejos y dijo: "Jerusalén". Hilel, que valientemente había seguido con él en el saltarín carro, volvió los ojos en dirección a la ciudad y murmuró: "Si te olvidara, Jerusalén, que mi mano derecha pierda su fuerza, mis ojos el lustre y la vista, y que mi corazón muera en el polvo".

Allí, sobre una colina, se alzaba Jerusalén, de murallas retorcidas y grises, con almenas y torres de guardia que no parecían construidas por el hombre, sino que parecían una generación de pedregosos baluartes en las alturas doradas por el sol. Contra las murallas se alzaban grupos solitarios de rígidos cipreses, y algunas escasas y polvorientas palmeras. Las antorchas estaban encendidas ya en las almenas, y su color amarillento se reflejaba contra el oscuro cielo, y las sombras escarlatas se movían sobre las piedras.

Entraron por la Puerta de Jaffa, pero sin ser detenidos por los soldados romanos, porque todos reconocieron a Aulo Platonio y saludaron al estandarte de Roma.

—¡Salud, muchachos! —gritó Aulo cuando abrieron las puertas, e hizo que su carro las cruzara a la sombra del arco. Hablaba como si hubiera estado ausente meses y no días. El oficial al mando, un joven con el rostro tostado por el sol, lo saludó, se acercó al carro y dijo:

—Salud, noble Aulo Platonio. Todo en paz.

—Eso es notable —respondió Aulo; el oficial sonrió y miró con curiosidad al séquito—. Mis familiares —dijo Aulo—. Los he traído desde Jaffa.

Si el oficial sintió alguna sorpresa de que un romano tuviera tantos familiares judíos, y al parecer también muy ricos, no lo demostró. Miró con respeto los complicados y hermosos carruajes, y magníficos caballos. Luego alzó de nuevo el brazo en signo de saludo y el séquito entró en la ciudad. Las puertas de hierro se cerraron tras ellos.

Los hombres han de seguir viviendo, a pesar de todos los desastres. Pero Jerusalén, la gran ciudad, el centro de la cultura, comercio y riqueza del Levante, poblada de muchas razas, tenía algo indescriptiblemente sombrío en el ambiente, cierta tristeza y pesadez de espíritu. Sin embargo, los cultos helenistas brillaban conspicuamente entre los cosmopolitas judíos saduceos, y había muchas florecientes y activas colonias griegas de comerciantes e industriales, y ricos e indolentes residentes, y muchos soldados romanos con sus esposas y familia, por no mencionar los banqueros y hombres de negocios romanos, burócratas y administradores, la mayoría de los cuales se habían casado con bellezas judías de hermosa dote. Aquí vivían sirios, persas, árabes y fenicios, y otras razas, incluidos los egipcios que enseñaban en la Academia de Medicina, o que eran muy considerados como cocineros en las casas más nobles. Si alguna vez hubo una ciudad cosmopolita, tanto como Roma, Jerusalén era esa ciudad.

Por tanto, la intangible tristeza y pesadez que reinaba en ella parecía incomprensible. Ni siquiera conseguían animarla la exuberante primavera y los capullos del verano, ni sus muchos jardines, ni sus magníficos edificios públicos, hermosas villas, limpias calles, casas de banca y mercado y establecimientos mercantiles. Mil diferentes dialectos y lenguas no conseguían disipar esa atmósfera; ni lo conseguía la riqueza de sus habitantes. Algunos decían que era porque Jerusalén era tan vieja que se inclinaba bajo el peso de una historia de siglos y los devotos judíos decían que Jerusalén se lamentaba de no ser ahora más que una provincia de los romanos, cuya ocupación no podía soportar.

Saulo era todo ojos cuando entró en la ciudad santa de sus padres, y olvidó por completo la enojosa presencia de sus parientes, y sus joviales comentarios. Incluso se olvidó del romano Aulo, y del estandarte y los fasces de Roma. No era más que un observador que, muy tieso en el coche de Simón ben Chebua, con el corazón inflamado y emocionado, nada le pasaba por alto.

Como Jerusalén se alzaba sobre una colina, estaba construida en terrazas, una sobre otra; ciudad de mármol y piedra amarilla, de cúpulas, pórticos y agujas, de calles estrechas y pasadizos, de cipreses, palmeras y tamariscos; de acueductos romanos y mercados, jardines y villas y fuentes.

Saulo lo vio todo, a la rojiza luz de las antorchas clavadas en los muros, y de los faroles que iluminaban las esquinas de las calles. Oyó címbalos, risas y música, y el rumor de una ciudad viva. Estaba seguro de encontrarse en el corazón de la Creación, el mismo centro del ser de Dios, y que todo lo demás carecía de importancia. Jerusalén permanecería, aunque las naciones se desvanecieran con los siglos y quedaran ignoradas.

Capítulo 8

Aunque Chebua ben Abraham había construido su imponente casa greco-romana en una de las calles más retiradas y quietas de Jerusalén, y aunque sus hijos habían nacido allí y su esposa había gobernado sobre ella, seguía la moda romana y se refería a la mansión como "la casa de Claudia Flavia, esposa de mi hijo". Pues Chebua era ahora viudo, su esposa había muerto justo antes del fallecimiento de su hija Débora. Chebua había pagado literalmente una fortuna por aquel edificio de mármol blanco, con columnatas y estatuas, amplios jardines y pórticos decorados con magníficos murales y frisos. Situada en la altura de la ciudad, dominaba toda la campiña, y las colinas de espliego y las praderas, y, en la distancia, el pequeño Belén. Era una casa imponente, una auténtica "ínsula", y enormemente admirada incluso por los lánguidos y burlones griegos. Herodes era con frecuencia un estimado visitante, y también los altos oficiales romanos, ya que Chebua era famoso por su cortesía, elegancia, sabiduría y delicadeza, tanto de mente como de gusto.

Los fariseos lo aborrecían. No sólo tenía una multitud de esclavos a su servicio, sino que jamás los libertaba, como ordenaba la ley. Tenía dos concubinas en magníficas habitaciones, y ni siquiera la fría desaprobación de Claudia podía forzarlo a despedirlas. Una de ellas era una jovencita árabe, de sinuosa belleza; la otra un encanto de Nubia. Después de todo, se decía él, ¿no era la Reina de Saba tan negra como la noche y tan encantadora como la luna? Los fariseos no sólo estaban en desacuerdo en que la Reina de Saba fuera negra como la noche, sino que despreciaban a Chebua como un renegado de su religión y su raza, y lo odiaban como saduceo, y, en consecuencia, opresor de su pueblo. Todos los miembros del gran tribunal, el Sanedrín, eran amigos suyos, y él observaba, por complacerlos, dos o tres de los solemnes días santos, pero no creía en nada; sobre todo, no en el firme Dios de sus padres, ni en la llegada del Mesías.

Era un noble, un epicuro, un exquisito, y en su alma —según él creía—, un auténtico griego. Había visitado Atenas muchas veces, y su verdadero amor, decía a menudo, estaba en el Partenón, donde la belleza había sido plasmada en piedra, donde Fidias se paseara a medianoche, y Sócrates hablara muchas veces entre las columnas.

Poseía numerosas granjas, tenía cuantiosos intereses invertidos en bancos, negocios mercantiles y navieros. Una vez Claudia le había preguntado con amarga sonrisa por qué no vivía en Grecia, puesto que la adoraba, y él le contestó como a una niña: "Querida nuera, debo ayudar a mi pueblo en su progreso, separándolo un poco de la contemplación de su Dios, transformando su negativa a unirse al mundo, y haciendo que forme parte de la Humanidad. ¿No somos todos uno?"

Entonces Claudia lo dejó asombrado, pues jamás la había juzgado muy erudita:

—Recuerdo lo que dijo Aristóteles: "Amo a Platón, pero prefiero la verdad". Platón fue un iluminado, que nunca conoció a la humanidad. Su República no era un noble sueño, sino el sueño de una cruel aristocracia. Por tanto, los hombres la refutarán siempre, pues los hombres de corazón aman la libertad.

Aunque entre sus amigos mantenía seriamente el ideal de la libertad, para Chebua "la humanidad" era una abstracción, y no tenía nada que ver con las masas que veía en las ciudades que visitaba. Esas gentes olían, y a Chebua ben Abraham le molestaban extraordinariamente los malos olores.

Tal era el hombre que recibió al séquito procedente de Jaffa con magnificencia, afecto y solicitud, esperándolos en el atrio iluminado con lámparas alejandrinas y egipcias, de aceites, perfumados con jazmín y rosas. Llevaba una toga blanca, al estilo romano, y la túnica inferior sujeta con cinturón de oro, brazaletes enjoyados en los brazos, muchos anillos en los dedos, y sandalias cubiertas de gemas. Les habló en perfecto griego, con la entonación de un erudito rodeado por las serenas estatuas en sus hornacinas.

Abrazó primero a Hilel, y dejó que las lágrimas inundaran sus ojos.

—¡Mi querido Hilel! —dijo—. Esta ocasión es, a la vez, triste y alegre. Pero tú pareces estar bien, a pesar de tus tribulaciones.

Hilel siempre lo había detestado, a despecho de su amable carácter. Dijo:

—Mis tribulaciones vienen de Dios, y por eso no las rechazo, sabiendo con humildad que Dios, bendito sea Su Nombre, tiene sus razones, que nacen del amor.

Saulo había estado observando agudamente a su abuelo, a quien nunca había visto. Chebua era más alto que Hilel, muy esbelto y amable, con finas y delicadas manos, un rostro alargado y pálido, nariz de aletas trémulas, y boca suave y casi siempre sonriente.

Sólo cuando uno miraba sus ojos, extraordinariamente grandes y casi incoloros, veía el carácter frío y decidido de Chebua ben Abraham, su glacial modo de pesar y medir a todos cuantos conocía; la indiferencia ante el espíritu, sufrimiento y dolor ajenos, y su gigantesco egoísmo.

Chebua inició ahora gentilmente un intercambio de saludos con Aulo Platonio, pues no sólo era un oficial romano, sino de una rica familia. Aulo, como "antiguo" romano, juzgaba a Chebua afeminado y pesado, y no le sorprendía que fuera íntimo del rey Herodes Antipas y de Poncio Pilato, cónsul romano en Israel. Ambos eran hombres depravados, aunque Pilato era más cruel e inteligente. Había llegado hacía poco a Israel, y Aulo no lo apreciaba en absoluto. No era de la fibra y alma de los patriotas sobrios e industriosos, antepasados de Aulo. Enviado a Judea por motivos disciplinarios por el César Tiberio, odiaba a los judíos, a los cuales encontraba, además, poco sumisos a los romanos. Por pura mala intención, creaba dificultades para impedir que sus oficiales y soldados se casaran con muchachas judías. Incluso a menudo se burlaba de Aulo, a causa de Ana.

El departamento de las mujeres no era demasiado lujoso. Respiraba la austeridad de la Roma antigua, casi sin más adornos que los dioses familiares de Claudia, sus lares y penates. Carecía de pinturas murales, las lámparas eran sencillas, no perfumadas; y las cortinas que cubrían las ventanas eran de simple lana rayada en rojo, negro y blanco, por ser de la Tribu de Levi. Séfora encontró divertido, pero no incongruente, hallar allí una mezcla de costumbres y mobiliario romano y judío, pues había un curioso parecido y armonía entre ellos.

Claudia estaba sentada en una silla sin almohadones ni adornos, y era como la diosa Demeter en su reposo y dignidad. A su alrededor las mujeres no estaban ociosas, cosían, hilaban o bordaban, aunque era de noche y no abundaban las lámparas. La misma Claudia tenía un montón de ropa en sus rodillas, y, al parecer, se hallaba remendándola. Alzó sus tranquilos ojos castaños al rostro de Séfora, escrutándolo breve y agudamente para observar su expresión.

—Bienvenida, hija mía —dijo en latín—. Mi hijo Ezequiel es muy honrado y bendecido por tu causa.

Su cabello castaño estaba en parte cubierto con la misma sencilla tela de su estola, de tono rojo. Sus manos eran las de una mujer que no se avergonzaba de utilizarlas en las labores o en la tierra, morenas y cortas. No era tan alta como Séfora. Sin embargo era el terror de la casa, a la cual gobernaba según el estilo de una "antigua" romana, y sus hijos tenían muy buenas razones para temerla.

Cenaron juntas en el austero comedor de Claudia, pequeño y pobremente iluminado. Pero las cortinas estaban corridas para dejar paso al cálido viento de la noche, y Séfora veía las luces rojas y blancas de Jerusalén y podía oír el estruendo de la ciudad aún despierta.

Preguntó cortésmente por su viaje, le ofreció sus condolencias por la muerte de su madre, y logró infundirle serenidad. Séfora no la encontró intimidante. En verdad, la muchacha se relajó y descubrió que podía hacerle confidencias como si fuera su madre, y algunas de sus observaciones fueron tan ingeniosas que Claudia soltó la carcajada en algunos momentos.

Bebieron vino, ahora ya más a gusto, y comieron las ricas frutas. Séfora empezó a hablar de su hermano, y su amor por él brilló en sus dorados ojos. Habló a Claudia de lo extraño que le había parecido en el pasado año, y de la melancolía que nadie conseguía borrar.

—¡Ah! —dijo Claudia—. Lo vi desde mi pórtico, a la luz de las lámparas de la entrada del atrio. Se mantenía apartado. Esto es muy extraño en un joven, ya que los jóvenes siempre están charlando. ¿No quiere a nadie?

—Sólo a Dios y a mi padre —dijo la muchacha con melancolía—. En otro tiempo me quería, pero ya no. Ahora me repudia y me juzga trivial. No puedo llegar a él.

—He visto algunos jóvenes como tu hermano Saulo, pero muy pocos. Me recuerda a mis propios hermanos. También nosotros éramos muy estrictos ante nuestros dioses, y amábamos a nuestro país con fervor. A veces —y ahora miró de pronto a Séfora y sus ojos, generalmente severos, estaban alegres— lo encontraba muy pesado. Naturalmente, nunca he dicho esto a mi padre o a mis hermanos, ni a mi marido, David ben Chebua, pero las mujeres tenemos más humor que los hombres. La virtud es muy necesaria, lo mismo que la disciplina. Hay que aprender esto, niña, o no soportaremos el mundo de los hombres. Debemos ser firmes, y guiarlos sin piedad, o el mundo se hundirá en el caos. Hemos de ser verdaderas Penélopes en este mundo masculino, verdaderas Junos..., o nuestros hombres se convertirán en bárbaros. Es su naturaleza, aunque ellos pretenden, en estos tiempos, ser excesivamente refinados. ¡Ay, las mujeres de ahora tratando de ser tan corrompidas como los hombres, tan viciosas como ellos, están llevándonos a todos a la destrucción!

Era medianoche y Saulo yacía, bañado en sudor, en el magnífico dormitorio, en casa de Chebua ben Abraham, y su espíritu estaba sumido en las tinieblas y en el dolor. Había recitado sus plegarias fervorosamente, esta primera noche en tierra de sus padres, pero no le habían llevado consuelo alguno.

Interminables noches había rezado así, con desesperación y fe a la vez. Sin embargo, nunca había sido confortado. Nunca se había creído perdonado, jamás había sentido la inminencia de Dios como una vez la sintiera. Algo obstinadamente frío y oscuro existía entre él y Dios. Creía que era su pecado, por el que no podía perdonarse.

Agotado, cayó de nuevo sobre el lecho y quedó instantáneamente dormido. No soñó. Pero, de pronto, mientras dormía y la luna se hundía tras las montañas y una nueva brisa agitaba las palmeras, oyó una grande y tremenda voz:

—¡Saulo! ¡Saulo de Tarso!

Saltó de la cama, corriéndole el sudor por el cuerpo, los ojos desorbitados mirando a la oscuridad. Y gritó:

—¡Sí! ¡Sí! ¿Quién es? ¿Quién llama?

Las mismas paredes resonaban todavía con el eco de aquella voz ultraterrena, aquella voz de mando, aquella terrible y masculina voz. Un lacerante dolor atravesó la cabeza del muchacho y cayó hacia atrás. Escuchó con todas sus fuerzas. Ahora sólo oía el ligero viento, la llamada de un pájaro solitario, y el distante aullido del chacal.

"He soñado —se dijo al fin—, pero aunque Él me rechace y no me perdone, aunque Su cólera corra sobre mí como las olas del mar, yo Lo amaré y Le serviré con toda mi alma, y al fin Él me recibirá de nuevo."

Lloró y dijo las palabras de Job: "¡Oh, si yo supiera dónde puedo encontrarlo...!"

Capítulo 9

Saulo fue con su padre y sus parientes al Templo en los Días Santos, y Séfora al Patio de las Mujeres, para sus deberes religiosos.

El joven tenía gran imaginación y había escuchado a su padre cuando hablaba del Templo, de su cúpula de oro, sus torres, sus muchos patios, jardines y corredores, sus amplias salas donde los sabios caminaban, contemplaban y meditaban en los asuntos sagrados; sus cipreses, palmeras y puentes y tranquilas columnatas. Sabía que el primer Templo de Salomón había empleado más de setenta mil hombres en su construcción, y que había sido destruido por Nabucodonosor, rey de Babilonia, y restaurado por Zorobabel setenta años más tarde, y que incluso después había sido ampliado y engrandecido por el rey Herodes.

Saulo había estado preparado para la gloria y el esplendor, pero ahora vio que lo que había imaginado no era nada en comparación con la terrible grandeza de la realidad. Aquí estaba el corazón de su pueblo, el Tabernáculo de su Dios, el alma de su ser, su fortaleza, fe, devoción y orgullo, honor y dignidad.

En aquel instante en la fragante neblina azulada, entre el eco de las plegarias de los hombres, Hilel se dio cuenta de que sus parientes lo estaban observando. Vio el rostro aburrido de Chebua ben Abraham, pálido a la sombra de su capuchón, las soberbias sonrisas de complicidad que intercambiaron Simón y José, y la elegante burla de David ben Chebua, ligera pero discernible. Y Hilel se sintió avergonzado de su propio temor, con remordimiento de haber pedido a Dios que no tocara a su hijo, y enojado, incluso en aquellos santos momentos, porque la familia de Chebua se burlaba de la apasionada comunión de Saulo, ellos, que no conocían a Dios, bendito sea Su Nombre, y que nunca habían deseado conocerlos. Hilel podía haber llorado de rabia por su temor y deseo de cubrir a su hijo con su propio manto, ocultándolo a los ojos de aquellos que profanaban el Santo de los Santos con su presencia y a quienes parecía motivo de burla que un joven se sintiera tan extasiado y exaltado.

Las altas velas estaban encendidas a lo largo de los muros, en sus candelabros de plata, y brillaban las lámparas. Se escuchaba el sonido de grandes trompetas doradas; las columnas brillaban incandescentes. El Sumo Sacerdote corría el velo que ocultaba el Tora, los santos rollos, y los hombres se prosternaron en imponente silencio. La cúpula dorada se perdía en lo alto, entre sombras y nubes de incienso. Pero Hilel, que mantenía el brazo sobre los hombros de su hijo, sintió que para éste, el más sagrado momento había sido arruinado, porque sabía que a su lado había hombres que se mofaban, hombres sin fe, que obedecían la letra de la ley porque lo consideraban correcto, aunque el Espíritu estaba lejos de ellos. Seguramente que para ellos no habría perdón; ¡aquellos abominables saduceos! Buscaban la aprobación del hombre incluso allí, en ese lugar, y blasfemaban de Dios en sus corazones.

Todo pensamiento consciente se había perdido en Saulo, cuya misma alma parecía seca y postrada.

Y, de pronto, se sintió aguda y temerosamente consciente de que algo, como una mano de llamas, hubiera tocado su carne. Volvió vivamente el rostro. No vio nada más que las formas confusas de los que lo rodeaban, oyó su respiración, sus plegarias; todos estaban con la capucha puesta. No veía sus rostros, sólo el borde de una nariz y la barba. Pero, cerca de él, contempló un pequeño grupo de hombres con las ropas groseras de los campesinos, con sencillas sandalias de piel, las manos rudas por el trabajo de la tierra. No llevaban joyas como sus familiares, ni barbas perfumadas. Olían al campo y a las colinas, a animales domésticos y piel de cabra, a queso y pan moreno, y leche. Ni siquiera las abluciones obligatorias podían borrar esos olores que impregnaban sus cuerpos.

¿Qué? ¿Quién? pensó Saulo con ansiosa fiebre. A menudo había oído hablar de los pobres pero santos rabinos de Israel, que con frecuencia evocaban milagros y predicaban por las calles y entre el polvo a la muchedumbre, y que dedicaban sus vidas a ilustrar a sus compañeros, a la mayor gloria de Dios. "No se preocupaban del dinero, ni de la comida, ni siquiera del refugio o la protección contra la lluvia o el sol —había dicho Hilel a su hijo. Duermen en los graneros, o bajo los arcos, y no desean sino servir a los demás; sólo la oración, nada más que la oportunidad de comunicar la compasión y la esperanza a otros. Son los benditos de Dios."

¿Habría alguno de ellos entre aquel grupo de campesinos?, se preguntó Saulo. Le parecía que debía averiguarlo, que debía acercarse a ellos y alzarles las capuchas en busca de un rostro, del espíritu que lo había tocado, invisible pero con fuerza. Se sintió lleno de deseo, de una urgente esperanza. Retornó su antigua impaciencia, su deseo de tener lo que deseaba. Hizo un movimiento.

Pero entonces tuvo plena conciencia de que una voz, ya familiar para él, decía en el fondo de su cerebro: "Quieto. Aún no ha llegado tu hora".

Un viento salvaje turbaba su alma, y pensó que el sufrimiento había alterado su percepción: "¡Dios mío! ¡Dios mío! ¿Por qué me has abandonado?"

Pero mientras pensaba esto, la paz vino a él; la paz..., como si una mano piadosa se hubiera colocado sobre sus labios incoherentes y clamorosos. Se hundió en muda plegaria.

Al día siguiente, Saulo se negó a acompañar a su padre a la casa de Ana:

—No siento ningún deseo de conversar con los conquistadores de mi pueblo. Anoche mismo me afirmaste que Chebua ben Abraham no dejaría de ser castigado, ni tampoco tu secta. Y, sin embargo, hoy quieres visitar a Aulo Platonio.

—El hombre solo —contestó su padre— rara vez es un demonio. Aulo es también una víctima de su gobierno.

Capítulo 10

Hilel ben Boruch fue a visitar a su parienta, Ana bas Judá, y a su esposo Aulo Platonio. Saulo se fue solo a visitar Jerusalén. El día era más frío y ventoso. Bajó su capuchón y se dirigió a los barrios populares.

Saulo, enormemente confundido, solitario de corazón, vacío de espíritu, iba a pie a explorar la ciudad de sus padres, evitando a cuantos conocía.

Llegó a uno de los mercados, que estallaba de olores. Era una calle amurallada, con pequeños arcos de piedra en los muros; la calle en sí no era más que una serie de amplios escalones de rudos pedruscos, con unas tiendas frente a otras. Las tiendecitas eran tan pequeñas, y llenas de mercancías que sólo un hombre podía hallar espacio en ellas. Pero todas eran ruidosas, llenas de gritos y gestos de urgencia. Aquí se vendía carne, alfombras de pelo de cabra, especias, cerámica, cacharros de cocina, vino, sedas, lino y lana, túnicas, armas, pan caliente, amuletos, queso, terribles imitaciones de estatuas griegas y romanas, réplicas del Templo en yeso y cemento, lámparas de bronce, sandalias, candelabros, figuritas de marfil, ajos, cebollas, olivas, aceite, perfumes violentos, incienso, joyas pobrísimas montadas en malos metales, capas de grosera tela, dátiles y limones.

Y por todas partes estaba el populacho típico de los mercados: mujeres y niños chillones, ladrones, mendigos, ciegos y cojos, hambrientos. Los soldados romanos marchaban entre ellos, comiendo carne caliente en hojas de higuera, regateando en sus compras de amuletos, licor y joyas, maldiciendo a los comerciantes vocingleros, mirando a las muchachas, golpeando a los burros, perros y gatos, subiendo y bajando los escalones mientras reían sus chistes, chupando olivas y dátiles, escupiendo los huesos entre sus blancos dientes, y empujándose unos a otros. En resumen, eran como los jóvenes soldados de siempre en cualquier país extranjero, divertidos, inclinados a la amabilidad, borrachos, presumidos, orgullosos y ansiosos de hacer amistad incluso con ladrones o comerciantes. A veces, con gana de broma, se inclinaban a tocarle la barba a algún tendero por encima de su mercancía, y éste simulaba enojarse, agitaba el puño maldiciéndolos en arameo, y, a continuación, les sacaba descaradamente el dinero. Era el día de paga de los soldados romanos. A la noche no les quedaría un solo dracma, aunque se sentirían felices después de acostarse con una prostituta bajo un puente, o entre cipreses, o a la sombra del acueducto.

A veces aparecía un camello cargado, tambaleándose al subir los peldaños, golpeado por su propietario, que traía mercancía fresca a los puestos.

Saulo se dio cuenta de que, a poca distancia de él, en un banco de piedra, se hallaba sentada una mujer con aire de cansancio, una campesina, vestida con ropas oscuras, y con un tocado azul, y los pies calzados con sandalias tejidas. Tenía la cabeza inclinada, y parecía meditar. Sus manos yacían inmóviles sobre las rodillas, con las palmas hacia arriba, en actitud de cansancio y resignación, como si hubiera trabajado mucho y necesitara reposo. El sol brillaba en sus pestañas e iluminaba las pálidas mejillas, dándole semblanza de saludable color. Pero la parte inferior de su rostro y cabello estaban ocultos por el velo, que había echado sobre la boca para defenderse del viento.

Era sólo una mujer pobre, probablemente de las colinas de Samaria, Galilea, u otra provincia, pero Saulo miraba su cabeza inclinada, su actitud de agotamiento y, sin saber por qué, se sentía atraído. Habría venido de lejos para los Días Santos. Junto a sus rodillas había un cesto, y dos palomas en él; el sacrificio que una mujer así podía ofrecer. Saulo supuso que sería de mediana edad, unos treinta y cinco años, o quizá menos, pues su figura era esbelta, aun bajo aquellas pobres ropas, y sus tobillos delicados y finos. Parecía estar meditando bajo el cálido sol, y su respiración apenas alzaba los pliegues que le cubrían el pecho.

Su aspecto no era llamativo, y Saulo se sintió irritado por el hecho de no poder apartar su atención de ella. Jerusalén estaba lleno de miles de mujeres del mismo estilo. Llevaban cestos en la cabeza o los hombros, o venían de lejos al Templo en tales días. No eran extraordinarias. Sin embargo, no podía dejar de mirarla. ¿Dónde estaban sus hijos, su marido, que la dejaban sentada con tal abandono? ¿Era una viuda, sin hijos?

Deseó ver su rostro, para adivinar si era viuda o doncella, joven o vieja. El viento le alzó el velo, y ella subió rápidamente la mano para volvérselo a colocar sobre la boca. Y entonces Saulo vio su rostro, vuelto hacia él, y quedó incrédulo ante su belleza. Pensó en un lirio, pálido, suave y fragante, abierto a la brillantez del día. Su boca era de suave rosa, y triste, pero muy llena, con el labio inferior un poco salido como el de una niña. Había algo griego en la forma de su nariz, de delicadas aletas, y en la serenidad de su frente. La barbilla era redonda, y con un hoyuelo, las mejillas frágiles. Vio sus ojos, grandes y azules, de doradas pestañas, y, al caer el velo, comprobó que el cabello era también dorado, brillante. Era un rostro regio, sereno, pero tocado por el dolor, no plácido, pero gentil..., un rostro de Galilea.

Ella lo miraba con amable interés, como si hubieran hablado y tratara de recordarlo. Después sus labios se abrieron y sonrió amablemente, y sus ojos azules brillaron con reconocimiento. Saulo sintió una ansia casi irresistible de ir a ella y decirle su nombre, y preguntarle el suyo. Pero se reprimió instantáneamente.

Era sólo una campesina que había creído reconocerlo por equivocación.

Pero su belleza, la belleza de una estatua, lo retuvo, y cierto temor lo dominó, pues las colinas no suelen engendrar tales mujeres, a pesar de aquellas ropas. Tenía el aspecto de una reina, vestida de campesina por diversión. Las manos, aunque bastante trabajadas, eran tan delicadas como su rostro, y exquisitamente formadas. Y sus ojos azules lo estudiaban, no con atrevimiento, sino con maternal interés y afecto.

Un joven se acercó a la mujer, tan pobremente vestido y calzado como ella. Se diría que era algunos años mayor que Saulo, un hombre ya adulto, y Saulo pensó que debían ser hermanos, pues se parecían mucho. El cabello era del mismo color que el de ella, y la barba era rubia también, y parecía agotado por el trabajo. Sus pies y ropas estaban polvorientos, y la bolsa de piel que colgaba de su cinturón estaba vacía. Se movía lentamente, como si también él hubiera recorrido larga distancia. Pero sonrió a la mujer, y ahora, al mirarlo ella, su rostro se encendió repentinamente de amor y placer a su vista. Él llevaba una gran hoja de parra en las manos, llena de carne especiosa y humeante, aromática y apetitosa. La puso en las manos de la mujer.

—Gracias, Yesou, hijo mío —dijo ella. Hablaba en arameo, y su voz era suave e inefablemente dulce.

Saulo quedó atónito. Era increíble que esta muchacha, esta joven, fuera la madre de aquel hombre, que al menos tenía veintiún años o quizá más. El hombre se inclinó hacia el cesto que contenía las palomas y sacó una espátula de madera para su madre. Luego se sentó junto a ella con benigna dignidad, y el mismo amor:

—Estás muy cansada, madre —dijo—. Come y serénate.

—*Tinoki* —murmuró ella, la palabra cariñosa de una madre a su hijito adorado. Él le cogió una mano y dijo:

—*Emi*[1] —después cogió la espátula y, como un padre, la metió en la hoja de parra y cuidadosamente la llevó a los labios de su madre, que comió obediente, sonriendo, con los ojos fijos en el rostro de su hijo, como si no se hartara de mirarlo.

[1] Madre.

—Creí que tú… me habías dejado —dijo, y ahora sus labios temblaron y fue incapaz de sonreír.

—Todavía no, madre —dijo él. Saulo, que los observaba con fascinación, quedó atónito ante la voz del joven, pues era firme y fuerte, como la de un venerable rabino—. Ya lo sabrás, cuando deba irme. No lo haré sin que estés preparada.

Aparecieron lágrimas en los ojos de la mujer, que bajó la cabeza para ocultarlas, como si estuviera acostumbrada.

—Perdona —dijo casi inaudiblemente—. Pero hoy me siento muy débil. Perdóname, *Tinoki*.

La actitud de los dos, sentados al sol, solos, era conmovedora en toda su sencillez. La muchedumbre se apresuraba por la plaza, las sombras se recortaban agudas, se oían voces y pasos ruidosos, los niños lo llenaban todo y los comerciantes se insultaban e imprecaban mutuamente. Sin embargo, aquellos dos seres seguían sentados en misterioso aislamiento, como si nadie más que Saulo los viera; el uno dando profundamente, la otra aceptando con humildad. Saulo había visto los brazos del hombre, morenos al sol, musculosos, masculinos, familiarizados con el trabajo. También sus pies y tobillos estaban morenos. Habían conocido el suelo de los pastos y lugares pedregosos, los tórridos mediodías y los vientos helados.

Saulo se sintió dominado por una fuerza extraña, que lo arrastraba hacia el joven. Su mente se sentía asaltada por algo misterioso y terrible. Parte de su alma le decía: "Es absurdo. Soy Saulo ben Hilel, de la tribu de Benjamín, culto y de noble casa, y este campesino, ¡que probablemente ni siquiera sabe escribir su nombre!, me impresiona de esta manera; ¿por qué he de dirigirme a él y por qué se siente inflamado mi corazón y tiembla como un corderillo?"

Por otra parte de su alma decía: "Levántate y ve a él".

El hombre lo miraba con serenidad, con expresión grave, curiosamente alerta. Sin embargo, sus labios sonreían gentilmente, como si también él hubiera reconocido a Saulo. Las cejas doradas casi se juntaban sobre los grandes y profundos ojos, y el suave viento de la tarde agitaba sus rubios cabellos. Tan clara era la luz, tan vívida la concentración del desconocido sobre Saulo, que podía ver ahora con más intensidad que nunca. Y así vio las oscuras sombras azuladas bajo los pálidos pómulos, como si el dolor morara en aquel hombre. Vio las venas en sus sienes, y el latir de la garganta.

También la mujer miraba a Saulo, con la copa junto a los labios. Sus manos temblaban ligeramente.

"Son hechiceros", pensó Saulo. Se puso en pie y huyó de aquel lugar.

Se compró un puñado de higos maduros y los comió ansiosamente. Luego, poco a poco, empezó a reírse de sí mismo y a maravillarse ante las emociones que había sentido.

Entonces oyó, o creyó oír, una voz tremenda y familiar que lo llamaba: "¡Saulo! ¡Saulo de Tarso!"

"Estoy volviéndome loco", pensó. Y comenzó a correr de nuevo, murmurando las plegarias contra el mal de ojo. Y luego se paró en seco, temblando, con los higos en la mano. Había oído ya aquella voz, en su dormitorio, en el Santo Templo..., y se sintió lleno de confusión.

La casa de Aulo Platonio y Ana bas Judá estaba en una parte muy tranquila de la ciudad, no lejos de la Calle de los Queseros.

Aulo, hombre acaudalado, y Ana, rica también, podían haber vivido en las alturas de un monte, en una hermosa villa, con muchos esclavos y sirvientes, pero eran frugales, y sus gustos eran simples. Tenían una magnífica biblioteca, herencia que Ana recibiera de su padre, y un hermoso jardín de flores y frutos, y palmeras, pues los jardines eran necesarios en aquella área tan llena de gente.

Ana era suave de voz, deferente de modales, dulce de gestos y amable de palabras, ansiosa siempre de complacer. Sus grandes ojos castaños, abrigados por espesas pestañas negras, podían parecer los ojos de una tórtola, pero a veces se encendía en ellos un orgulloso brillo que hacía temblar a Aulo y a sus hijas.

Cubrió la mesa con el blanco mantel e hizo un gesto al sirviente, que puso allí queso, pan, fruta, olivas, alcachofas en aceite, ajo y una botella de vino.

De pronto Ana sonrió y se apresuró a salir al atrio, y Hilel escuchó el sonido de voces de hombres. Un momento después aparecía Aulo, acompañado de un esbelto y joven oficial con el espléndido uniforme de capitán de la Guardia Pretoriana. Ana venía tras ellos, y, aunque sonreía, había lágrimas en sus ojos.

—¡Mira a quién tenemos con nosotros, Hilel! —exclamó Aulo—. Nuestro hijo Tito Milo ha venido de Roma a visitarnos. Llegó a Césarea hoy, y tuvimos un mensaje sólo hace un mes.

Hilel no había visto nunca al hijo de Ana, y se alegró con sus padres:

—*Shalom aleichem* —dijo el oficial romano, abrazándolo respetuosamente—. Saludos, mi querido tío, Hilel ben Boruch, del que tanto he oído hablar —se dirigía a él en arameo.

—*Shalom*, Milo. Es un día alegre para nosotros.

Tito Milo Platonio era mucho más alto que su padre, y de esbelta figura, amplios hombros, cintura estrecha y musculosas piernas bajo su túnica de soldado. Llevaba botas altas de piel, bordadas en oro, y una capa escarlata de dorados bordes, cinturón de eslabones de oro, y también un peto de piel. Su casco de hierro incrustado de plata, estaba adornado con gemas, y su porte era elevado y noble. Llevaba la famosa y terrible espada corta romana, y ricos anillos en los dedos, y las muñequeras de piel adornadas de oro. Tenía un aire magnífico y brillante.

—Te retrasaste —dijo Aulo, sirviendo un vaso de vino a su hijo.

Milo, que sonreía a su madre, dejó de sonreír.

—Sí —dijo. Miró rápidamente a Hilel y su rostro pareció perturbarse. Luego se dirigió a su padre—: ¿No has estado hoy de guardia, padre?

—No. Esperaba a nuestro pariente.

Milo dijo:

—Ha habido disturbios hoy, cerca de la Puerta de Damasco.

—Nada he sabido —dijo Aulo, pero su rostro de soldado se endureció.

—He traído a diez de mis hombres, madre. ¿Les darás algo, antes de que vayan a los cuarteles que les han asignado en la ciudad?

Ana, después de una temerosa mirada al rostro de su hijo, se apresuró a salir para ordenar que sirvieran comida a aquellos hombres.

—Dime —exigió Aulo—, ahora que has despachado a tu madre. ¿Qué malas noticias hay, en este día que yo esperaba fuera tan alegre?

—No fue asunto mío; aunque soy oficial romano. Sin embargo, tuve que intervenir...

—Dinos —insistió Aulo.

—Los esenios y zelotes —dijo Milo, ahogando un juramento romano—. ¿Por qué no aceptan lo que es inmutable? Originaron un disturbio en la Puerta de Damasco, y estaban armados, y, como bárbaros que venían del desierto, asesinaron a uno de tus centuriones, padre mío, y a veinte de sus hombres. Fueron dominados. Unos cien. Han sido metidos en prisión. Cierto número de ellos murieron allí mismo, en la batalla.

—¡Por Cástor y Polux! —exclamó Aulo, cogiéndose la cabeza con las manos.

Los ojos de Milo se ensombrecieron.

—Al menos doscientos judíos de la ciudad se unieron a los rebeldes —dijo—. Y están también en prisión... los que no murieron —se levantó y, con las manos en las caderas recorrió lentamente la habitación sin mirar de nuevo al entristecido rostro de Hilel.

—Que los judíos maten a los judíos, ya es bastante reprensible, según la ley —siguió Milo—. Pero que los judíos maten a los romanos, y a su oficial, es intolerable.

Se detuvo y miró fijamente al suelo, a sus pies:

—Hacía años que no se había producido en la ciudad un disturbio de tanta importancia. En el tumulto quedaron heridas muchas inocentes mujeres y niños, pues la lucha se extendió a varias calles. Alguna tiendas fueron incendiadas. Un sacerdote saduceo fue arrancado de su litera, azotado y arrojado contra la pared. Fue atacada la guardia. Por piedras y albañales corría la sangre. Hice lo que pude —repitió—. Intenté moderarlos... y me recompensaron llamándome asesino y traidor. Hablé a los bárbaros entonces en arameo y les pedí que se marcharan. Si algunos no me hubieran escuchado, las prisiones estarían mucho más llenas ahora.

Miró a su padre directamente, y sus hombros parecieron ensancharse:

—Soy oficial de la Guardia Pretoriana, y debo presentar mis respetos a Poncio Pilato, para el que llevo un mensaje de mi general. Mi deber está con Roma. Debes creer que sentí como si mi carne fuera arrancada de mis huesos y expuestas mis entrañas, padre mío.

—Sí —dijo Aulo, y apartó la vista.

—Llevo conmigo no sólo una carta del César Tiberio, a quien sirvo, sino su anillo de autoridad en mi bolsa —dijo Milo—. Se refiere a la carta a Herodes Antipas, que ha estado conspirando con Agripa.

Las miradas de padre e hijo se cruzaron sombrías. Hilel susurró:

—Mi pueblo... Mi desgraciado pueblo —todo su rostro temblaba.

Entonces Milo dijo:

—Mi pueblo... también —se sentó de pronto, como agotado—: Se ha extendido una orden para el arresto de conocidos descontentos —siguió—. Aunque no hayan tomado parte en este disturbio, la disciplina debe cumplirse a toda costa, y los rebeldes en potencia deben ser castigados, como ejemplo —vaciló—: Es un asunto muy feo. El centurión es el hijo del senador Antonio Galio, querido amigo del César.

—¡Octavio Galio! —exclamó Aulo, horrorizado—. ¡Fuimos subalternos juntos! ¡En nombre de los dioses! El viejo senador pedirá sangre y muerte por esto.

—Es un verdadero Calígula —dijo Milo—, y tan loco como él. ¿No quería asesinar a todos los judíos del Transtíber hace sólo dos años?

—¡Dios mío, Dios mío! —dijo Hilel con angustia—. ¿Qué ha hecho mi pueblo, qué han hecho esos jóvenes salvajes que arden de patriotismo y amor a Dios y a su paz? Se han destruido a sí mismos y a otros. Pero no desistirán, aunque mueran en la lucha. ¿Qué han conseguido, sino tormento y muerte, para ellos mismos y sus hermanos? Sin embargo, no puedo denunciarlos de corazón, pues, si el hombre se ve privado de su país, si no tiene una tierra que sea libre y suya, ¿qué le queda? Es menos que una bestia, porque ésta no sabe que no tiene nada.

Aulo y Milo lo miraron en compasivo silencio. Hilel siguió:

—Si Roma fuera dominada por un ejército extranjero, y subyugada y esclavizada y oprimida, ¿no se alzarían para libertarla, aunque supieran que no había esperanza?

—Sí —dijo Aulo—. Daría mi vida por mi país, aunque fuera inútil.

—Y yo —dijo Milo— daría mi vida, tanto por Roma como por Israel. ¿No es horrible mi situación?

Entonces Ana, apartando la cortina, entró en la habitación, y los hombres vieron, por su palidez y temblorosos labios, que lo había oído todo. Llevaba una bandeja de plata con carne en la mano, la dejó en la mesa y pasó la mirada de Hilel a su marido, y después a su hijo.

—¿No hay nada que podamos hacer? —preguntó.

—Hice lo que pude —dijo Milo—. Simulando perseguir a los rebeldes los dispersé, y los animé a la desbandada y la huida. Algunos me miraron al rostro, y, obedeciendo, huyeron.

—Pero, ¿ahora...? —empezó Aulo.

Milo alzó las manos y las dejó caer sobre sus desnudas rodillas, un gesto muy judío y elocuente.

Aulo se volvió a Hilel:

—Chebua ben Abraham era el padre de tu querida esposa Débora, y su nieto va a casarse con tu hija. Tiene poderosa influencia sobre Poncio Pilato.

—¡Chebua ben Abraham! —exclamó Hilel con voz cargada de desprecio, como una maldición—. ¿Cuándo ha intercedido por su pueblo? ¿Pondría en peligro su seguridad y su lujosa vida, y el favor de los romanos? Perdóname, Aulo, pero mi corazón se siente anonadado. ¡Chebua ben Abraham!

—Sin embargo —dijo Aulo Platonio—, has de acudir a él. Las causas desesperadas exigen hombres desesperados. ¡Ah! ¡Ahora que recuerdo! Hay un judío influyente a quien Chebua honra: José de Arimatea, que tiene fama de ser muy rico. Goza de la estimación de Poncio Pilato, el cónsul. Pilato es supersticioso, y se comenta que José le ha dicho que participará en un suceso que agitará el mundo entero para siempre, y así Pilato cree que un día será nombrado emperador de Roma. José es de una noble familia, piadoso judío, fariseo, y miembro del Sanedrín.

Hilel meditó. Había oído antes ese nombre, pero no podía recordar dónde. Sin embargo, conocía demasiado a los parientes de su esposa para creer que tan poderoso judío —nunca perseguido por los romanos— ayudara a sus miserables compatriotas, a los que calificaría de gentuza, de buscalíos por el gusto de pelear. Los esenios y zelotes se habían ganado reputación de violencia y celo excesivo entre los judíos poderosos, y, especialmente, los sacerdotes. Empezó a agitar la cabeza negativamente y luego se detuvo.

—Aulo Platonio, Milo, comprendo que ustedes, como romanos, no pueden apelar a ningún hombre poderoso, y más no siendo romano, en este asunto. Pero yo apelaré tanto a Chebua ben Abraham como a José de Arimatea. Me temo que no socorrerán a mi desgraciado pueblo. Pero lo intentaré.

Se puso en pie. Entonces fue cuando Ana dijo:

—No has cenado, y los hombres han de alimentarse. Por tanto, serénate y come. ¿No está aquí mi querido hijo, que es de tu sangre? Dejarnos ahora sería una descortesía para él, y malo para ti. La comida aumenta el valor de un hombre.

Capítulo 11

La litera de Chebua ben Abraham, llevada por seis esclavos nubios maravillosamente vestidos, subía y descendía las empinadas calles. Hilel había corrido las cortinas, a fin de ver a su pueblo y rogar por él en silencio.

Padre e hijo venían de ver a Chebua, quien se valió de múltiples razones para negar su ayuda.

Saulo dijo:

—Es malo denunciar a los de tu sangre, según las Escrituras, pero Chebua ben Abraham es un hombre malvado.

—No, no es malvado. Hay ocasiones en que hasta los malos pueden conmoverse. Y Chebua está horrorizado, y nada hay capaz de vencer al temor. Se encuentra más allá de la razón. Vi el miedo en sus ojos. Le habló duramente, pero lo compadezco. Dios perdona a los malos si se arrepienten, pero, ¿cómo pueden los ángeles llegar con sus voces a un hombre dominado por el pánico?

La casa de José de Arimatea se levantaba en una amplia calle, bajo el monte de los Olivos. Tras las puertas de hierro forjado, la casa parecía tranquila y en calma, con el pórtico lleno de lámparas, y con el jardín de pinos, palmeras y oscuros cipreses. El portero abrió la verja y la litera subió por el sendero de grava roja hasta la casa. Se abrió la puerta de bronce y José de Arimatea apareció en el umbral.

Era un hombre alto y macizo, con una larga túnica azul, de cinturón de oro, y desnudos los brazos. Era de mediana edad, sin barba y casi calvo. Su cabeza era grande, ovalada, mayor que la cabeza del hombre medio, y la primera impresión era de fealdad. Sus rasgos eran demasiado grandes, la boca demasiado llena, la barbilla corpulenta, las orejas despegadas del cráneo, pulido como la piedra. Pero sus ojos negros irradiaban, misteriosos y amables, bajo unas cejas oscuras unidas sobre el puente de la aquilina nariz.

Habló con voz sonora, que despertó ecos en el jardín:

—Salud a Hilel ben Boruch y su hijo Saulo. ¡Bienvenidos a esta casa que conoce su ilustre nombre! —extendió sus manos musculosas a Hilel, al que abrazó. Sonrió a Saulo, y su sonrisa embelleció su rostro—: *Shalom* —dijo.

Hilel luchó por controlarse a la vista de esta tierna bienvenida, y devolvió el abrazo. José los condujo a un amplio e iluminado atrio, y luego a otra habitación amueblada con gusto, a la que llegaba el perfume de los helechos. Dio una palmada y entraron unos sirvientes cargados con platos y cubiertos.

—Yo ya he cenado —dijo Hilel—, pero no mi hijo.

—Vengan —dijo José, con otra de sus luminosas sonrisas—. El hombre siempre puede disfrutar de la comida —estudió al joven, y un curioso brillo apareció en su mirada. Por alguna razón desconocida, Saulo se sintió turbado ante aquellos misteriosos ojos. No amaba el lujo, y esta casa era tan lujosa como la de su abuelo. Pero aquí parecía menos estudiado. Se sentó en silencio junto a su padre, mientras los sirvientes preparaban la mesa.

Hilel dijo:

—¿Sabes ya por qué he venido, José de Arimatea?

—Sí. Recibí la carta de mi querido amigo Aulo Platonio, tu pariente. Pero están cansados. Refresquémonos primero.

Lentamente fue percatándose Saulo de la paz que impregnaba aquella casa. Incluso Hilel, aunque terriblemente alterado, se sintió más tranquilo y tomó algo de vino, carne, verduras en aceite y vinagre, fruta y pastas. Saulo, de ardiente corazón y mente afligida, no podía ser insensible a la quietud que lo rodeaba.

La voz de José no rompía el silencio; parecía llenarlo fácilmente:

—He visto a Poncio Pilato, que me debe mucho, y a Herodes, que aún me debe más. Supe de la tragedia de la Puerta de Damasco, casi en el momento en que sucedió, pues, ¿puede sufrir mi pueblo sin que yo me preocupe? ¡Ah!, fue una tragedia terrible, y me duelo tanto por los romanos como por los judíos, y por todos los que empuñan las armas en un conflicto sin solución. Pues mientras exista el hombre habrá guerra y odio, y opresión, y rebeldía, hasta... —se detuvo y miró al espacio, como si contemplara una heroica visión, aún no cumplida.

Hilel lo miraba con penosa atención.

—Deja que te conforte un poco —dijo José, con tono compasivo—. Ha habido muertos hoy, y los romanos no contemplan ecuánimes la matanza de sus soldados. Tampoco nosotros vemos con desinterés la muerte de los judíos. Los romanos se denominan los hombres de la ley y la razón, y pueden comprender la cólera de los judíos, pues ellos sentirían lo mismo si Roma fuera ocupada por un ejército extranjero y se vieran obligados a cumplir sus leyes. Los romanos son también pragmáticos... cuando se refiere al patriotismo y espíritu de otros hombres. ¿Quién es más fuerte? Roma. ¿Quién, por tanto, tiene mayor derecho a gobernar, a regir el comercio y el cambio? Roma. Esto no es una novedad en las conquistas, pero Roma ha hecho de ella una virtud. No es hipocresía. Los romanos están honestamente convencidos de que son la fuerza civilizadora del mundo, y sueñan con un gobierno mundial, que creen haber instaurado permanentemente bajo la Pax Romana.

"Perdóname si te parezco lento. Quisiera que entendieras que yo comprendo a los romanos, y la comprensión es la mitad de la batalla, cuando hay controversia. Pues, ¿quién puede odiar al hombre que comprende?

"He persuadido a Pilato de que suelte a los que encarcelaron como sospechosos de descontento, a los que se han opuesto a los romanos tercamente, pero sin violencia. Han vuelto a sus casas, severamente avisados, pero ya están en el seno de sus familias. "¿Ha de ser el cordero sacrificado con el león?", pregunté a Pilato —sonrió—. También él me debe mucho dinero, pues es aficionado al juego, y al César, hombre muy rígido, no le gustan los jugadores. Está comprometido además con Agripa, en Roma, lo mismo que Herodes. Afortunadamente tengo amigos en los que Tiberio confía, por lo que Pilato no será llamado allá —miró el vino de su copa—: Tiene un papel que desempeñar, y yo lo he visto en mis visiones.

Hilel dijo:

—¡Gracias sean dadas a Dios, José de Arimatea, por haber salvado a los inocentes! Pero, ¿y esos cientos o más de zelotes y esenios que aguardan una muerte infamante en las prisiones de los romanos?

José repuso con tristeza:

—A ésos no puedo salvarlos. Ni creo que merezcan serlo. Son jóvenes duros y decididos..., y los jóvenes son los que creen en causas heroicas y cortejan a la muerte, como los hombres maduros a las mujeres. Creen que son un estandarte que deben seguir los demás. Es hermoso, pero no sensato.

—Así que morirán.

—Pero no sin gloria en sus almas, ni sin exaltación —dijo José. Sirvió vino de nuevo—. A esto han aspirado siempre. No niego su amor, su patriotismo, su devoción a Dios. Pero en ese altar hay demasiados dispuestos a ser sacrificados.

Saulo ya no pudo contenerse.

—¡También yo estoy dispuesto! —gritó.

Hilel, en su agonía de espíritu, quiso corregir a su hijo. Pero de nuevo José alzó la mano y dijo:

—Es cierto, hijo, y así lo serás.

El terror llenó el corazón de Hilel. Había oído que José tenía misteriosos dones de profecía y penetración.

—Preferiría que mi hijo viviera para su pueblo —dijo.

—Y así será —respondió José con amable sonrisa. Sus palabras parecieron enigmáticas. Los ojos de Saulo eran como metal bruñido que reflejaban su profunda pasión y cólera. José siguió—: Sé cuándo tengo la posibilidad de triunfar, aunque sea débil, y la aprovecho. Pero sé cuándo no puedo triunfar, y es inútil intentarlo. Así que los hijos del desierto deben morir. Pilato me dijo: "¿No tienen ustedes, los judíos, una ley que dice 'ojo por ojo y diente por diente'?"

El rostro de Hilel tembló de nuevo, pero, antes de que pudiera hablar, Saulo preguntó:

—¿Has rogado también a Herodes, José de Arimatea?

—Sí. Lo he persuadido de que diera un veneno indoloro a los jóvenes que mostraran el más leve temor a la muerte y al sufrimiento. Un hombre debe ir a la muerte con orgullo, incluso con gratitud. Hay que preservar a los más débiles de espíritu de la agonía de la inexorable ejecución.

Hilel hundió la cabeza en el pecho, y se cogió las manos. José lo miró con compasión:

—Hilel ben Boruch, la muerte no es el supremo terror ni la más monstruosa de las calamidades: ni la vida ha de ser lo más deseado por los sabios. Esto lo sabemos como judíos. Y Aristóteles fue el que dijo: "Hay circunstancias y ocasiones en que un hombre razonable prefiere morir a vivir". Tú sufres por tus compatriotas, pues eres judío, y yo sufro contigo. Pero la vida de un hombre es breve y llena de dolor y desesperación, y no hay nadie vivo hoy en día que de aquí a cien años no haya muerto. Un siglo, y pocos de entre nosotros seremos recordados, ora seamos malos o justos, santos o demonios, traidores o patriotas —se detuvo—. Sólo Uno será recordado, bendito sea Su Nombre.

—¿Crees que la llegada del Mesías está cerca? —preguntó Hilel.

José tomó una granada en la mano y pareció estudiar su color.

—¿Y si Él ya hubiera venido? —preguntó en tono distante, como si fuera una teoría.

—¡No ha venido! —exclamó Saulo, más despectivo que nunca—. Si hubiera venido, el mundo entero estaría ahora proclamando Su nombre bendito, y regocijándose, y los romanos estarían en lo profundo del mar, como sucedió con los egipcios.

—¿Crees tú, Saulo ben Hilel, que Dios odia a los romanos, que también son sus hijos, y que enviará al Mesías sólo a los judíos? "Una luz para los gentiles", ha sido profetizado —cierta dureza apareció en el rostro de José.

Avanzada la noche, Hilel se levantó, abrió la puerta y miró al atrio, brillantemente iluminado. Chebua armaba una escandelera jurando y blasfemando, mientras se debatía entre los brazos de sus criados. El primer impulso de Hilel fue acudir en su ayuda. La toga de su suegro estaba cubierta de manchas de vino, carne y fruta, los cabellos revueltos, el pálido rostro cubierto de sudor. "Está borracho", pensó Hilel, y recordó que uno no debe avergonzar a otro hombre observándolo en su borrachera. Se dispuso a cerrar su puerta.

Pero había algo en los modales y voces de Chebua que no era solamente producto de la borrachera, aunque hubiera bebido mucho aquella noche, en contra de su costumbre. Hilel se detuvo, observando por una rendija de la puerta, mientras Chebua seguía maldiciendo a cuantos lo rodeaban.

Entonces, con gran sorpresa por su parte, lo vio estallar en lágrimas, y caer en brazos de los sirvientes, que se lo llevaron. Hilel se preguntó sobre lo que había visto, lleno de tristeza. ¿Qué habría causado aquella extraordinaria orgía de emociones? No podía saberlo. Pero recordó que José de Arimatea había hablado de la unidad de los hombres, a pesar de sus diferencias aparentes. "Que Dios tenga piedad de nosotros —rogó Hilel ben Boruch, y se fue a la cama—. Que Dios tenga piedad de todos los hombres."

"¡Qué Dios nos vengue!", rogó Saulo ben Hilel, llorando de rabia, de dolor y de odio. Y entonces descubrió con horror que no podía seguir orando. Había un profundo vacío en él, una horrible ausencia.

Capítulo 12

—No vayas al lugar de la ejecución, te lo suplico —dijo Hilel a su hijo—. Eres joven. Te destrozará el corazón. Acompáñame al Templo, donde rezaremos por las almas de aquellos valientes.

—No —dijo Saulo secamente. Su padre vio que cada día se emancipaba más, y que había una fría austeridad en su frente, y una ardiente mirada en sus ojos—: Sería menos que ellos si no fuera con ellos.

—Te atormentas, te muerdes en los flancos, como las bestias desgarran sus heridas —dijo Hilel—. ¿Has olvidado que fuimos llevados al exilio por Nabucodonosor, rey de Babilonia? Los que quedaron libres se reunieron e iniciaron una rebelión contra nuestros opresores. El profeta Jeremías vio que aquellos promoverían nuevas calamidades en nuestro pueblo y se puso sobre el cuello un yugo de madera, para simbolizar ante todas nuestras temerarias esperanzas y la realidad de la catástrofe. Pero el falso profeta Ananías rompió el yugo, destrozándolo en fragmentos y diciendo: "Así romperé el yugo de Nabucodonosor dentro de dos años".

Hilel continuó:

—Jeremías se alejó del falso profeta, pero Dios, bendito sea Su Nombre, le ordenó que le hablara, y así le dijo: "Has roto barras de madera, pero Yo haré en su lugar barras de hierro". Y Ananías murió al cabo de dos años. La hora de la liberación no había llegado. Ten la seguridad de que Dios nos librará, pues ¿no tenemos Su Promesa? Los jóvenes que hoy mueren son impacientes.

—Padre mío —dijo Saulo—. Hablas con palabras de Chebua ben Abraham, a quien desprecio aunque sea mi abuelo. No te comprendo. Apenas hace dos años que buscabas ayuda para los héroes que hoy morirán; sin embargo, ahora te muestras tan ambiguo como José de Arimatea, a quien también desprecio.

—No quiero que sufras —dijo Hilel, sin poder contenerse.

Pero Saulo, con un débil y torturado gemido, lo dejó, echándose la capa por los hombros.

Bajo un cielo enrojecido, soplaba un aire fresco; en la lejanía se recortaban las montañas peladas, color de uva madura. Saulo, a pie, se dirigió a la Puerta de Damasco, pues en su cercanía, fuera de las murallas, en el campo desolado, los ardientes jóvenes serían sacrificados por los romanos. Jerusalén retenía el aliento: las tiendas estaban cerradas, ningún chiquillo corría por las calles. En el luto invisible del ambiente, sólo se veían soldados armados para la guerra. Toda luz parecía haber desaparecido de la ciudad, quieta y abandonada, y en todas partes resonaban ecos de gritos y gemidos distantes. A lo lejos se extendía Siria, y las duras montañas sombrías, y el cielo cercano y opresivo. En un lugar plano, cincuenta cruces esperaban sobre la tierra, y al lado de cada una de ellas había un hombre, con barba, silencioso, con los ojos fijos en el cielo, el cielo que nada respondía.

Saulo, y los que vinieran con él, se unieron a los que ya aguardaban allí en filas inmóviles, hombro con hombro. Había muchos soldados romanos, de ojos fríos y furiosos, extraordinariamente silenciosos, pues aquellos a los que iban a ejecutar habían asesinado a sus camaradas y oficiales, habían violado la ley y el orden, habían alzado la mano con violencia contra los que, por orden de los dioses, los gobernaban, en nombre de la justicia y la paz.

Saulo miró los rostros de los condenados, rostros remotos, labios que oraban. Algunos eran más jóvenes que él; pocos eran los de edad madura. Deseaba llorar, pero no podía. Deseaba maldecir, pero sus labios estaban mudos. Lentamente se dio cuenta de un murmullo sordo, que apenas se oía, y comprendió que eran las plegarias por los moribundos. Él era incapaz de rezar. Sólo podía mirar los rostros de los condenados, que parecían ya muertos, tan inmóviles estaban, tan indiferentes, tan lejanos. Como si nada latiera en ellos; como si ya hubieran partido...

Entonces, en aquel terrible silencio, surgió la voz de un hombre, pura, fuerte y segura:

"El Señor, que hizo el cielo y la tierra, vela por ti. Él que nos sostiene no vacilará. Él, que mantiene a Israel, no vacila ni duerme. Él guardará tu alma."

Los condenados se alzaron como un hombre, los harapos de sus trajes fue lo único agitado en aquel lugar donde nada se movía, y volvieron los jóvenes rostros morenos de sol, buscando ansiosamente; y ahora parecían niños que creen haber oído la voz de su padre.

Una nube se extendió sobre la tierra, y un viento tórrido alzó el amarillento polvo, y el cielo se oscureció; un oficial miró hacia arriba, inquieto, pues los romanos eran supersticiosos y habían oído historias de la venganza del Dios judío. "Procedamos", se dijo, e hizo un gesto con la mano. Los soldados cogieron al joven más próximo y lo lanzaron sobre la cruz. Inmediatamente se escuchó el doloroso y terrible sonido del martillo, conforme los clavos atravesaban la carne de las manos y pies; y no hubo nada más, ni un grito.

"Los valientes mueren con valentía", pensó Saulo, escuchando el martilleo que parecía demasiado cercano, demasiado horrible, demasiado inminente en aquel silencio. Cuando los soldados alzaron la cruz con el joven en ella, y la clavaron en un agujero, en el amarillento suelo, el ruido pareció repetirse en el corazón de Saulo; tan horrible era, tan definitivo, tan desesperanzado. El crucificado se desplomó bajo su propio peso, pero no profirió ningún gemido.

Uno a uno fueron crucificados todos; y ni un grito, ni una protesta, ni un gemido de angustia, surgió de sus heroicas gargantas. Algunos se mostraban orgullosos y desdeñosos, otros cerraban los ojos. Algunos, como hundidos en un extraño sueño, miraban al cielo.

Los soldados se retiraron a distancia y permanecieron de pie en torno a sus estandartes, sin hablar, sin mirarse. Sólo se escuchaba el murmullo de las lamentaciones. Ya no había sol; sin embargo, brillaban las armaduras de los soldados, y sus espadas, y los rostros parecían iluminados con una luz fantasmal.

Saulo, sumido en el dolor y la desesperación, oyó un extraño sonido y sintió un rápido movimiento a su alrededor. Alzó la cabeza y vio al joven campesino de la plaza del mercado atravesando las filas de los que lloraban. Vestía una oscura túnica marrón y sus pies estaban polvorientos. Pero se movía con lenta majestad hacia las cruces, caminando sin ruido, con sus rubios cabellos y barba brillando a la luz crepuscular. Su rostro era tranquilo y sereno, elevado su perfil. Era alto, delgado y musculoso, y dejaba profundas huellas en el polvo, que revoloteaba alrededor de sus tobillos. Un aura parecía rodear sus hombros.

Saulo fijó en él sus ojos. Los que observaban olvidaron su llanto. Los soldados lo miraron, alerta, pero nadie se movió para detenerlo. Empezó a caminar entre las filas de los torturados, desmayados y moribundos. Se detenía ante cada cruz, y alzaba los ojos azules a los rostros de los jóvenes. Sonreía amablemente. Y seguía, lenta, pausadamente, sonriendo. No decía una palabra.

Sin embargo, los ojos de los moribundos lo seguían y sus rostros distorsionados quedaban serenos, y las bocas se abrían como para responder a algo que sólo ellos podían oír, y que los había consolado. Era como si hubiera dado una poción a cada uno, borrando su dolor y desesperación, dejándolos en paz.

No olvidó a ninguno; a ninguno ignoró. Su aire era tierno y valiente, doliente pero consolador. Todos los hombres lo observaban, incluso los soldados, tan quietos como los crucificados. Sólo los ojos se movían.

Se aproximaba ahora a la última fila, cerca de los soldados romanos que lo miraban con fruncidas cejas y gesto inquieto. Se detuvo por un momento ante ellos, y, con asombro de Saulo, la cólera no alteró su pacífico rostro, ni se abrieron sus labios en imprecaciones, ni los miró con ira. En realidad, su expresión se hizo extraordinariamente compasiva, incluso más amable que antes.

El campesino había terminado ya su recorrido. Ahora se detuvo ante la primera fila de cruces, y miró a los moribundos. Alzó la mano en un saludo a todos, y dijo, con una voz que tenía el poderoso son del distante trueno.

—¡Oye, oh, Israel! ¡El Señor es eterno, el Señor es Uno!

Ahora, por primera vez los moribundos hablaron al unísono y sus voces eran triunfantes, exultantes, y gritaban también:

—¡Oye, oh, Israel! ¡El Señor es eterno, el Señor es Uno!

Aumentaba el éxtasis en sus rostros ausentes. Sólo veían al desconocido; él les sonreía, con una sonrisa de infinito amor y amabilidad, como un padre, y ellos bebían en aquel amor, aquella dolorosa pero tranquilizadora dulzura, como los que mueren de sed beben las aguas vivificadoras de la vida.

El hombre inclinó la cabeza y se cubrió los dorados cabellos con la capucha, y oró, y uno a uno fueron pasando los moribundos al desmayo que antecede a la muerte, la cabeza caía sobre el pecho. La sangre corría en regueros oscuros por manos y pies. Los cuerpos se relajaron. Todo fue silencio otra vez.

El desconocido se volvió y Saulo vio su rostro, pálido e inmóvil como el de una estatua. Unos ojos que ya no parecían ver a nadie. Se acercó a la muchedumbre de observadores y se mezcló con ellos, y Saulo, contra su voluntad, deseó estar entre los que lo rodeaban de cerca. Pero, cuando llegó al centro de la multitud, sólo oyó voces desconcertadas, en susurros.

—¿Dónde está? Estaba aquí, pero se ha ido. ¡Estaba entre nosotros, pero ya no está! —y buscaban, y echaban a un lado a sus camaradas, y preguntaban, y exclamaban agitando la cabeza y alzando las manos desconcertados—: ¡Estaba aquí, pero ya no está!

Entonces fue cuando el estruendo de un enorme trueno agitó el tranquilo cielo y las montañas color púrpura, y un gran viento se alzó, y pareció agitarse la tierra. El cielo se oscureció, negras nubes corrieron por él y empezó a caer un repentino aguacero.

Saulo sintió que alguien lo tomaba del brazo y se volvió salvajemente, pero vio que a su lado estaba José de Arimatea, con la capucha cubriéndole la cabeza.

—Ven conmigo —dijo, y se llevó a Saulo que, aunque quería resistirse, no pudo. Cruzaron la Puerta de Damasco, donde estaba la litera de José, y éste le hizo pasar al interior, sobre los almohadones, y se sentó junto a él. Los portadores alzaron la litera y echaron a correr bajo dos repentinos ramalazos de rayos y truenos y el viento que hacía volar las cortinas.

Saulo se sintió débil, acabado, destrozado en cuerpo y alma. Lo que había visto, lo que había soportado, lo abrumaba. Estaba horrorizado, y empezó a llorar. José lo observó compasivamente a la luz de los rayos.

Saulo encontró un pañuelo en la bolsa, se secó los ojos, se sonó. No deseaba hablar con José de Arimatea, pero preguntó:

—¿Quién era ese presunto profeta que intentó consolar a los condenados?

—No es un profeta —repuso José con tono peculiar—. Y los consoló.

Saulo intentó ver su rostro, pero la oscuridad aumentaba:

—¿Quién es?

José calló por un momento. Finalmente, con voz amable, contestó:

—Un día lo sabrás, Saulo ben Hilel. ¡Ah, sí, lo sabrás!

Abandonado a su pesadumbre, Hilel deambulaba por el patio cuando apareció su cuñado David. Éste se mostraba muy seco, cosa extraña en él.

—Has molestado gravemente a mi padre, Hilel ben Boruch.

—Él me ha molestado gravemente a mí —dijo Hilel, enrojeciendo de humillación, pues, ¿no era acaso, aunque a pesar suyo, un huésped en esa casa?—. ¡Supongo que te refieres a la noche en que imploré su intervención ante Pilato, el cónsul romano, y ante el rey Herodes, en beneficio de su pueblo!

David alzó una mano impaciente:

—No sólo eso. Lo has perturbado desde que llegaste.

—Eso lo siento en verdad —dijo Hilel—. Pero nuestros caracteres están en conflicto. Estamos uno frente a otro a causa de nuestras creencias. Me temo que tu padre me considera estúpido, provinciano y sin cultura. Yo lo considero superficial.

—Creo —dijo David— que, según las enseñanzas de los "antiguos" judíos, uno debe respeto a sus mayores en todas circunstancias, y particularmente a los que ocupan una posición patriarcal —la sombra de una sonrisa pasó por sus hermosos labios—: Tendría que pedir perdón a mi padre por sugerir siquiera que él es un patriarca. Esa sola idea le repugnaría.

Hilel tampoco pudo evitar el sonreír.

—Cierto —dijo—. Tal vez yo fuera imprudente, pero tú sabes que dije la verdad, David ben Chebua, y lo mismo tus hermanos. Ellos me odiaron, y ésa es prueba suficiente. ¿Está mal interceder por los condenados? Esto molestó a tu padre más que nuestras anteriores conversaciones.

David suspiró. Fijó los ojos ahora en una pared distante y meditó:

—Mi padre —dijo— no es lo que tú crees. Es la creación del estilo y modos de pensar de otros. Es un espejo de lo que él juzga admirable. Tú alteraste ese espejo. Ahora se halla confinado en cama, con sedantes.

Hilel quedó asombrado:

—¿Es posible que hiciera tanta impresión en él? ¿Qué yo lo alterara? Lo creí muy fuerte, seguro en su desdén por los hombres como yo.

—No comprendo —dijo David—. Mi padre no puede vivir sin la estimación de los demás. No puede soportar que uno solo lo desprecie o lo critique. No es un hombre. Es una imagen, fácilmente alterada, fácilmente manchada. Es como yeso pintado.

Hilel quedó aún más asombrado, pero también incrédulo:

—He oído decir que, de todos los comerciantes de Israel, de todos los banqueros y bolsistas, es el más astuto. He oído que en esas empresas es un hombre de hierro, al que nada puede conmover.

—También eso es verdad —admitió David—. Pero los que tratan con él esos asuntos son hombres como él, de sudor, hierro y bronce. Sin embargo, sólo se siente así en el mercado. El Chebua ben Abraham que vuelve a esta casa y se va a su baño y a sus concubinas, y a sus perfumes y togas, es un hombre completamente distinto. Ya no recuerda a los adversarios o aliados, o a los diestros tratantes. Ahora es el noble patricio, culto, refinado, artificial, en esta casa y en las casas que visita..., que no son las de sus compañeros de la jornada. El Chebua ben Abraham listo y firme en el mercado, no es el Chebua ben Abraham que visita a Pilato y al rey y que cena con los filósofos y elegantes griegos. Este Chebua es un cosmopolita; otro aspecto, otro aire, otro fin, otro deseo, otra aspiración. Y este hombre es fácilmente alterado, fácilmente injuriado, si los demás lo miran por un momento como si fuera aún el hombre del mercado.

—Confío en que recuerdes eso —dijo David, serio de nuevo—. Hay otra cosa. Mi padre amaba mucho a mi dulce hermana Débora, y no puede perdonarte el que la hicieras desgraciada.

Los ojos castaños de Hilel se abrieron de estupefacción:

—¡Débora! ¡Yo la quise de todo corazón! No pensé en otra cosa sino en su felicidad. La amé, la protegí. Ella era como una hija para mí, y muy preciosa. Hubiera dado mi vida por ella.

David lo estudiaba intensamente:

—No es eso lo que ella escribió a mi padre. Habló de tu falta de interés por ella, de su soledad; decía que la evitabas y descuidabas, entregando tu devoción a cosas más espirituales, y que la relegaste al nivel de una concubina o a la simple dueña de la cocina.

—¡Ante Dios que eso no es verdad! —gritó Hilel, sintiendo la angustia de la traición insoportablemente amarga. No podía creer que su adorada Débora, su encantadora niña por la que su corazón estaba tan destrozado, lo hubiera traicionado de tal modo, y con palabras tan crueles y falsas, enviando cartas que él ignoraba, y acusándolo de cosas de las que era inocente. El rostro de Débora cambió sutilmente en su interior. Se convirtió en el rostro de una maliciosa desconocida que lo odiaba, que se burlaba arteramente de él.

Hilel se levantó:

—Deseo llamar a mi hija Séfora.

—Ah —dijo David—. Está acompañando a mi padre. Él la adora. Si tú se la negaras en matrimonio a mi hijo, él se la llevaría.

—¡Volverá a mi hija contra mí! —grito Hilel.

—No —dijo David—. Tu hija es muy lista, y tú mi buen Hilel, eres como las pupilas de sus ojos.

"Pero ahora no tengo nada —pensó Hilel—, ni esposa, ni hija, pues ésta se casará con un extraño y me olvidará, y mi hijo está obsesionado con Dios y no pertenece a nadie; ni a él, y tal vez ni siquiera a Dios, bendito sea Su Nombre."

El eterno amor de Dios no podía consolarlo ahora. Necesitaba el amor de una criatura humana. Entonces fue cuando lo rozó la idea del suicidio por primera vez: "En la tumba no hay recuerdos", se dijo.

El vigilante del vestíbulo entró y dijo que el rabino Gamaliel deseaba una audiencia con Hilel ben Boruch. Había abierto las puertas de bronce del atrio y la repentina tormenta de siniestras luces pareció explorar en la serena blancura del vestíbulo.

—¡Gamaliel! —exclamó Hilel, vencido su dolor, por un instante, por el gozo. Se volvió a David, y su cansado rostro estaba transformado—: Yo fui bautizado con el nombre de su abuelo, Hilel, que descanse en paz. El rabino es Nasi[1] del Sanedrín. ¡Qué honor recibirlo aunque lo conocí en la escuela de Jerusalén y fuimos compañeros! Pero nunca lo busqué, temiendo su presunción.

—Yo conozco bien al rabino —dijo David secamente—. Pero invitémoslo a entrar, no vaya a fundirse con esa lluvia, y a volar en el viento. Sería un triste destino para el ilustre maestro de la Ley.

"Bienvenido a esta casa, rabino —dijo David, que esperaba junto a las puertas de bronce.

—*Shalom* —dijo Gamaliel—. *Shalom* a esta casa y a todos los que la habitan.

Gamaliel, uno de los más nobles judíos, era un hombre bajo, de figura delgada y manos y pies pequeños, calzados con finas botas de piel con cordones de oro, que le llegaban casi a las rodillas. Sus ropas eran excelentes, pero sobrias de color, gris y rojo oscuro, y bordeadas con la orla azul oscuro de los piadosos fariseos. Su capa era negra, pero bordada en oro, así como la capucha. A pesar de su escasa estatura respiraba autoridad, dignidad y poder. Hilel lo soltó finalmente pero retuvo su mano, como hace un niño con su padre, aunque ambos eran casi de la misma edad, y le miró el rostro con ternura.

—Me siento abrumado. Dios te ha enviado a mí —dijo Hilel.

Las delicadas aletas de la nariz de David temblaron de sorpresa, y alzó los ojos con indulgencia.

—Ah, pero tú estás en Jerusalén desde hace un tiempo —dijo Gamaliel, aunque tiernamente—. Y no viniste a verme, ni me invitaste a tu casa, Hilel ben Boruch.

David, el diplomático, dijo:

—Siente perder a su hija al entregarla a mi hijo. Él es, además, modesto —y sonrió con encanto.

—He oído hablar de esa boda. ¿No voy a ser invitado al matrimonio de la hija del hombre que recibió su nombre de mi abuelo, que descanse en paz?

[1] Presidente, o bien el funcionario que preside.

Chebua ben Abraham había invitado a los más importantes de sus conocidos a la boda, pero no al Nasi del Sanedrín, por temor a un desprecio, pues Gamaliel jamás se había dignado entrar en su casa, ni lo había saludado en las reuniones con demasiada cordialidad. El hermoso rostro de David brilló de placer al pensar cuán encantado quedaría su padre de recibir al rabino Gamaliel, a quien Pilato honraba y consultaba, y a quien Herodes se sentía orgulloso de abrazar.

—Sabiendo todas tus ocupaciones —dijo David—, no queríamos pecar de presuntuosos.

—¡Ah, entonces estoy invitado! —dijo Gamaliel con aire de gratitud, como si David ben Chebua hubiera sido excesivamente amable. Pero en los ojos grises latía la burla. Gamaliel era humilde ante su Dios, y se postraba en éxtasis y con fervor en su corazón. Pero no era humilde ante el hombre, conociendo a sus amigos demasiado bien, por desgracia.

—Sólo he hablado de lo que me preocupaba, de los años pasados y mis hijos, y nada he preguntado de la salud de tu familia. Perdóname.

—Soy uno de esos hombres afortunados —dijo Gamaliel— a quien Dios, bendito sea Su Nombre, parece haber olvidado —se echó a reír, agradablemente—. Es suficiente que yo Lo recuerde. No quiero ser otro Job, ni ninguno de los del Horno, a los que Dios prueba y templa. Quizás Él considere que sería inútil.

—Mis amigos griegos dicen que es conveniente que los dioses no paren mientes en tu existencia —dijo David—. Así nada te impide disfrutar de la buena suerte. Y cuando creen que los dioses los han advertido, se apresuran a hacer sacrificios al Temor.

Gamaliel rió:

—Los griegos son muy sutiles, y sus dioses admirables símbolos de filosofía y de los fenómenos, aunque no hay que tomarlos literalmente, como los letrados insisten. Pero el Dios de los judíos ha de ser tomado al pie de la letra, pues ¿no ha dicho Él que es un Dios celoso?

Miró de nuevo a Hilel, que parecía soñar tristemente.

—Háblame más de tu hijo —dijo.

Hilel no contestó. Gamaliel esperó, tranquilo, pero David, muy sensible, comprendió que deseaban que se fuera. Dio una palmada y pidió al sirviente refrescos para sus huéspedes, y luego, con una excusa, partió.

—Creo que David ben Chebua es un hombre de mucha sensibilidad y verdadera aristocracia —dijo Gamaliel—. Es muy superior a su padre.

Hilel gritó con desesperación:

—¡No conozco a mi hijo! ¡Jamás lo conocí!

—Eso dicen todos los padres, y yo también —y su sonrisa no menguó, aunque en sus ojos brilló la comprensión—. No es cuestión de generaciones. Es la condición humana. Ningún hombre conoce a otro. Malo es que los hombres crean que, porque han engendrado a un hijo, tienen mayor intimidad y comprensión, como si fueran de un solo ser. Sin embargo, un amigo tiene a menudo un conocimiento más profundo de su corazón y pensamientos que un hijo, pues el parentesco no es asunto de sangre, sino de espíritu. ¡Bendito sea el hombre que descubre en su hijo a un amigo!

—Entonces nuestros hijos son extraños para nosotros —dijo Hilel con agotada y dolorosa voz.

—Casi invariablemente —afirmó Gamaliel—. Sabio es el padre que lo reconoce desde el principio. Vistió a su hijo con su carne, pero no es padre de su alma. Que cultive la amistad de su hijo como cultivaría la de un extraño, y, si esa amistad se repudia, no debe ser exigida, pues ¿qué hombre puede ser amigo de otro si no hay una simpatía recíproca? Y esta simpatía no puede forzarse. Un hombre no debe tratar de obligar a su hijo a que lo quiera, pues quizá sea imposible por mil impulsos ilógicos. Sólo puede pedir respeto, que quizá sea de más valor.

—Tus palabras aumentan mi sentido de pérdida, querido amigo, pues ¿cómo puede un hombre que ama a su hijo aceptarlas con ecuanimidad?

—Has olvidado algo —dijo Gamaliel con irónica sonrisa—. El mandamiento nos ordena honrar a nuestros padres, pero no exige que los amemos.

A despecho de su desesperación Hilel rió con su amigo:

—Tu comentario es muy pertinente —dijo. Se sintió repentinamente aliviado, como si Gamaliel hubiera tocado sus heridas internas con un bálsamo de dulce olor, y empezó a hablar de Saulo con menos emoción. Mientras tanto, los sirvientes habían entrado con refrescos y estaban sirviéndoles, y el vino animó los hundidos ojos de Hilel. Pues, en presencia de Gamaliel, que escuchaba con toda atención, se sentía en presencia de un amigo que lo supiera y comprendiera todo, y el dolor de su corazón empezó a fundirse como el hielo bajo el sol.

Gamaliel dijo:

—He conocido a otros —aunque no muchos— como tu hijo Saulo. Las filas de los esenios y zelotes están llenas de ellos. No tienen dudas. Están seguros, con una absoluta certidumbre que quizás ofenda a Dios, bendito sea Su Nombre. Pues ¿cómo puede estar seguro un hombre de la voluntad y los deseos de Dios? Sólo puede hallarlo mediante la humilde búsqueda, y jamás con demasiado fervor egoísta, ni implacables suposiciones, ni convicciones enfáticas. Sería inútil que dijeras a Saulo que esos crucificados hoy, en dolor, sangre y agonía, buscaron con exaltación la muerte en el servicio de Dios (aunque, amigo mío, a menudo me pregunto si Dios desea tal pasión y si no sería mejor que primero consultaran con Él). Dios no nos pide que muramos por Él. Nos pide que vivamos por Él. Si la muerte es nuestro destino por nuestra fe y se nos impone aunque no la busquemos, es una cosa santa. Pero tu hijo Saulo no lo entendería. Y no lo achaques a su juventud. He visto hombres de barbas grises que opinan lo mismo.

En ese momento, Hilel alzó los ojos y vio a su hijo Saulo en la puerta. Se agitó en la silla. Hubiera deseado hablar, pero el aspecto de Saulo lo obligó a guardar silencio.

—Los vi morir —dijo Saulo con voz áspera—. Vi su sangre. Oí cómo los clavos se hundían en su carne. Y había uno allí, un vulgar campesino que los consoló, y no hubo nadie más que los confortara, sino una congregación de cobardes, de la que yo formaba parte.

—Saulo —dijo Hilel, vacilando—. Tenemos un ilustre visitante de quien a menudo te he hablado. El rabino Gamaliel, mi querido y viejo amigo, Nasi del Sanedrín, Sacerdote del Templo, Maestro de la Ley, a quien nada está oculto...

Saulo se sacudió el brazo de su padre y se adelantó hacia el rabino, que lo miraba en intenso silencio. Con gesto despectivo dijo:

—¡Pero no estabas allí, rabino!

Hilel quedó horrorizado ante tan desesperada insolencia, que se acercaba a la blasfemia. Pero los ojos de Gamaliel brillaron con luz propia sobre el joven, y dijo con voz amable:

—Estaba en el Templo, y vi sus almas cuando recé por ellos. ¿Qué es la vida? ¿Qué importancia tiene cómo morimos, o cuándo morimos? ¿No es destino del hombre el perecer? Te digo, Saulo ben Hilel, que esos celosos jóvenes nunca conocerán el dolor, la pérdida y la soledad de la edad, el triste anhelo de los rostros que se han ido, el amor perdido, el silencio, las habitaciones abandonadas, los espejos que ya no reflejan la sonrisa de los seres amados. No conocerán la traición, la desilusión, la frustración. El dolor de vivir es mucho peor que el dolor de morir, y todo dolor es inevitable.

Saulo lo miró con los vacíos ojos de una estatua, e Hilel pensó que nada había oído, hasta que el joven dijo con la misma voz, ruda y áspera:

—Entonces ¡lo horrible es que murieran por nada, y que nadie se preocupara de que morían, de por qué morían!

El rostro del rabino Gamaliel cambió, haciéndose de hierro:

—Y ¿quién te dijo eso, Saulo ben Hilel? ¿Quién susurró esas cosas en tu oído? ¿Es que Dios te ha confiado en secreto la razón por la que muere un niño en brazos de su madre, o una mujer es arrancada a los de su marido, o un marido a los de su esposa? ¿Te ha dado también el conocimiento de que murieron por nada, y de que nadie se preocupó del porqué murieran? ¿Es el alma del hombre tan sin valor ante Dios que no se entera de su muerte? ¿Él, que la creó? Tú has hecho de Dios un Ser más indigno que el hombre más bajo, un Ser tan insensible como una bestia.

Hilel retuvo el aliento, pues aquéllas eran palabras terribles en labios de Gamaliel, y le pareció que el eco del Sinaí tronaba en ellas.

Entonces, con alivio de su padre, Saulo estalló en lágrimas y se cubrió el rostro, temblando de pies a cabeza. Gritó en voz alta:

—¡Oh, si yo supiera dónde encontrar su morada...!

Se volvió y salió huyendo, a pesar de que Hilel trató de retenerlo. Gamaliel se levantó y, acercándose a su amigo, lo abrazó.

—No te aflijas, Hilel ben Boruch. Saulo llora por sí mismo, y sus lágrimas son sagradas, pues oí sus palabras y es el primer joven que he conocido que las dijera con tanta angustia. Mi corazón se siente exaltado con misteriosa alegría. He enseñado a miles de jóvenes. Dios ha hablado a mi alma. Enseñaré a tu hijo. Envíamelo dentro de dos años a Jerusalén. El signo de Dios está en su frente, y no a muchos se da el verlo, pero yo lo he visto, y aunque su destino aún me parece oscuro, sé, sin embargo, que será mayor gloria de Dios, bendito sea Su Nombre. El nombre de tu hijo está en los santos rollos de Israel.

Hilel se sintió reconfortado, dejó caer la cabeza en el hombro de su amigo y no se avergonzó de su llanto. Nada tenía antes, y ahora alguien había llenado sus manos de dones.

Capítulo 13

—Me pides lo imposible, Hilel ben Boruch —dijo Chebua a su yerno con voz razonable—. No podemos retrasar la boda. Los doctores nos han asegurado que Saulo sobrevivirá, y que recobrará pronto la conciencia, aunque ha estado con fiebre durante tres días y tres noches. No está enfermo. Tiene una aflicción del cerebro, misteriosa pero no contagiosa. Tiene excelentes enfermeras que no lo dejan ni un instante. Vivirá. Trae mala suerte, dicen los supersticiosos, retrasar una boda. No soy supersticioso, pero muchos (incluido el ilustre rabino Gamaliel, que ha estado aquí contigo y con Saulo diariamente) han sido invitados, y no se me perdonaría si yo enviara mensajes de que la boda se retrasaba.

Hilel se vio forzado a admitirlo. Dejó a Chebua y volvió a la cámara de Saulo, donde ardía un brasero contra el viento de otoño, y las cortinas de lana estaban corridas.

El jefe de sanidad romana había venido con sus mejores médicos, pues toda repentina enfermedad había de ser comunicada, por temor a una plaga endémica de los malditos partos, que habitaban más allá de las fronteras de Israel y Siria. Los partos eran muchos y turbulentos, y una preocupación para los romanos, pues sabían que aquellos habían jurado arrojarlos de Oriente, y aunque el pensamiento era absurdo —para los romanos—, persistía la amenaza y también las enfermedades de los partos. (En realidad la disciplina y crueldad ocasional que los romanos irritados infligían a los judíos, se debía en parte a la amenaza de los partos, que no sabían a quiénes odiaban más: si a los romanos o a los judíos, y se mostraban igualmente entusiastas en la matanza de ambos.)

Claudia Flavia ayudaba a las enfermeras y se cuidaba también de Saulo, diciendo a su padre:

—Es una fiebre del alma, y ésa es peor que la del cuerpo, pero no fatal. Se recuperará, Hilel ben Boruch, aunque es posible que, en la profundidad de su espíritu afligido, no lo desee.

La víspera del matrimonio de Séfora con Ezequiel ben David, Saulo recuperó el conocimiento. Había bajado la fiebre, le habían lavado el sudor que siguiera a la mejoría, y lo habían vestido de fresco y blanco lino. Abrió los ojos para ver el rostro de su padre inclinado sobre él, pero uno de sus ojos quedó semicerrado, aunque Hilel no lo advirtió en su gozo al verlo recobrar el sentido.

—Todo va bien, hijo mío —dijo con ternura, y besó la mejilla de su hijo, celebrando que de nuevo estuviera fresca—. Has estado muy enfermo, pero Dios, bendito sea Su Nombre, te ha perdonado para mí. Pronto recobrarás las fuerzas.

Saulo murmuró, con lágrimas en los ojos:

—Ojalá hubiera muerto.

De pronto cayó dormido, pero su ojo izquierdo quedó en parte abierto, y todos pudieron ver el blanco y la parte inferior del iris azul.

Pocos días después los médicos informaron a Hilel que la fiebre le había paralizado en parte el ojo, y que, aunque no quedaría ciego, nunca vería como con el otro. Y aún pasó algo más de tiempo antes de que comprendieran que la fiebre le había afectado permanentemente parte del cerebro, lo que le haría víctima de ocasionales ataques.

—La epilepsia no es grave —dijeron al preocupado padre—. Es posible que estuviera latente antes de su enfermedad, y que ahora se haya intensificado. Es un joven de pasiones, fuertes anhelos y vehementes emociones.

—Sí —dijo Hilel tristemente—. Pero nunca ha sufrido ataques.

Gamaliel dijo:

—Está escrito que no debemos discutir a Dios, pues sus caminos no son nuestros caminos, y nosotros confiamos en Él, que en Su sabiduría tiene razones para todo.

Capítulo 14

Había llegado la primavera y las flores de los almendros eran como mariposas rosadas, y los sicomoros de un verde líquido, e incluso los oscuros cipreses, habían florecido. El capitán Tito Milo Platonio había sido llamado a Roma, pues expiraba su permiso. Partía con sus hombres por la Puerta de Jaffa, bajo el resplandor de una maravillosa mañana, y su padre lo acompañaba en una última despedida.

Milo discutía sobriamente la situación de la moderna Roma con su padre, y sus rostros estaban sombríos al pasar bajo la puerta de Jaffa.

—Esto ya lo hemos discutido antes, padre —dijo Milo—, y no hemos llegado a ninguna conclusión, excepto que Roma, tal como está, no puede continuar.

Tiberio empezó con un noble pensamiento: restaurar el tesoro, pagar la deuda pública, animar el ahorro y castigar al ocioso. Pero también él sucumbió bajo la costumbre establecida en primer lugar por Julio César, que pagaba a la muchedumbre para que lo apoyara.

—Ninguna nación —dijo Aulo, que sabía de historia— siguió ese camino sin perecer. Por tanto, Roma debe perecer —su rostro se oscureció por el dolor.

Milo se echó a reír, reteniendo a su negro caballo para impedir que atropellara a un muchachito.

—Te digo que Tiberio echaría a la chusma contra los buenos romanos y dejaría saquear, quemar y destruir cuanto quisieran, y matar, hasta que Roma fuera un río de sangre y los hombres buenos quedaran reducidos a la esclavitud y la mendicidad. Recordarás que Catilina lo intentó, pero él tenía a un Cicerón para impedírselo, hasta que, finalmente, lo destruiría. Pero ahora no tenemos a Cicerón, ni se alza una voz patriótica, y quedan pocos romanos para luchar por su país, por el honor de sus dioses, las cenizas de sus padres y su heroico orgullo.

Habían llegado a un cruce de calles. Milo y su padre detuvieron en seco sus monturas y lo mismo hizo el séquito. Una salvaje y rugiente multitud rodeaba a una media docena de hombres, a los que estaban apaleando, entre injurias y juramentos. Los hombres, caídos de rodillas, se protegían la cabeza con los brazos y clamaban piedad. A su alrededor, papeles, listas y plumas recubrían el pavimento y la multitud los rasgaba y escupía.

Milo alzó la mano y un soldado se acercó a caballo.

—Averigua qué es este tumulto.

Aulo frunció las cejas:

—Mi deber, como centurión, es mantener el orden.

—Cierto —dijo Milo, que sonreía débilmente de nuevo—. Pero creo que en este asunto preferirás apartar la vista.

El soldado se aproximó al trote:

—Los hombres están azotando a los recaudadores de impuestos, y parece que los quieren matar.

Aulo se dispuso a atacar, pero Milo detuvo con la mano el caballo de su padre y alzó serenamente los ojos al cielo azul.

—Es un día agradable y estoy disfrutando de la marcha. Entraremos en esta otra calle, tan pacífica —y, con un brusco movimiento, hizo girar a su caballo.

Aulo lo miró intensamente, algo enojado:

—Nosotros empleamos a los recaudadores. Sólo están cumpliendo con su deber.

—Y con gusto —dijo Milo—. Oprimen a su propio pueblo, porque son malvados y míseros hombrecillos que disfrutan con la vista del dolor. Por tanto, dejémosles que gusten un poco su medicina. En cierto modo es nuestra propia venganza de los recaudadores de impuestos de Roma. Y ¡ojalá los romanos tuvieran el espíritu de estos pobres y desgraciados judíos! Por una vez, dejemos que la diosa Justicia quede satisfecha.

Aulo sonrió y el séquito se dirigió a la tranquila calle, dejando el tumulto y los gritos a sus espaldas, hasta que dejaron de oírlos.

Hilel ben Boruch, agotado por el invierno y las aflicciones, miró los jardines en flor de la casa de Chebua ben Abraham, y entonó, en voz baja y suave, un versículo del Cantar de los Cantares:

...Pues el invierno ha pasado
y con él se fueron las lluvias.
Las flores recrean a la tierra
y llega el tiempo del canto de los pájaros,
y la voz de la tórtola se oye en la tierra.
Las higueras ofrecen sus verdes frutos,
y las viñas, cargadas de tiernas uvas,
nos dan su suave fragancia.

Bajó por el sendero de grava roja, alrededor de las fuentes que saltaban alegremente, como si también ellas se regocijaran.

Encontró a Saulo sentado solo en un banco de mármol, bajo un sicomoro, y supo en seguida que nada veía de las azules alas de la mañana, ni los cisnes negros en el estanque, ni los lirios farinos, ni las hermosas estatuas de mármol, ni las suaves sombras de los senderos, ni las rosas... Y se dijo, como un antiguo padre dijera antes: "Hijo mío, hijo mío, si yo hubiera podido morir por ti..."

Saulo se apretaba en torno la capa de piel, aunque hacía calor, pues su corazón era una negrura helada, y había perdido la juventud del alma. Parecía enfermo y exhausto, pues su recuperación había sido lenta. Oyó acercarse a su padre y alzó el rostro sin expresión. El ojo azul, semiparalizado, le daba un extraño aspecto, y su rostro estaba hundido. Hilel se sentó a su lado y dijo:

—Ya puedes viajar, hijo mío. Saldremos dentro de tres días —se detuvo, y luego añadió gozoso—: Tu hermana está embarazada, y ésta es una gran ocasión para regocijarnos.

Saulo no habló. Hilel gritó entonces, con dolor agudo y repentino:

—¿No ves la tierra en torno tuyo, Saulo, y su prístina gloria, como en la primera mañana de la Creación, y el benigno sol? ¿No aspiras la dulzura de la vida, la frágil fragancia de la esperanza? ¿Estás ciego? ¿Eres insensible? Ser ciego es algo digno de lástima. Ser insensible es ser ciego de espíritu, y eso es un pecado del hombre.

Pero vio que era inútil. Saulo no veía nada. Hilel pensó que sólo recordaba el día de aquella terrible crucifixión. En esto se equivocaba. Saulo se preguntaba con extraña intensidad por el sueño febril que lo acometiera antes de su colapso, y no podía apartarlo de su mente.

—Comprendo —dijo Hilel, posando sus dedos en la rodilla de su hijo— que has sufrido mucho, pero el dolor no debe ser constantemente recordado, ni tampoco la enfermedad. Eres joven. Quizás ese ojo quede algo deforme, con el párpado medio caído, pero al menos no está ciego. Saulo, el mundo se extiende ante ti, y puedes hacer lo que quieras por Israel y por Dios.

Entonces Saulo, que raramente hablaba aquellos días, respondió a su padre con las palabras de Job, dolorosas y lentas:

—*¡Oh si yo pudiera saber dónde encontrarlo, si yo pudiera llegar a su recinto! Ordenaría mi causa ante él, y llenaría mi boca de argumentos. Conocería las palabras que Él me contestara, y comprendería lo que Él me dijera. Voy adelante, y Él no está allí; y atrás, pero no puedo percibirlo. A mano izquierda, donde Él trabaja, pero no puedo verlo. Él se oculta a mano derecha, donde no puedo verlo...*

Hilel pasó el brazo sobre los hombros de Saulo y acercó aquel rostro atormentado a su pecho y pensó en ángeles... o en demonios. "Sea liberado de ambos este pobre hombre mortal", se dijo.

—Calla, calla, pobrecillo —murmuró tiernamente—. Nos iremos a casa. No recordaremos enigmas, ni fantasías, ni quimeras, en la seguridad de nuestra casa, en la paz de nuestros jardines.

Recuperarás la salud, y entonces Dios te revelará Su voluntad, bendito sea Su nombre.

—Pero nos han hablado del Mesías, y es seguro que lo veremos con nuestros ojos mortales y no moriremos por ello —dijo Saulo.

—Has olvidado —dijo Hilel, más alegre ahora, pues cierto brillo había aparecido en las mejillas hundidas de Saulo, e incluso sus ojos tenían nueva luz— que el Mesías estará vestido con nuestra carne. "Un niño nos ha nacido, y un Hijo se nos ha dado."

Segunda parte

Hombre y Dios
Pues yo soy Dios y no hombre, el Santo entre vosotros, y no vendré a destruir.

Capítulo 15

Hilel ben Boruch dijo al rabino Isaac, en Tarso:

Mi hijo está en edad de casarse, y más aún, pues tiene veinte años. Ha completado sus estudios contigo. Ha aprendido el oficio de fabricante de tiendas de pelo de cabra, y puede ganarse la vida con ello, como es adecuado a un maestro que no debe aceptar paga. Se ha distinguido en la universidad de Tarso, en la ley romana y otros estudios. Ha aprendido mucho también con su maestro griego, Aristo.

El rabino contempló atentamente a su antiguo amigo, dándose cuenta de que había envejecido extraordinariamente, aunque sus años no eran muchos. La barba y los cabellos, un tiempo dorados, había encanecido; su figura tendía a inclinarse y tenía una mirada harto melancólica. ¿Era posible que aún llorara a Débora, aquella pobre mujer de inteligencia infantil? ¿Era a causa de ella, de su recuerdo, que él no había vuelto a casarse?

—Desearía ver a mi hijo en puerto seguro, al lado de una mujer valerosa y que lo quisiera —siguió diciendo Hilel.

—¿Has pensado ya en alguna doncella?

Hilel lo miró directamente:

—Sí. Tu nieta Elisheba.

El rabino lo miró asombrado y sus ojos se abrieron de pasmo:

—¿Elisheba? Sólo es una niña.

—De catorce años, ¿no? En edad de casarse, según la Ley.

El rabino tragó saliva visiblemente, e Hilel pensó en un viejo pastor con su ovejita preferida, pues eso era Elisheba para su abuelo. Ella era muy hermosa, delgada y delicadamente formada, con el pelo como suave seda negra cayéndole por la espalda, grandes ojos oscuros de espesas pestañas, y un luminoso rostro de nariz chata y boca rosada como la flor del almendro.

—Estás loco —dijo a Hilel.

—¿Por qué?

La respiración de Isaac se hizo más fuerte.

—Es cierto —dijo Hilel— que Saulo no tendrá una gran fortuna, pues yo entregué a Séfora la dote de su madre..., y podemos estar seguros de que Chebua ben Abraham contó todas las monedas. Pero yo invertí sabiamente, sin perder nada y así he conservado los intereses, y ésos siguen creciendo. Saulo no carecerá de nada, ni tampoco su esposa.

—¡Ah! —dijo el viejo, y su rostro enrojeció—. Tú sabes que no carezco de recursos, ni tampoco el padre de Elisheba, y que ella tendrá una hermosa dote. ¡Esto es lo que te atrae, Hilel ben Boruch!

Hilel suspiró:

—Sabes que el dinero jamás ha tenido importancia para mí, rabino. No soy rico, ni soy pobre, según mis banqueros. Lo que tengo será de Saulo. Incluso he devuelto las joyas de Débora, y Séfora las tiene ahora. Mi familia es noble y tiene un honrado nombre en Israel, y la madre de Débora era de ilustre familia. Pensemos en mi hijo. Tú mismo has dicho que tiene una enorme inteligencia, y una vez observaste que el Dedo de Dios lo había tocado...

—¡Ah! —gritó el viejo, alegre de haber descubierto una excusa para rechazar a Saulo—. No deseo tristones profetas en mi familia, especialmente no para Elisheba. ¡El Dedo de Dios! Es prudente que los hombres eviten la compañía del que ha sido así tocado..., ¡pero aún es más prudente para las mujeres! No se está bien en la proximidad de esos hombres. Son peligrosos.

Hilel no pudo evitar una amplia sonrisa:

—¿Y es un piadoso judío como el rabino Isaac el que dice esto? ¿No te has quejado del hecho de que ya no tenemos Jeremías ni

Aarones con quien casar a nuestras hijas en estos tristes días? Pero mi hijo...

—¡Sé todo lo referente a tu hijo! —exclamó Isaac—. ¡Está poseído! ¡Está en trance! A veces, a pesar del afecto que me inspira, lo miro con temor. ¡No tendrá a mi Elisheba!

—Entonces, siendo tan noble y su abuelo tan firme contra los hombres de Dios, sin duda ella se casará con un romano, o un griego, o algo peor aún: un saduceo.

Isaac sintió deseos de pegarle. Quedó sentado en la silla, temblando de rabia. Su blanca barba se agitaba como en una tormenta y sus negros ojos brillaban de ira. Intentó hablar, pero no pudo, y se apretó los costados con los cerrados puños.

—O quizás un rico comerciante de Tarso, o incluso un egipcio...

Aquellos ojos seguían fijos en él con ferocidad.

—Quedan pocos eruditos y devotos judíos en el mundo —continuó Hilel—. Mira a los jóvenes que enseñas, su mundanidad, y el aburrimiento con que escuchan tus exhortaciones. ¿No has dicho frecuentemente que no desearías que una doncella tuviera que sufrir el matrimonio con ellos? Te digo, rabino Isaac, que ahora Jerusalén está lleno de esos tales, si no peores... Podría contarte abominaciones...

Isaac alzó la mano y la agitó furiosamente:

—¡Basta! Has dicho bastante.

Recogió sus ropas en torno y apretó los labios, mirando al suelo. De vez en cuando alzaba los ojos a Hilel con una mirada en la que se reflejaba el odio, pero su amigo no se sentía molesto.

Entonces el viejo dijo:

—Tu hijo no es hermoso. Lo que tuviera de atractivo ha desaparecido ya. Además, ese ojo semicerrado... Su constitución no es de lo mejor. ¿Juzgas a un hombre así adecuado para mi alegre Elisheba, que es como un ruiseñor? Destrozaría su corazón.

—Es cierto —confesó Hilel con nueva tristeza— que Saulo parece haber cambiado, pero, en realidad, es el mismo de siempre. Yo tuve premoniciones cuando era sólo un bebé. ¡Pero te digo, rabino Isaac, que algo dice en mi corazón que está destinado a grandes cosas! ¡Ah!, sonríes sombríamente, pero es cierto, ¿no lo has observado tú mismo? En cuanto a su aspecto, no es guapo, pero tampoco repulsivo, y hay un extraño encanto en él. Tiene una voz elocuente. Será escuchado en el templo. Moverá los corazones de los hombres. Está consagrado al servicio de Dios. Es virtuoso. Ésos son unos cuantos de sus atributos. Y otro más: Chebua ben Abraham me ofreció su nieta favorita como esposa para Saulo: Chebua no es tanto.

—¡Dime! —gritó el viejo—. Si tú fueras el padre de Elisheba y yo el de Saulo, ¿estarías de acuerdo en ese matrimonio?

Hilel se echó atrás. Se acarició la barba y luego dijo, pues era honrado:

—No lo sé. Pero mi hija Séfora se ha casado con uno menos distinguido y con menos atributos de los que nosotros valoramos, y ella era la flor de mi corazón. No sé si Saulo haría feliz a Elisheba, pero no es la felicidad el mayor bien de este mundo. Sin embargo, tengo la seguridad de que jamás la traicionaría, ni la trataría con ligereza, ni oscurecería su corazón con acusaciones de estupidez o mal humor. Saulo no es trivial, ni petulante. Ella se enorgullecería de él. En cuanto a Saulo, me gustaría verlo casado con Elisheba, pues la dulzura de la muchacha iluminaría su vida, y su amabilidad lo consolaría. He sido sincero. No puedo hacer más.

—Elisheba lo ha visto —dijo Isaac, con voz amarga.

Hilel quedó anonadado:

—¿Cómo ha podido suceder?

El rabino sonrió y se encogió de hombros:

—Jugaron juntos, de niños, a mis pies. Yo no confiné a Elisheba en los departamentos de las mujeres. Ella ha visto a tu hijo a menudo, aunque a distancia, estos dos últimos años. Dice que parece un joven Moisés.

Hilel lo miró. Luego se echó a reír de tal manera que los ojos se le llenaron de lágrimas. Extendió la mano al rabino Isaac, que primero la ignoró, pero acabó por aceptarla.

Aristo meditó en silencio mirando el rostro de Hilel. Estaba enseñando a un joven sirviente a tejer un cesto para las olivas. Después dijo:

—Amo, me temo que tienes falsas esperanzas. Saulo no se casará.

Estaban en el jardín de Hilel. El estanque era tan verde como la hierba, y el curioso puente resaltaba contra el cielo azul de otoño.

—Tonterías —dijo Hilel—. Pensé que tú podías prepararlo para mi sugerencia.

Aristo se puso en pie, sacudiendo los restos de mimbre de sus ropas.

—No hay nada... extraño... en mi hijo —dijo Hilel, recordando que Aristo era griego, y los griegos son de inteligencia aguda.

—No —repuso éste—. Pero, al parecer, hay Uno que tiene el poder de suprimir la potencia de un hombre —sonrió sarcásticamente—: Celebro que nuestros dioses no sean tan poderosos; no pueden castrar.

—No te entiendo.

—Paseemos, amo —se alejaron, y entonces empezó a hablar Aristo; su rostro estaba grave y sereno a la vez—: Conozco a Saulo. Lo que él no me ha dicho de sus pensamientos lo he adivinado. Entre nosotros, los griegos, también se encuentran casos parecidos a los de Saulo: hombres que se retiran a los bosques y a las cuevas para entregarse a la contemplación de la divinidad. Los llamados locos, pero Zeus a menudo los hace brillar en alguna de sus constelaciones para que los hombres se maravillen al contemplarlos en la noche.

Hilel no podía hablar. Aristo continuó:

—Hace años adiviné que Saulo había encontrado a una joven que le enseñó el arte del amor, en contra de sus convicciones. No. Él no me lo dijo. Me bastó oírle decir que había cometido lo que él llamaba "un vil pecado" contra todos los mandamientos. Ahora bien —y no pudo evitar una sonrisa—, Saulo no es ladrón, ni deja de respetar el Sábado, ni deshonra a sus padres, y ama a Dios con toda su mente y todo su corazón y toda su alma. Verás que ahora estoy bien versado en tu religión, pues Saulo hubiera querido convertirme, en su celo. Por tanto, ¿qué queda que consideren pecado en sus mandamientos?

—Adulterio —dijo Hilel. Y descubrió que sonreía—. Dudo que... la dama estuviera casada. O, ¿lo estaba?

—También yo lo dudo. Por tanto, digamos que era una joven de alguna granja, junto a los suburbios.

—Pero eso sólo sería fornicación —dijo Hilel—. Considéranos melancólicos si quieres, pero nosotros no miramos la fornicación como un pecado imperdonable, y conocemos la naturaleza humana. A menos que la chica fuera una prostituta de la ciudad. Se nos prohíbe ir con las prostitutas, y por muchas razones.

—En resumen —dijo Aristo—, cuando la cabeza de un hombre encanece, florece su sabiduría. Es una vieja historia. Desgraciadamente para los sabios viejos, la juventud ahora comprende la causa de eso, lo que también es una desgracia para la juventud, pues sería mejor que los jóvenes aceptaran la sabiduría sin sospechar la impotencia de los sabios.

—Pero Saulo es joven, y tiene apetitos.

—Los reprime. Cree que complace a Dios, o que está haciendo penitencia, o que adora a Dios, y no hay lugar en el templo de su corazón para otro habitante.

—¡Mi hijo no es un zelote ni un esenio!

Aristo se encogió de hombros elocuentemente:

—Amo, te he dicho lo que he creído ver. Saulo no se ha confiado a mí. Pero yo no soy su padre. Puedo mirarlo con ojos objetivos. Sólo puedo asegurarte que rechazará cualquier matrimonio.

Hilel guardó silencio, y Aristo lo miró con piedad. Un perpetuo dolor parecía dominar a su amo, un dolor que no lo dejaba en paz ni una hora del día. Hilel se marchó sin añadir palabra. Pero aquella misma noche hablando con Saulo, acabó por decirle:

—Me gustaría que tuvieras un hijo.

Saulo escuchaba con aire sombrío, pero al oír las últimas palabras de Hilel, su rostro se suavizó:

—Se dice, padre mío, que algunos hombres son llamados al campo y al bosque, y otros al hogar y al matrimonio, y unos a trabajar en las viñas, y otros a cuidar los rebaños. Cada hombre tiene su vida. Y hay algunos que sólo son llamados al servicio de Dios.

—He perdido a mi hijo, a mi único hijo —dijo Hilel, luchando con las lágrimas—. ¿Qué crimen he cometido para merecer esto? ¿He sido un padre antinatural, cruel o injusto? ¿Me he apartado de mis hijos con palabras duras y gestos de repulsa? He intentado caminar humildemente ante mi Dios... y he perdido a mi hijo.

—Padre... —comenzó Saulo, con lágrimas en los ojos. Pero Hilel le hizo callar con un gesto.

—El rabino Isaac es viejo y sabio, y un maestro, tu maestro; y él ha accedido a este matrimonio con un alma tierna. ¿No es más sabio que tú, más viejo que tú, y con muchos más conocimientos que tú? Sin embargo, ¡tú desprecias su sabiduría y repudias su más caro tesoro! ¿Debo decirle: "Mi hijo cree que sus conocimientos son superiores a los tuyos y que posee una sabiduría más profunda. Además, rechaza a Elisheba"?

—Padre —dijo Saulo—, yo mismo se lo diré al rabino Isaac.

—Hazlo. Y, entonces, ¡que él me desprecie como a un padre débil, cuyo hijo no quiere obedecerlo y lo considera estúpido! ¡Qué él me desprecie por tener un hijo que busca visiones y no la vida!

Cuando se fue su padre, Saulo alzó los ojos al cielo y creyó ver una fuerte y poderosa luz más brillante que el sol, más terrible que el rayo. "Si me consumiera —pensó—, y me redujera a cenizas, hasta mis cenizas alabarían y adorarían a Dios."

Cogió la capa y se dirigió, lentamente, a casa del rabino Isaac.

Padre e hijo estuvieron sin hablarse durante dos días, y entonces Isaac visitó a Hilel ben Boruch y ambos se retiraron al interior de la casa. El viejo puso la mano en los hombros de su amigo y lo miró profundamente a los ojos; y los suyos ya no eran irascibles, sino suaves y compasivos.

—Saulo ha venido a mí —dijo—. No te apenes, querido amigo. Saulo me ha hablado. Yo no escuché sus palabras, sino lo que había tras ellas.

Hilel apartó la vista:

—Yo sólo sé que Dios ha dicho que no es bueno que el hombre viva solo, sin una compañera. Para Adán creó a Eva. Moisés tuvo una esposa. Los profetas también. ¿Cómo entonces se atreve mi hijo a decir que no se casará, que sólo dedicará su vida a Dios?

¿No viola las mismas palabras de Dios con su decisión? Un hombre que sirve a Dios también es humano.

—Hay algunos —le recordó el viejo— que sólo pueden servir a Dios, y no pueden venir a distraerlos en su labor ni una esposa ni unos hijos. No son muchos, pero todos los conocemos y no los denunciamos.

—¿Y tú crees que Saulo es uno de ellos? —preguntó, incrédulo, el padre.

—Lo creo, sí, lo creo. Envíalo a Gamaliel, el más sabio de los sabios. La hora ha llegado. Alégrate, Hilel ben Boruch, pues es posible que hayas sido muy bendecido con este hijo.

El día de su partida hacia Israel, Saulo escribió al rabino Isaac:

"Debo irme. Pero lo temo a la vez. He oído a mi padre pasear inquieto durante la noche, y no creo que sea yo únicamente la causa de tanto dolor. Hay una pena en él de la que nunca habla, pero que lo domina desde hace tiempo. Consuélalo, querido maestro, pues yo no tengo consuelo que ofrecerle. Me voy, pero no sé a dónde. Sólo sé que debo irme."

Capítulo 16

"Salud a mi padre, Hilel ben Boruch, de su hijo, Saulo ben Hilel.

"Confío en que tu silencio, querido padre, no sea debido a enfermedad, sino a los preparativos de los Días Santos. No he sabido de ti desde la primavera, aunque Aristo me escribe que te visita a menudo desde su huerto de olivos y dátiles, y que te encuentra bien, gracias sean dadas a Dios. Sin embargo, su última carta me preocupó, pues insinuaba que parecías triste, y que sabía por los sirvientes que pasabas más y más tiempo en la tumba de mi madre, aunque hace ya diez años que murió (la recuerdo en mis plegarias).

"He seguido los consejos, que con frecuencia me diste, de manifestar menos impaciencia de palabra y obra, y aquietar mis pensamientos. Pero mi temperamento es como un aguijón en mi carne, y me temo que siempre será así. No nos hemos visto desde hace dos años, cuando visitaste Jerusalén por última vez, y, según te he escrito, los asuntos no mejoran aquí, sino al contrario. He visitado hace poco las provincias, especialmente Galilea, y la muchedumbre de campesinos y artesanos sufre cada día más. Es costumbre que hombres hambrientos y desamparados sean arrojados a las más asquerosas prisiones por "no poder pagar los impuestos legales", según lo define el publicano, y, ¿quién puede oponerse a la palabra de esa villanía en forma de hombre? Ciertamente se ha dicho que Dios considera al recaudador menos digno de perdón que un asesino o una ramera, un ladrón o un pederasta, un embustero o un adúltero, pues, ¿no combina en su persona los rasgos y despreciables cualidades de todos ellos? Me parece increíble que cualquier judío, por bajo que haya caído, acepte el oficio de publicano.

"Por culpa de los sacerdotes, que han traicionado a Dios y al hombre, el Templo ya no es un santuario, Morada del Todopoderoso. No es más que un mercado donde se discuten extrañas filosofías a la sombra de las columnatas, de polvorientos pasajes y tranquilos jardines, donde los hombres se reúnen, bajo sombrillas sostenidas por esclavos, para mantener complicadas conversaciones y hablar de los bancos y sus mercancías. Los sacerdotes ya no son virtuosos. Se contentan con que los romanos les paguen los estipendios y contribuyan al lujo de sus casas. No significaba nada para ellos que el pueblo los desprecie, pues no se consideran sus guías o patrones, sino que los miran como a enemigos. Dan a sus rebaños piedras como comida, y polvo como bebida, y, en vez de esperanza, los lanzan a un abismo de desesperación.

"Aunque tú me has animado a visitar a menudo a mi abuelo, Chebua ben Abraham, porque está enfermo y apenado, no puedo decidirme a hacerlo más que en raras ocasiones. Lo evito. También le ofendo. Cuando cené por última vez con él recibía a cierto número de escribas, esos intelectuales que nada hacen digno de ser llamado trabajo, sino que sólo escriben libros, aconsejan a los políticos y hablan largo y tendido de servir a "reyes" y a "un gobierno superior". ¡Se consideran enormemente inteligentes! Muchos de ellos son pederastas, según mi abuelo me dijo una vez al oído, pero se reía sin mostrar disgusto, como si eso fuera una encantadora excentricidad y no una repulsiva depravación. Algunos escriben poesías, que hacen copiar por escribas inferiores, y venden en las librerías, y su poesía es como el humo en el viento. Dudo quién resulta más despreciable, si los saduceos, los sacerdotes o los escribas, o de quién abomino más.

"Pasando a asuntos más felices: El último hijo de Séfora, una niña, es encantadora, por encima de toda descripción, y Séfora y su marido están muy satisfechos, pues tienen tres hijos y Ezequiel deseaba una niña. Séfora crece en belleza, y Claudia Flavia declara que es una joven Juno, lo que no creo te complazca. Claudia añadió después: "Y posiblemente una joven Raquel". Séfora tiene cierta ligereza de porte, y tendencia a bromear, lo que no es propio de una matrona de veinticuatro años. Pero lleva el cabello cubierto, y se muestra grave en ocasiones, y se conduce con circunspección, gracias a esa dama, Claudia; luego sus ojos brillan como el oro y se ríe sin razón, y se burla de mí diciendo que antes no era tan serio y solemne. Inmediatamente después sus burlones ojos se llenan de lágrimas y me abraza. En cuanto a mí, hallo a las mujeres incomprensibles.

"La bolsa de sextercios de oro que me enviaste fue recibida con gratitud y afecto. Pero te aseguro que mis ganancias como fabricante de tiendas bastan a mis necesidades. Duermo en la parte trasera de mi tienda. Estoy contento con la comida y el vino más simple y un puñado de fruta. No me visto con lujo. Gamaliel me dijo una vez: "Si tu infancia y juventud hubieran transcurrido en la miseria, no te sentirías satisfecho con tan poco ahora", observación que me parece demasiado sutil. Implicaba que el criado en la comodidad y el lujo encuentra la pobreza posterior menos insoportable. Que la pobreza es mejor acogida por los acostumbrados a la comida excelente... ¡como si fuera una aventura, y no una dureza! Quizás el rabino no sólo tenga razón, sino sabiduría. Ceno en ocasiones en su casa, y debo confesar que disfruto en su mesa, aunque es más sencilla que la de José de Arimatea.

"No me riñas: He dado los sextercios a los pobres. José de Arimatea distribuye grano, carne, vino y ropas a los pobres, que son legión en Jerusalén, a pesar de la riqueza de la ciudad y sus miles de habitantes. Lo que esos desgraciados reciben ahora en el

Templo, en nombre de la caridad, resulta vergonzoso, pues también la caridad ha decaído en estos cínicos días. Pocos se preocupan de los pobres, y, sin embargo, la caridad es una de las virtudes que Dios exige a los judíos.

"Te ruego, queridísimo padre, que me escribas con frecuencia. Hay cosas en mi corazón de las que no puedo hablarte, pues siempre lo más mínimo ha sido para mí lo más difícil de explicar. Soy feliz. Nunca conocí la felicidad como ahora. Aún no me he realizado totalmente, aún no he alcanzado la promesa. Está todavía más allá de las distantes colinas, pero marcho hacia ella todos los días. Algunas veces estoy agotado por el trabajo y el estudio, y me duelen las manos y la cabeza, y echo de menos mi casa de Tarso, y la vista de los rostros y jardines familiares. Eso es sólo una pasajera debilidad. No cambiaría mi destino por nada del mundo.

"Siento que me acerco a alguna Revelación que está floreciendo en la oscuridad y el silencio de las noches, pero qué es, no lo sé. Sólo sé que está ahí, y mi corazón salta de gozo. ¿Qué significa a su lado mi ojo enfermo, o el hecho de que haya perdido la fuerza de la juventud, y deba arrastrarme? Dios me ha dado la fuerza del espíritu, y esto es más que suficiente. No te apenes, pues, por mí; no te preocupes ni sufras ansiedad alguna. Estoy haciendo lo que debo y por esto te imploro que te regocijes conmigo. No olvido que de no haber tenido un padre como tú, no poseería mi actual valor ni tanta paciencia.

"Envío saludos a Aristo, mi antiguo maestro. Espero que no te robe demasiado cuando te venda el producto de sus viñas y sus huertos. Acuérdate de mí en tus plegarias, y cree que yo lo hago en las mías. Cuando visites otra vez la tumba de mi madre, llévale una rosa por mí.

"Tu hijo Saulo."

El hermoso carruaje, arrastrado por cuatro magníficos caballos negros, salió de Jerusalén al amanecer y Saulo ben Hilel y José de Arimatea iban sentados en sus almohadones de terciopelo rojo, bordeado de oro. El conductor era un enorme nubio vestido como un rey bárbaro, pues José concedía a sus sirvientes los justos deseos con amor y respeto. Otro criado sostenía una sombrilla de seda sobre la cabeza de los pasajeros, aunque aún no había salido el sol y el cielo estaba tan negro como el rostro del nubio y totalmente cuajado de estrellas sobre aquellos lugares desolados.

Hacía frío, y Saulo se envolvió en su capa oscura, de pelo de cabra, tejida por él mismo. Las ruedas del carro con llantas de hierro retemblaban sobre la grava, la arena y el polvo, y las herraduras de los caballos arrancaban chispas de fuego de las piedras. Un viento árido azotaba los rostros; era un viento que olía a rocas, a plantas del desierto, y también a siglos, pues atravesaban una tierra antigua, una tierra muerta, tumba de muchas naciones ya desvanecidas.

El alba se presenta de súbito en Oriente. Un momento antes la tierra estaba oscura y las colinas invisibles, y al siguiente todo el cielo era una brillante conflagración ambarina y las colinas resaltaban contra él, lanzando destellos cobrizos, como agua en llamas.

Saulo, siempre sensible a la vista de la tierra y la belleza, quedó atónito. Miró a José de Arimatea, pero su grande y calva cabeza, y parte de su rostro, quedaban ocultos por la capucha, y ahora se adelantó y murmuró algo al conductor nubio, que se llevó el látigo a la frente. Los caballos brillaban de espuma y el conductor los dirigió a un arroyo para que se refrescaran y bebieran. José dijo a Saulo: "Tenemos que ir aún muy lejos, así que descansa". Dejaron el coche y se lavaron la cara y las manos polvorientas en la corriente, y bebieron; José sacó fruta fresca, vino y pan, y un queso excelente. Lo compartió con los sirvientes, cortésmente, y, como el sol calentaba mucho, Saulo se retiró la capa, quedando sólo con la túnica de lino gris. Su pelo rojo parecía inflamado por el sol, y José dijo mirándole el rostro: "No está bien exponerse en estos lugares, Saulo, así que vuélvete a poner la capucha para abrigarte el rostro y protegerte los ojos."

Los suyos lo miraban con afecto, y de nuevo Saulo quedó asombrado de la amabilidad con que lo trataba aquel hombre tan bueno. No podía verse como José lo veía: un joven de ardientes aunque sombrías pasiones, con un rostro ascético de fuertes y angulares huesos, y ojos que parecían relucir de visiones.

Había muchos que consideraban impresionante a Saulo, implacable, arrogante a causa de sus conocimientos, e intolerante. Saulo tenía muchas imperfecciones; no soportaba a los estúpidos, y no tenía paciencia con la debilidad y fragilidad de carácter, y con aquella afeminada amabilidad que muchos de los escribas y saduceos cultivaban como parte de su vida civilizada.

Para José —y éste conocía bien a los hombres—, las manifiestas virtudes de Saulo, algunas de ellas extremas, vencían sus imperfecciones como un magnífico y brillante esmalte vence la básica rudeza de la cerámica. No eran virtudes que lo hicieran estimable, sino que más bien despertarían el desprecio, la inquietud y la hostilidad. Era incapaz de toda hipocresía, y ofendía a muchos, con sorpresa por su parte, pues aún conservaba cierta ilusión de que los hombres prefieren la verdad a la mentira.

Siguieron adelante bajo la luz; ahora era ya plena mañana, y el calor les llegaba a través de las ropas.

Saulo había meditado a menudo en la idea de que le gustaría retirarse al desierto por algún tiempo, a este inmenso silencio de luz incandescente. Pero al mirar ahora en torno confesó que no podía comprender cómo los fervorosos zelotes y esenios elegían un lugar tan parecido al infierno. Seguían penetrando en el desierto, y Saulo adivinó, por la seguridad del nubio que dirigía los caballos, que este territorio no era nuevo para él, que ya le resultaba familiar. Sus grandes pendientes lanzaban destellos dorados sobre sus negras y pulidas mejillas, y miraba en torno con indiferente orgullo. Saulo empezó a sentirse más agradecido por la sombrilla colocada sobre su cabeza y la de José.

Éste alzó la mano y señaló hacia las colinas, y Saulo vio bajo ellos, entre olas de calor, un grupo de cuevas que subían escalonadamente por la ladera de la colina más cercana.

—Nuestro destino —dijo José.

De pronto apareció una pequeña figura en la parte superior de la cueva más baja, tan negra y recortada como la de un buitre contra el cielo. Hizo un breve gesto de reconocimiento y se quedó allí observándolos. Al cabo de un rato se le unieron otras figuras similares, y ya se adivinaban las ropas de piel que rodeaban sus muslos. No llevaban capa, ni capucha, ni abrigo contra el sol y el calor, y, cuando el carro se acercó, Saulo pudo ver sus rostros, casi tan negros como el del nubio, y barbudos. Las manos, brazos y piernas eran delgados, pero musculosos, y ahora saltaban como cabras sobre el terreno y se oían sus voces, débiles como flautas:

—*¡Shalom!, ¡Shalom!*

Crecían en número. Ahora eran al menos cincuenta, luego más, y más, hasta ciento. Parecían surgir no sólo de las cuevas, sino de la misma tierra. Saulo vio que eran jóvenes, algunos casi muchachos, pues apenas tenían barba. Sintió que el sudor le corría por la barbilla. Él no llevaba barba, pues tenía una piel tan delicada que la barba le irritaba y producía heridas, y el rabino Gamaliel había dicho: "Dios desea que lo amemos y lo sirvamos, pero no que suframos dolores innecesarios en su servicio, pues eso es vanagloria. Y, ¿no dijo Luciano, el griego, que si las barbas fueran símbolo de la sabiduría, una cabra sería un auténtico Platón?"

Algunos de los jóvenes moradores del desierto no pudieron resistir su entusiasmo al ver a José de Arimatea, y llegaron corriendo hasta el carro, alzando espesas nubes de polvo amarillo. Saulo miró las provisiones que José trajera: botas de vino, ruedas de queso, pan de trigo y avena, fruta y alcachofas en vinagre y ajo, y cerveza y aguardiente. Había también cestos de cebollas, y limones, y montones de dátiles e higos, y cajas de pasta, y carne seca. Había pequeñas bolsas de piel que, sospechó Saulo, contenían respetables cantidades de oro romano. También muchos libros, atados con cuerdas, y mantas, cacharros y cubiertos. En realidad el carro estaba tan lleno de provisiones que apenas había sitio para los cuatro que en él viajaban.

Los jóvenes habían llegado ahora al carro, y gritaban y reían como niños, sonriendo a José y lanzando miradas curiosas a Saulo. Y éste, que había esperado ver tristones reclusos de rostros remotos, pensó que jamás había visto una reunión tan alegre y gozosa. Lanzaban preguntas a José, interrogándolo acerca de su familia y mutuos amigos. Soltaban alegres juramentos a la mención de los sacerdotes del Templo. Algunos, en su exuberancia, se enzarzaban en pequeñas peleas en broma. Iban con los pies descalzos, casi negros; a lo más llevaban sandalias de cáñamo. Podían estar tan delgados como cañas. Sólo huesos y carne endurecida, pero sus ojos brillaban de gozo de vivir y de ardiente pasión por todo lo que les deparaba la vida.

El nubio lo observaba todo con la indulgencia de un hombre bastante más viejo que aquellos polvorientos jóvenes, e incluso se dignaba sonreír ocasionalmente, y jugaba, indiferente, con el collar que rodeaba su cuello. Era como un emperador bárbaro entre sus súbditos salvajes, semidesnudos. El aire resonaba con sus alegres voces. Guiaron al nubio hasta un lugar, junto a las cuevas más cercanas. Allí, con sorpresa de Saulo, la sombra de la colina era casi fría, y en su centro había un manantial. Recordó: "La sombra de la gran Roca en una tierra agostada", y comprendió plenamente, por primera vez, todo el significado de la frase de las Escrituras.

Ahora salió un hombre del abrigo de su cueva, un hombre mayor, de unos treinta años, ancho de espaldas, alto e increíblemente delgado, pero que daba la impresión de una enorme vitalidad, de una indomable fuerza autoritaria. Su barba era negra, espesa y rizada; su nariz aguda, de ave de presa, la boca sonriente y los negros ojos grandes y brillantes bajo espesas cejas. Cuando los jóvenes lo vieron se retiraron respetuosos, y él tendió sus brazos a José y casi lo levantó del carro. Los dos entonces se abrazaron. José, como siempre, iba magníficamente vestido, pero el otro iba casi desnudo, con una piel de cabra sobre los flancos, y su piel quemada brillaba de sudor. Se alejaron y se miraron a los ojos sonrientes, y de nuevo se abrazaron murmurando el más santo de los saludos, que concluía con un apasionado: "¡Oye, oh Israel! ¡El Señor es eterno, el Señor es Uno!"

Entonces, reteniendo firmemente la mano de su amigo, José se volvió a Saulo, que había bajado del carro y retirado su capucha para disfrutar de la frescura de aquel lugar:

—Juan, hermano mío, te he traído a aquél de quien te escribí, Saulo de Tarso, que prefiere, como nosotros, obedecer y servir a Dios más que al hombre.

Saulo miró directamente a Juan, a quien José saludaba como a un hermano y el más querido de los amigos, y descubrió, con una especie de miedo, la pura y terrible santidad de aquellos grandes ojos negros, que parecían forzar la mirada en su corazón para escudriñar cuanto allí había y someterlo a juicio inexorable. Era como enfrentarse al brillo del sol, del que nada puede escapar.

Entonces Juan puso sus largas manos en los hombros de Saulo y sonrió sin dejar de examinarlo, y luego se fruncieron sus cejas. Finalmente pareció relajarse y dijo con voz amable y compasiva:

—*Shalom.* Saludos al amigo de mi amigo José de Arimatea, y que Nuestro Padre, bendito sea Su Nombre, te conceda todo lo que Él desee concederte. Bienvenido, Saulo de Tarso.

Juan pasó un brazo sobre los hombros de Saulo, y el otro sobre los de José, y los condujo a otra cueva de acogedora sombra. La cueva era grande, y estaba amueblada con un pobre lecho, una mesa de madera y dos bancos. En el suelo se veían también unas pieles de cabra y en un rincón había un montón de rollos. Nada más. Los dos huéspedes se sentaron y Juan dijo, con una voz en la que Saulo advirtió el rápido y profundo timbre varonil:

—Gracias de nuevo, José; tendremos un banquete.

Dos jóvenes entraron con unos platos para los huéspedes y otro lleno de queso, pan, fruta y carne, y vasos de barro con cerveza y una botella de vino. Saulo descubrió que tenía hambre, pero Juan comió muy poco, y lo mismo José, y los dos hablaron con voz grave de asuntos misteriosos para Saulo.

—Me voy antes de la luna llena —dijo Juan—. Por tanto, no nos veremos durante algún tiempo.

—¿Has recibido la llamada?

—Sí.

Incluso en la oscuridad pudo ver Saulo la repentina tristeza del rostro de José y lo oyó suspirar.

—Entonces, comienza el drama —dijo. Unió sus manos sobre la mesa y las miró meditabundo.

—Y nunca termina —dijo Juan—. Vamos, querido amigo, ¿acaso lo querrías de otra forma?

José quedó silencioso por algún tiempo. Finalmente dijo, contemplándose las manos:

—No podemos evitar, ni con plegarias, lo que se ha ordenado desde la eternidad. Ciertamente debiéramos alegrarnos de que se nos haya permitido conocer esta hora. Sin embargo, como hombre mortal, me siento lleno de dolor. Moriría mil veces, diez mil veces para impedirlo. Pondría mi cuerpo a sus pies, y me sentiría bendecido. Me dejaría azotar por él y lo celebraría. Pero éste no es mi destino.

Juan tocó brevemente sus crispadas manos:

—No, no es tu destino. Tienes otro. Pero alégrate conmigo, porque finalmente he recibido la llamada y debo ir con él.

Con asombro de Saulo, los ojos de José se llenaron de lágrimas e inclinó la cabeza. ¿De qué hombre estaba hablando? ¿Qué desconocido profeta, qué santo? Si lo conocían, ¿por qué no se le permitía a él, Saulo ben Hilel sentarse a sus pies?

Como si José hubiera oído esas preguntas, alzó la cabeza y trató de sonreírle:

—Perdónanos, hablamos en acertijo, Saulo. Aún no podemos decírtelo, pero, a su tiempo, Dios te iluminará. Eso me ha dicho Juan.

Mientras se preparaban para marcharse, Juan estaba como en éxtasis, con el rostro transfigurado, y sus jóvenes lo miraban sin moverse, sin enterarse siquiera de que los huéspedes partían. Al fin, Saulo oyó que todos alzaban el tremendo grito.

—¡Oye, oh Israel! ¡El Señor es eterno, el Señor es Uno!

El carruaje corría rápidamente hacia Jerusalén, y el aire del desierto era frío ahora. Saulo estuvo silencioso durante largo rato y después dijo:

—No entiendo a ese hombre tan peculiar. No sé de quién habla. Repetía las palabras de Isaías. Sin embargo...

José dijo, y Saulo apenas pudo creer a sus oídos:

—Él supo de esta hora en el vientre de su madre. Como Sara, Isabel era ya de mucha edad cuando lo concibió. Su padre, Zacarías, había sido sacerdote en el Templo, y un ángel le dijo que su esposa le daría un hijo, y él no lo creyó. Isabel estaba ya doblada por la ancianidad, con arrugas y el pelo blanco. Como él no había creído, quedó mudo. Pero en realidad, sucedió que Isabel dio a luz, y el hijo fue llamado Juan, y cuando los hombres fueron a besar la barba de Zacarías, le fue devuelta el habla y alabó a Dios. Te ruego, Saulo, que no me preguntes nada más. Aún no ha llegado tu hora.

Capítulo 17

El anciano rabino se encogió de hombros. Pero su mirada era más amable que sus palabras. Se sentía muy alarmado ante el aspecto de Hilel, pues aunque éste sólo tenía cincuenta y siete años, parecía mucho más viejo, inclinado y flaco, y había un brillo de plata en su blanca barba, que le daba aire de profeta.

Estaban sentados en la biblioteca del rabino, y un viento frío venía de las montañas, y el jardín tenía un aspecto mustio, pues el invierno avanzaba sobre la tierra. El interior, sin embargo, estaba caldeado, ya que los viejos huesos de Isaac necesitaban calor, y por eso ardían dos braseros en el suelo de piedra, y había una manta de piel sobre sus rodillas.

El rabino suspiró:

—¿Has vivido tanto tiempo, y aún no has descubierto que es imposible que el hombre comprenda a Dios?

—No tengo a nadie en casa —dijo Hilel, como si no hubiera oído la pregunta—. Nadie me espera. ¡No me hables —dijo con pasión repentina— de hombres que han tenido menos y han sufrido más o de los que agonizan con la enfermedad, o los desamparados, o todos los que sufren, cuyo nombre es legión! Ellos tienen su propio dolor, y no me interesa por qué se quedan en el llamado festín de la vida. Sólo sé que yo deseo irme, que ya no puedo esperar a que me lo ordenen —apretó los puños—. Ya no puedo esperar.

—¿Porque nadie te da el primer lugar en su corazón?

Hilel apartó la cabeza:

—Quizá no sea eso. No me preguntes más, amigo mío. Pero te diré algo: nunca di mi corazón ligeramente, y, cuando lo di, fue despreciado. Fue una traición del alma. Dios me ha abandonado. No puedo quedarme más.

Sin despedirse siquiera, dejó a su amigo. El rabino quedó muy preocupado durante algún tiempo. "Todos los hombres desesperan —se dijo—. Todos los hombres inteligentes maldicen alguna vez el día en que nacieron, como dijo Job, y anhelan la muerte. Sin embargo, lo soportan." Quizá Hilel ben Boruch tuviera alguna aflicción física desconocida para él, que agotaba su esperanza. "Debo consultar a sus amigos", se dijo.

Entonces recordó de pronto que esos mismos amigos se habían quejado frecuentemente de que cada vez veían menos a Hilel, y que, al encontrarse con él, quedaban anonadados por su aire de desinterés. Ni siquiera había sido visto en la sinagoga durante mucho tiempo. No aceptaba invitaciones. Los dirigentes de la comunidad judía observaban que sus limosnas eran tan generosas como siempre. Pero no veían al hombre, sino únicamente a sus mensajeros.

—¡Querido Padre! —exclamó Isaac en voz alta, consternado—. ¡Un hombre muere de anhelo y desesperación ante mis ojos, y no supe verlo! ¡Qué ciegos estamos! Debería haber visto, cuando lo visitaba, que nadie estaba presente en su casa —en tiempos llena de amigos— y que su única compañía era ese antiguo esclavo griego... ¿Aristo? Sí, Aristo. Ahora es un hombre rico, dicen, y sus productos llegan muy lejos en caravanas, gracias a Hilel, que lo libertó y recompensó de acuerdo con la ley. Debo escribir a Aristo y pedirle ayuda.

Aristo estaba entre sus florecientes olivos cuando un esclavo —ahora poseía catorce— le trajo la carta del rabino Isaac. La leyó con incredulidad, bajo el frío aire de la tarde otoñal. Era muy misteriosa. El rabino hablaba con rígida formalidad. Hilel ben Boruch estaba muy deprimido y su mente hundida en la melancolía. Alguna aflicción dominaba su alma. El anciano seguía diciendo que le agradaría mucho que Aristo fuera a casa de Hilel ben Boruch aquella tarde para conversar con él y alegrarlo.

Esta carta era la primera indicación de que el rabino tenía idea de la existencia de Aristo, pues jamás habían intercambiado una sola palabra o saludo. ¡Cuánto debía haberle costado dar ese paso!, pensó Aristo divertido. Imaginó al viejo escribiendo penosamente la carta a un antiguo esclavo, y aún le divirtió más. Luego dejó de sonreír. Se sentó en la hierba y miró las ovejas que triscaban entre los olivos y reflexionó.

Un griego no consideraba la muerte por deseo y voluntad propios vergonzosa o criminal. Ni los romanos, ni los egipcios ni otros pueblos sensatos. Cuando un hombre decidía que ya había vivido bastante, o que la vida se le había hecho insoportable o deshonrosa, sus amigos y familiares comprendían el suicidio y, aunque entristecidos, consideraban su marcha una liberación de lo que le había estado afligiendo. Sólo los animales sufrían la vida y se aferraban a ella. Y los judíos, desde luego. Agitó la cabeza. Los judíos estaban por encima de toda comprensión. Consideraban sagrada la vida, incluso la suya propia. Pero la vida no era sagrada a menos que tuviera un propósito y un significado, y fuera lo más plácida posible. Aristo había fijado los límites de lo que un hombre inteligente debía tolerar en la vida.

Llegó a casa de Hilel y le informaron que el amo no había terminado aún su paseo por el jardín. Aristo cruzó la casa y salió al exterior. La luz era débil ya, y el aire que azotaban los árboles venía cargado de aromas de otoño, y las hojas chocaban con seco ruido. Pero los senderos de grava roja estaban tan limpios como de costumbre, y las fuentes seguían lanzando su frágil canción, y las estatuas, inalterables entre los arbustos, y el arqueado puente sobre el estanque, con sus dragones y serpientes...

Aristo miró en torno, los bancos de mármol, vacíos, el puente que se reflejaba en la quietud del estanque, los negros cisnes y patos chinos, los pavos reales orgullosos de sus plumas. No vio a nadie. Pensó que Hilel no estaría ahí, pues no se escuchaba ni un movimiento. El griego aguardó. Después llamó en voz alta:

—¡Amo! ¡Amo! —su voz despertó ecos en el silencio.

No hubo respuesta. Vaciló y siguió adentrándose en el jardín. Llegó hasta el puente, lo cruzó y se inclinó sobre la barandilla. Miró las verdes aguas, muertas. Ni siquiera los cisnes las alteraban.

Estuvo largo rato mirándolas.

Después dijo tiernamente:

—Ve en paz, querido amo, y que tu Dios te mire con más bondad de la que yo sospecho, y que Él recuerde que no había un hombre más virtuoso que tú, ni más amoroso, ni más tierno, ni más justo. Que encuentres en las Islas de la Felicidad la que mereces, la que no encontraste en vida. Adiós.

Capítulo 18

—No, no puedes enviar esta carta —dijo Aristo al rabino Isaac, a cuya casa había sido llamado—. Saulo ben Hilel es un hombre de profunda sensibilidad. Tu carta lo destrozaría probablemente, y no lo merece. Es una carta injusta. Saulo quería a su padre, y lo mismo Séfora, la hermosa y joven matrona. Yo los conozco bien. También conocía bien a Hilel ben Boruch. Y adiviné hace tiempo su intención.

Isaac lo miró fieramente:

—Y ¿no intentaste persuadirle de que debía vivir, tu que tienes más razones que muchos para reverenciarlo y sentirte agradecido?

—Por esas mismas razones no lo intenté —dijo Aristo—. No podemos estar de acuerdo en este mundo, pues nuestras filosofías difieren. Lo que yo comprendo, tú no lo puedes comprender. Lo que para ti es un crimen contra tu Dios, no es un crimen para mí. Ni para millones de otros. No pedimos nacer. Pero podemos elegir cuándo morir, pues seguramente un hombre tiene su dignidad. Ustedes creen en otra vida después de ésta. Yo no, aunque deseo para mi antiguo amo una existencia de bienestar. Como dijo Sócrates, no hemos de temer a la muerte, pues, si sólo es el sueño eterno, ¿no es dulce el sueño? Y, si hay una vida después de la muerte, no puede ser peor que ésta. Ten piedad. No envíes esa carta a Saulo, ni a Séfora. Yo iré personalmente a Saulo y le diré...

—¿Qué? —exclamó el rabino, secándose rabiosamente las lágrimas.

—Que su padre llevaba mucho tiempo con una antigua enfermedad. Estarás de acuerdo en que esto es cierto. No deseaba que sus hijos se preocuparan o temiesen por él, y por eso no se lo había dicho. También esto es cierto, aunque agites así la cabeza. Por tanto, estando en sus jardines, de pie sobre el puente, le sobrevino un ataque, un último vértigo, y cayó al agua. Su rostro, cuando lo retiraron del estanque, estaba sereno y tranquilo —esto es cierto—, y, por tanto, no supo que moría, y no luchó. Podemos creer, le diré a Saulo, que quizás hubiera muerto antes de caer al estanque. Te lo suplico, no sigas agitando la cabeza. Pues es cierto que Hilel ben Boruch murió hace tiempo, mucho antes de esta tarde final en la calma de su jardín.

—Sofismas —dijo el rabino—. Ustedes los griegos están llenos de sofismas.

—Un sofisma es preferible a la cruel verdad —dijo Aristo sonriendo—. Y ¿acaso sabemos la verdad de esto? No. Estaba en el corazón de Hilel ben Boruch, cerrado a los ojos de los demás.

El rabino quedó en silencio, y de nuevo corrieron lágrimas en sus ojos. Luego dijo con voz dura:

—Puedo comprender que han seducido a nuestro pueblo con sus sofismas y argumentos.

Aristo rió suavemente:

—Y ¿deseas que yo lo lamente? No. Estoy complacido. Sus profetas eran hombres tristones, según me dicen, sin gozo de la vida, con la condenación y las admoniciones en los labios, con amenazas de castigo. Me han dicho que lo que así profetizaron llegó a ser cierto. Pero ¿por qué ha de sufrir el hombre por anticipado? ¿No desean y anhelan todos los placeres de este mundo? Es nuestra naturaleza. Te lo ruego —pues veo ya las palabras en tu boca—, no me hables del significado de los profetas y del rostro de su Dios. Lo he oído hasta la saciedad de Saulo, que anhelaba convertirme. Tú y yo tenemos dos distintos marcos de referencia, que jamás coincidirán. Pero en una cosa podemos estar de acuerdo: los dioses aman al hombre misericordioso.

—Él está lleno de misericordia —y la voz del rabino se quebró.

—Entonces lo admiraré —dijo Aristo—. Escribe otra carta a Saulo, y la llevaré conmigo. Nunca he estado en Israel, aunque algunos de mis productos pasan por allí en las caravanas. Y deseo ver de nuevo a Saulo.

Tomó pasaje en el siguiente barco a Israel, llevando una carta consoladora de Isaac y también cartas de los abogados de Hilel, pues el difunto había dejado una considerable herencia que debía ser repartida.

En el barco conoció a otro griego, un tal Telis, expansivo y cínico, que tenía una casa en Jerusalén y propiedades en Cilicia.

Era un compañero divertido. Dijo a Aristo que había pasado más de un año en Tarso y en Roma. Las extravagancias de los políticos, dijo, resultaban sumamente divertidas. Le alegraba el actual estado de Roma, enfrentada con la bancarrota, la deuda nacional, las guerras, las insurrecciones y tumultos en las calles, y las crecientes exigencias de la gentuza romana que pedía nuevas y constantes diversiones, viviendas, comida y regalos.

—Grecia cayó también por similares enfermedades —observó—, y la República Romana lo comentó virtuosamente, sobre todo un historiador, Salustio, y su Cicerón, al que admiro. "Nunca —dijo Cicerón— debe llegar Roma a esta depravación —la nuestra— ni a esta bancarrota, ni el gobierno a ser un simple esclavo de las vociferantes multitudes". Tampoco esperaba Cicerón que Roma llegara a ser tan venal, lasciva y lujuriosa —Telis se echó a reír—. Pero todo esto ha sucedido, y en mayor escala que en Grecia, y, en lo que a mí se refiere, me alegra la situación de esa nación de tenderos.

—Si Roma cae, arrastrará al mundo con ella —dijo Aristo, contento de tener tierras, además de dinero.

—¡Qué mundo! —murmuró Telis, su rostro divertido cruzado por mil arruguitas de risa cínica—. Yo tengo más de sesenta años, y encuentro gracioso este mundo, tan destrozado está, tan loco, tan débil y ambicioso, tan temeroso del gobierno, tan olvidadizo de la historia y sus consejos, tan brutal y sucio, con una infinidad de crímenes de cuerpo y alma.

—Siempre es así, y siempre lo será.

—Ya te he dicho que no soy supersticioso. Hace más de un año me atacó un extraño dolor en el costado derecho, y empecé a tirar sangre de vez en cuando. Pasó aquello. Yo no hice caso del dolor, que fue creciendo con los meses, y emprendí el viaje. En Roma consulté con un médico, y éste me informó que tenía un tumor en el pulmón, y que mis días estaban contados.

Aristo dejó escapar un sonido de simpatía y conmiseración, pero Telis alzó la mano:

—Vuelvo ahora a mi casa de Jerusalén porque Israel está lleno de santos rabinos que curan a los enfermos en un abrir y cerrar de ojos, según me han dicho, aunque yo jamás he visto uno de esos milagros. No soy supersticioso, insisto, y la mayoría de los milagros son superstición. Pero he oído un rumor extraño: ha aparecido otro santo rabino, se dice que de Galilea, y en una visita a Jerusalén, en uno de sus Días Santos, curó a un ciego, a un hombre que estaba *in extremis*, a una mujer con un tumor, a un niño cojo, y se dice que también resucitó a un joven cuando llevaban su cuerpo al cementerio. Ha despertado muchas hostilidades, y mucho amor. He oído decir que ahora ha regresado a su provincia y tengo intenciones de buscarlo. Llenaré sus manos de oro honrado, no de esa devaluada moneda romana. Ahora bien, ¿por qué ese hombre no había de establecer un santuario en Israel, y ganar una fortuna para nosotros?

—Excelente idea —dijo Aristo.

Desembarcaron en el hermoso puerto de Cesárea. Y Aristo vio que Telis estaba débil y pálido, a despecho de su vivacidad y humor.

Se separaron, pero no antes de que Telis hubiera dispuesto con magnanimidad que Aristo fue conducido con lujoso estilo a Jerusalén.

—¿Qué es el dinero? —preguntó con un guiño.

Aristo pudo contemplar tranquilamente el país mientras lo llevaban en un magnífico carro de cuatro caballos blancos hasta Jerusalén. No le gustó, pues era invierno, el aire estaba helado, las montañas desnudas y grises, y los campos vacíos. Las ciudades le parecieron pequeñas, y los valles áridos, pues estaba acostumbrado a la riqueza del valle de Tarso, feraz incluso en invierno. Como griego, se sentía superior a los demás hombres, y estos pobres judíos de los campos y de las abigarradas ciudades le parecían un pueblo pobre y miserable, reservado y abstraído. Vio las fortalezas romanas, y sus ubicuos soldados, y los estandartes de Roma. También estaban en Grecia, pero allí el pueblo los aceptaba con seca sonrisa e ingeniosas bromas; y hacían buenos negocios con los romanos y se burlaban alegremente de ellos, así que los conquistadores se veían obligados a reír a pesar suyo y se mostraban amistosos. También se sentían un poco asustados ante la gloria y majestad de la antigua Grecia y deseaban ser considerados cultos, cosa que resultaba ridícula a los griegos.

Pero los judíos eran un pueblo orgulloso al que sostenían sus mitos, que algún día —tenían fe en ello— los libertarían de los romanos. Mientras tanto los despreciaban abiertamente y luchaban con ellos en vano..., como un ratón que desafiara a un tigre. Naturalmente, estaban los saduceos, de los que le había hablado Hilel. A Aristo le parecían más sabios que los otros, más realistas y, por tanto, más civilizados. Hacer negocios con el conquistador, y robarle en el proceso, era algo sensato y una sutil venganza. La mayoría de los judíos no lo comprendían, o no querían aceptarlo.

Aristo no se sintió impresionado por Jerusalén, aunque éste era el centro del comercio entre Oriente y Occidente, y estaba siempre lleno de caravanas. Pero admiró la delicada sobriedad de algunos templos griegos que vio, y sonrió ante los recargados templos romanos. Pensó que el ambiente de Jerusalén era sombrío, y la ciudad demasiado llena de gente. Al anochecer entró en la posada que Telis le recomendara, y le gustó el dormitorio y la comida: una extraña mezcla de cocina judía, griega, romana y egipcia, de gran éxito; y el vino era excelente. Pensó que podría soportar una o dos semanas en esta ciudad. Mañana visitaría a Saulo. Siendo hombre sabio, se negaba a preocuparse por el encuentro y las tristes nuevas que había de comunicarle. Esta noche dormiría.

Al día siguiente alquiló un carro y un conductor, que lo llevó a la Calle de los Fabricantes de Tiendas. Era un barrio muy pobre, junto a las murallas, cerca de la calle de los Queseros. Y como la piel de cabra y el queso tienen olores muy fuertes, Aristo no las encontró precisamente agradables. De nuevo se sintió asombrado ante los raros hábitos y creencias de los judíos. Los hijos de hombres ricos, que elegían ser rabinos o maestros, se dedicaban además a un humilde oficio, pues no podían aceptar dinero de sus padres ni de los discípulos. Tenían la repulsiva creencia en la santidad del constante trabajo, y despreciaban a los ociosos, aunque daban con liberalidad limosnas a los desgraciados.

La estrecha Calle de los Fabricantes de Tiendas era muy empinada y toscamente empedrada, llena, a ambos lados, de tiendecitas abarrotadas de mercancías. Aristo veía en el interior el brillo rojizo de las lámparas, pues la luz invernal que penetraba de la calle era muy escasa. Jóvenes y viejos, todos ellos barbudos, trabajaban en la tienda o se afanaban en el almacén con tanto brío, que Aristo se sintió deprimido. ¡Que la gente creyera en el valor del trabajo por sí mismo, como si la dura labor no hubiera de ser despreciada...!

Algunos salieron a la entrada de sus miserables tiendas para contemplar el lujoso carro que rodaba sobre las piedras, pues era evidente que pocos como Aristo venían aquí a comprar sus humildes mercancías. Miraron su hermosa capa y bordadas botas, y alzaron las cejas. Cuando se detuvo y preguntó por la tienda de Saulo de Tarso, el interpelado, un viejo tendero, apenas pudo contener su asombro.

—¿Saulo? ¿Saulo de Tarso? —murmuró; señaló al final de la empinada calle—. Su tienda es la más pequeña, la más pobre. Amo, si deseas mejores mercancías, yo las tengo.

"De modo —pensó Aristo con amargura— que nuestro Saulo no ha dicho a esas pobres criaturas que es hijo de una de las más nobles familias de Jerusalén. Muy propio de él, por desgracia."

—Tiene un ojo enfermo, y su trabajo no es bueno —añadió el tendero con aire esperanzado—. Ahora, si quieres honrarme, te enseñaré mis magníficas tiendas.

—No vengo a comprar —dijo Aristo con cortesía—. Sólo traigo noticias de la familia de Saulo de Tarso —hizo un gesto al conductor, que siguió adelante. El tendero quedó estupefacto. ¿Qué familia podía poseer aquel pobre joven, para que uno, vestido como un rey, y en un carro dorado, viniera a visitarlo con noticias de su familia?

La última tienda era en realidad la más pobre, pequeña y oscura de todas, y Aristo se quedó mirando al hombre afanoso sentado en ella. Se detuvo por un instante, observando y agitando la cabeza. Había vuelto a ver a Saulo sólo una vez en once años, con motivo de su visita a Tarso, cinco años antes, y el cambio sufrido por aquel hombre de veintisiete años lo dejó anonadado. Estaba delgado y encorvado, con el pelo rojo colgando sucio sobre el cuello, con su acusado perfil de águila, y con las mejillas hundidas y la boca más dura que antes. Estaba muy pálido, por falta de sol, y por demasiado trabajo y estudio. Rollos de tela de pelo de cabra se extendían a su alrededor, y el olor era repugnante. Sus pensamientos parecían lejanos. Sus ropas eran las de los pobres, y las sandalias que llevaba no podían calentarle los pies en aquel tiempo, ya que eran de esparto. Al parecer desdeñaba botas como las de Aristo. Una débil lámpara humeante iluminaba el interior, y el griego, pensando en el ojo enfermo de Saulo, se alarmó.

Éste, sintiéndose observado, alzó la vista impaciente, y los dos hombres se miraron por encima del mostrador, cargado también de rollos de tela. Saulo entornó los párpados. No reconoció inmediatamente a su viejo tutor, y, alzándose cortésmente, se aproximó.

—¿En qué puedo servirte? —preguntó, y era su antigua voz poderosa, llena de altivez, que Aristo recordaba.

El griego se sintió tan conmovido que no pudo responder, y Saulo se aproximó, y ahora brilló la débil luz en aquellos metálicos ojos azules. De pronto se detuvo en seco, y una mirada de inmenso asombro e incredulidad cruzó su rostro.

—¿Aristo?... ¡Aristo! —gritó.

—Sí, soy yo, Saulo —dijo éste, y entró en la horrible tiendecita. Saulo lo vio acercarse, y entonces, con un grito sofocado, se lanzó a los brazos extendidos del griego y lo abrazó, y se aferró a él, intentando reír, pero la risa era más bien un ronco sollozo. Descansó la cabeza en el hombro de Aristo, y éste lo retuvo junto a su cuerpo y se odió por las noticias que había de comunicarle.

—¡Aristo, Aristo, cuánto me alegra verte! —dijo Saulo con voz sofocada.

—También yo, mi querido alumno —no era un hombre emotivo, pero hubo de luchar para reprimir las lágrimas.

Saulo alzó al fin lentamente la cabeza y lo miró al rostro. Quedó en silencio, estudiándolo con sus inteligentes y brillantes ojos. Después dijo serenamente:

—Me traes malas noticias.

Aristo le cogió fuertemente los brazos.

—Sí —dijo.

Saulo se soltó y fue lentamente al fondo de la tienda. Sin volverse, dijo:

—Ven a mi habitación, donde vivo, y sentémonos.

Saulo se sentó en el suelo y desgarró sus vestiduras en silencio. Removió el brasero, cogió un montón de cenizas y se las puso sobre la cabeza. Entonces, sin decir nada, sin que sus labios se movieran siquiera, comenzó a balancearse de atrás a adelante, en signo de luto. Aristo se sentó en medio de aquella miseria, y ya no pudo reprimir las lágrimas, no por Hilel ben Boruch, sino por su hijo. Sacó su perfumado pañuelo de la manga, y la habitación se llenó inmediatamente del aroma de rosas, mientras él se secaba los ojos y las mejillas.

—Era el más noble de los hombres. El más amable y gentil, el más tierno. Alégrate porque fuera tu padre.

Pero Saulo continuaba balanceándose, y las cenizas caían por sus mejillas mezclándose con sus lágrimas. Ahora un débil sonido salió de sus labios, en hebreo, y, aunque Aristo no conocía bien el lenguaje, reconoció el sonido de las plegarias de dolor.

Finalmente Aristo no pudo soportarlo más. Sabía que Saulo lo había olvidado y que podía marcharse sin que lo notara. Pero no se decidía a partir. También llevaba cartas para el joven.

Dijo, pues, con tristeza:

—Saulo, Saulo, estoy aquí; yo, tu amigo y preceptor; y sabes mi amor por ti, y yo sé que tú me quieres. Somos hombres. Te traigo unas cartas, y hay cosas que debes hacer, a despecho del dolor. Tienes una hermana, y familiares, y hay que comunicárselo.

Ya era de noche. Saulo se levantó, inclinado como un anciano, y, saliendo a la tienda, entregó en silencio una vela a Aristo, y éste comprendió que quería que encendiera la lámpara sobre el mueble. Suspirando, así lo hizo en silencio. Saulo volvió a sentarse en el suelo y reanudó su balanceo.

La lamparilla apenas iluminaba la habitación. Pero ahora Saulo miró a Aristo y rogó con voz ahogada:

—Dime.

Sin embargo, el griego no podía hablar, así que le dio la carta del rabino Isaac, que él mismo había dictado. Saulo la leyó lentamente. Su padre llevaba enfermo mucho tiempo, pero no deseaba que sus hijos lo supieran o se alarmaran. Había muerto pacíficamente en el estanque, en el que había caído vencido por un mareo. Yacía en la tumba, junto a su esposa Débora. No había sufrido.

—Saulo —dijo Aristo—, tienes ciertos deberes, como te he dicho antes. Traigo cartas de los abogados de tu padre. Eres un hombre con muchas propiedades y riquezas, y has de pensar en lo que vas a hacer.

Saulo se levantó:

—Iré al Templo, donde oraré por el reposo del alma de mi padre.

Capítulo 19

Aristo pasó cuatro semanas sin ver a Saulo, pues eran los días dedicados al luto familiar. Apenas se movía de la posada; no le atraía el circo, con sus gladiadores y sus púgiles, y su antiguo interés por las mujeres había disminuido. Se encontraba solo en Jerusalén, que le disgustaba profundamente por su aire de melancolía, su ominoso destino y la silenciosa violencia que ardía en sus extrañas. Incluso los soldados romanos, que siempre había visto alegres, marchaban allí de un lado a otro con aire aburrido. Aristo trabó conocimiento con algunos de sus oficiales, que le invitaron diversas veces a cenar en su compañía, y él les correspondió de la misma manera.

—Israel es mucho más de lo que puedo soportar —le dijo uno de los oficiales—. Los judíos son incomprensibles. Poncio Pilato movido por un impulso de generosidad, les ofreció erigir una estatua del dios judío en el templo de Júpiter para que también allí pudiera tributársele honores. Pero tuvo que retirar la oferta inmediatamente: Israel amenazó con insurreccionarse aunque tuvieran que perecer todos en la contienda. ¿Cómo es posible que un hombre razonable entienda a este pueblo? ¡Y qué Deidad poseen! Es un auténtico Plutón. Sin una encantadora Proserpina, naturalmente. En verdad no hay belleza en su Dios ni en su cielo, y ¿quién desea ir allí? —se encogió de hombros.

—Pero lo aman. Uno se pregunta por qué —dijo Aristo—. Sin embargo, habrás de admitir que el Templo es grande y hermoso; por tanto, es posible que su Dios no desprecie la belleza.

Asistió a algunos teatros griegos, y disfrutó con el espectáculo. Pero se estaba ya aburriendo cuando recibió una carta de su amigo Telis, pidiéndole que lo visitara en su casa, pues había regresado de su misterioso viaje a una pequeña ciudad judía llamada Cafarnaum. Telis destacaba que era una ciudad sin importancia. ¡Pero tenía algo que contarle! Aristo debía cenar con él aquella noche.

Recordando que Telis le había prometido presentarle a su agente de Bolsa en Jerusalén, hombre de gran talento, se sintió súbitamente feliz. No ignoraba que, sobre todo, las personas pudientes, aparentaban despreciar la ostentación de la opulencia; pero sabía a ciencia cierta, que se formaba una pobre opinión de los que visten y viven con sencillez. Se colocó pues el ópalo más grande que poseía, rodeado de diamantes, en el índice derecho, una cadena de esmeraldas en torno al cuello, brazaletes de gemas en los brazos, un cinturón de oro y sandalias enjoyadas. Su mano era de tela de oro. "Soy un verdadero Zeus refulgente". Y alquilando una magnífica litera de cortinas de seda y vistosos almohadones, se hizo llevar a la casa de Telis. Recordaría a Telis que, en Tarso, sede de la cultura, conocía a banqueros muy bien situados, que disponía de agentes de Bolsa romanos, y que sus inversiones en negocios marítimos eran importantes. Desde luego le había ocultado su antigua condición de esclavo, aunque sospechaba por algunas maneras de hablar y de comportarse que Telis en alguna época de su vida había soportado idéntica condición. Pero los hombres distinguidos deben dar al olvido todo cuando resulte molesto o humillante. Aristo sólo había insinuado que un amigo suyo, el noble Hilel ben Boruch, le había dejado un considerable legado —cosa que era cierta—, y también que se lo había dado única y exclusivamente como muestra de gratitud.

Telis recibió a Aristo en el pórtico y luego ordenó que avisaran al ama, Iante.

—¿La señora Iante es tu esposa, Telis? —preguntó Aristo con sorpresa, pues jamás aquél había hablado de una esposa.

—No; mi hija, una viuda sin hijos que ahora vive conmigo. Me cuida como una amante esposa.

Aristo prefería la compañía de las jóvenes, y se sintió algo molesto ante la idea de una viuda de mediana edad, pues Telis tenía al menos sesenta años, a pesar de su aspecto varonil y del color de sus mejillas, mejor que en los días del barco. Confiaba en que Telis observara el antiguo orden griego, y que Iante no estuviera presente en la cena, y entonces recordó que Telis se había burlado de las "antiguas" judías, guardadas en casa de sus esposos. "¿Qué más agradable que un hermoso rostro en la mesa? —había preguntado—. Las mujeres no son inteligentes, pero sí gratas a la vista."

Les sirvieron vino en copas de plata, adornadas con una filigrana de hojas de vid; un vino excelente. Aristo hizo un gesto de agrado al probarlo, y, dándose cuenta de que su anfitrión lo observaba asintió lentamente para mostrarse como un perfecto conocedor. Entre tanto observaba a Telis y se maravillaba de su vivacidad, vitalidad y exuberancia, de su aspecto absolutamente saludable. ¿Era posible que éste fuera aquel hombre que había conocido en el barco de Tarso, pálido, descarnado y sombrío, afectado de un tumor en el pulmón y al cual quedaba poco tiempo de vida?

—Pareces mucho mejor de salud, Telis —dijo.

Su rostro brilló:

—¡Ah! Es una historia milagrosa que me propongo contarte esta noche.

—¿Has encontrado a uno de esos santos rabinos que curan en un abrir y cerrar de ojos? —preguntó Aristo con incredulidad.

El sirviente volvió para anunciar que la cena estaba servida, y Telis se levantó y dijo:

—Cenemos si gustas, amigo mío. Después conversaremos.

Entraron en el comedor, y de nuevo Aristo quedó profundamente impresionado por la amplitud y belleza de la habitación, mucho más hermosa que el comedor de la casa de Hilel, y llena de tesoros. Grandes jarrones chinos en los rincones, llenos de flores exóticas y hojas verdes. El aire estaba perfumado. El blanco suelo de mármol brillaba donde no lo cubrían hermosas alfombras, y en la mesa resplandecía un mantel de tejido de plata, y cinco esclavos jóvenes, hermosos y magníficamente ataviados, estaban listos para servir al dueño y a su invitado.

Una hermosa mujer, aparentemente de menos de treinta años, los aguardaba. Alta y esbelta lucía una túnica azul de cinturón enjoyado, y sandalias enjoyadas igualmente. Una auténtica belleza griega, de mentón redondo y lleno, nariz recta, labios carnosos y frente serena, peinada también al estilo griego. Brillantes pendientes colgaban de sus rosadas orejas, lanzando sus reflejos sobre unas mejillas de alabastro. Aristo no había visto una mujer tan hermosa desde la encantadora Débora bas Chebua, y en silencio, con los ojos, le prestó la adoración que un griego debe a una mujer como una diosa. Ella lo vio, y bajó los ojos.

Su padre la tomó tiernamente de la mano, y ella sonrió de nuevo, esta vez con profundo afecto. Telis dijo:

—¿No es mi Iante una verdadera náyade?

La mujer enrojeció y Aristo quedó encantado, pues no recordaba haber visto sonrojarse a una mujer en mucho tiempo, y ésta no era virgen, sino viuda. Se sentó junto a su padre y era evidente que se disponía a prestarle toda su atención y ayudarlo en todo; y Aristo se maravilló de tal devoción, y envidió a Telis.

¡Ay!, pero también pensó que todo aquel lujo y aquellas joyas no eran seguramente resultado de honestos tratos y virtuosos negocios. Sospechó que su anfitrión estaba comprometido en negocios tales como el contrabando bajo las mismas narices de los romanos, si no era en algo peor. Aristo se preguntaba si no podría sonsacarle algunas confidencias cuando se encontraran solos.

Sus sospechas se confirmaron al ver las bandejas de plata, las cucharas y cuchillos de oro, las servilletas del más fino lino egipcio, perfumadas en rosas. El banquete no fue a la manera romana como los que Aristo había gustado con sus nuevos amigos. Fue griego, aunque, gracias a los dioses, no con vino resinoso, sino de un estilo que sólo podía haberlo inspirado el mismo Olimpo. Los judíos refinados lo preferían a los banquetes adaptados a sus antiguas costumbres. Había pescado cocido con mantequilla, y ostras ahumadas, y pan tan blanco como la nieve, y tan caliente como el infierno, cordero asado en una salsa divina, con setas y ramitas de romero, y raíces de jengibre de China, alcachofas en vinagre y ajo —apenas una sugerencia de ajo, al contrario de los romanos—, un lechoncito asado, tan pequeño que indudablemente no había tenido siquiera tiempo de mamar, relleno de hierbas y con una granada en la boca, y hojas de col rellenas de carne especiosa, y uvas, y boles dorados con una mezcla de trozos de fruta y nueces, y una hermosa fuente con muchas clases de quesos, pastas tan delicadas que parecían hechas de nubes, y dulces rebosantes de jalea. Y vino, cuyas polvorientas botellas atestiguaban su edad.

Iante no dejaba de murmurar suavemente mientras elegía bocados para su padre, pero sus palabras no molestaban a Aristo, sino que se añadían a su gozo. Observaba sus blancas manos, moviéndose con destreza. Ella apenas tenía tiempo para comer, aunque los sirvientes le servían, como a Aristo, pasando como hermosas estatuas en torno a la mesa. En alguna parte se oía el benigno y musical son de cítaras y arpas, y todo era armonía.

Aristo observó que su anfitrión, tan tiernamente cuidado por su hija, comía abundantemente y con gusto, y su plato estaba siempre lleno,y bebía como un centurión romano. Era un hombre que sabía disfrutar, que nunca parecía tener bastante, y a veces, al mirarle, el labio inferior de Iante temblaba, aunque sonreía. "Hay algo misterioso aquí", se dijo Aristo. Por momentos Telis parecía más joven y vibrante. Se había transformado realmente. Aristo empezó a sentirse como Tántalo, creciendo su impaciencia.

Aquel banquete digno de Baco llegó a su fin y Iante se retiró, después de conceder a Aristo una sonrisa tan dulce que éste quedó alterado por unos momentos. Cuando Telis empezó a hablar, hubo de hacer esfuerzos para comprenderlo. Pero al fin su asombro dio paso a la incredulidad.

—Cuando me dejaste en Cesárea, querido amigo —dijo Telis—, para que visitara a mis amigos, me puse muy enfermo. Me desperté una mañana, después de una horrible pesadilla,y descubrí el lecho empapado en sangre que fluía de mi boca. Mis amigos hicieron venir a los mejores médicos, entre ellos uno que trata al mismo Poncio Pilato. Y todos anunciaron, agitando la cabeza, que me hallaba *in extremis* debido al tumor. No podía levantar la cabeza de la almohada, ni tragar más que un poco de vino. Me dispuse a morir.

"Esto me resultaba penoso, pues he tenido una vida excitante y aún la considero, como decimos los griegos, como los Grandes Juegos. Tengo propiedades y tierras en varios países, y mis banqueros y bolsistas son comparativamente honrados —todo lo que es posible, lo cual, por desgracia, no es mucho—, pero aún deseaba comprometerme en el juego de la vida, y tengo una hija que es la luz de mi alma —suspiró—. Habrás observado que las mujeres inteligentes no son devotas ni tiernas, pues tienen ojos agudos para las deficiencias de los hombres y gustan de conversar con ellos en todas ocasiones, incluso ante los invitados. Si un hombre se siente enfermo, se limitan a mirarlo fríamente, y a sugerirle que se levante y se vaya a sus negocios, pues la casa requiere dinero, o una hija dote, o hay fiestas que preparar. Además, los dioses necesitan sacrificios y no ayudan a la casa que los descuida. Admitiré que bajo tal presión, nos levantamos del lecho de enfermo y nuestras dolencias desaparecen. Sin embargo, un poco de ternura y conmiseración —aunque retrase la recuperación— alegran el alma de un hombre y son bálsamo para su carne. A menudo las enfermedades no son del cuerpo, sino del espíritu, cosa que una mujer inteligente no tolera. Me temo que tales mujeres sospechan que los hombres no poseen espíritu.

"Por otra parte, la mujer estúpida sirve dulcemente a su marido o padre, y lo trata con ternura y no lo anima a levantarse y salir de casa y dedicarse a los negocios. Más bien lo convence de que debe descansar en el lecho, y lo alimenta con sus propias manos, pidiendo el mejor vino para él, cantándole si su voz es agradable, acariciándole la frente y manteniendo la casa en silencio mientras él medita en su enfermedad y se concede graves pensamientos sobre la vida y la muerte, y el significado de todo ello. Como he dicho, eso tal vez no contribuya a una rápida mejora en su salud, pero, ¿acaso vive un hombre sólo para el dinero, o incluso la buena salud? —a esto, Telis hizo un guiñó y Aristo se rió.

"De modo que —continuó— yo lloraba por mi hija Iante, que heredará todas mis propiedades. Como es hermosa, además de rica, sería presa de hombres malvados y ambiciosos. Pero ahora se me ocurre: ¿Es estúpida Iante, o es una de esas raras mujeres inteligentes que simulan ser estúpidas con objeto de agradar a los hombres? Cuando la veo trabajando diligentemente en las cuentas de la casa, escribiendo y sumando en los libros, y examinando los informes de los banqueros, y mis inversiones, acabo por creer que mi hija es un genio. Pero mientras no exija ser una Aspasia e insista en que se lo reconozca no me quejaré. Sin embargo, temía por ella, pues ni siquiera una mujer inteligente puede luchar con recaudadores, implacables abogados y banqueros, que consideran a una mujer sin protección masculina como su presa natural, apta para ser devorada.

"Tampoco deseaba morir, porque no me atrae el pensamiento de la extinción, ni creo en los dioses, ni en los Campos Elíseos..., un país muy tristón, si hay que dar crédito a los sacerdotes. También tengo una amante encantadora, y me gusta la buena comida y el vino; y, aunque hasta los treinta años mi vida fue en extremo difícil, ahora vivo bien. De ahí que no reflexionara en la muerte con ecuanimidad.

"Mientras luchábamos con la sangre que constantemente acudía a mi garganta y trataba de respirar, recordé la historia que había oído recientemente en Jerusalén, del misterioso y joven rabino que curaba con una palabra o gesto. Tenía algunos seguidores de la pobre provincia de Galilea. Sin embargo, tenía más fama por sus curaciones instantáneas que cualquier otro rabino conocido. También me habían dicho que sus seguidores, e incluso él mismo, afirmaban mantener algún misterioso y directo contacto con Dios, lo que es extraordinario entre esos rabinos. Recuerdo que, antes de salir de viaje hace un año o más, un hombre salvaje del desierto entró en Jerusalén profetizando a este rabino y diciendo que él venía a "preparar el camino". Todos se rieron de él. Sin embargo, esto es extraño. Dicen que Herodes no se rió en absoluto, sino que le preguntó si era la reencarnación de algunos de sus profetas, creo que Elías. ¿Qué sabemos de esos dioses judíos? De cualquier forma el rey Herodes Antipas pareció impresionarse con aquel tempestuoso hombre del desierto, uno de esos alborotadores esenios o zelotes que son un aguijón emponzoñado en el costado de los romanos... por lo que cuentan con mi gratitud.

Hizo una seña, y de nuevo llenaron sus vasos. Tres de los sirvientes escuchaban atentamente, pero sus señores no se daban cuenta de ello.

—Herodes —siguió Telis— es medio judío y medio griego, como la mayoría de los hombres cultos de Israel. Por tanto resultaba asombroso que un hombre como él, tetrarca de Israel, poderoso amigo de Poncio Pilato, y que sacrificaba a los dioses romanos, aparte de observar la ley judía, cuñado de Agripa en Roma, y hombre de gran sabiduría, se dignase escuchar las vociferaciones de un barbudo, sudoroso y sucio habitante del desierto. Sin embargo, por increíble que parezca, Herodes lo escuchó. Incluso estaba dispuesto a honrarlo. ¿No es asombroso? Pero hasta los hombres más distinguidos son a veces supersticiosos. ¿Cómo pagó aquel salvaje tan increíble amabilidad y condescendencia de un rey? Lo acusó del más monstruoso de los crímenes, gritó ante él que era un adúltero, y un asesino, y quizás algo peor.

—¡No! —exclamó Aristo—. ¡No puedo creer tal cosa! Un mendigo... y un rey. Pero, en verdad, nada me sorprende demasiado referente a estos judíos. He visto incluso en Tarso, en sus Días Santos, a los más nobles recorriendo las calles en busca de los más degradados y abandonados, invitándolos a los banquetes y llenando sus manos de dracmas. A veces creo que están locos. Pero, continúa...

—Gracias. Creo que la paciencia de Herodes acabó al fin. Hizo decapitar al hombre por sus insultantes profecías y acusaciones. Y después se entristeció. Nadie sabe por qué. Ni siquiera la esposa de su hermano, a quien se la quitó para casarse con ella, una hermosa mujer llamada Herodías, podía consolarle, y ella es una verdadera Afrodita, según me han dicho. Te cuento todo esto porque el hombre salvaje del desierto habló de un santo rabino desconocido, al que se atribuían los más extraordinarios milagros. Tales rabinos aman a su Dios, pero éste en particular... —agitó la cabeza.

—Sigue —rogó Aristo, tras un instante.

—Sí. Tú sabes que nosotros los griegos tenemos un altar al Dios Desconocido. Está relacionado con ese día distante en que Dios se establecerá en ese altar para nuestra adoración, pues se dice que es más grande que Zeus. Los egipcios, babilonios y persas tienen también esta creencia... y lo esperan. Es una antigua historia. Él gobernará el mundo de los hombres cuando venga para siempre. Los judíos le llaman su Mesías, pero Él pertenece a todos.

—Eso he oído de boca de mi noble amigo, Hilel ben Boruch.

—¡Ah, sí! Para presumir: se rumora que este santo rabino que apareció hace poco es el Dios Desconocido.

Aristo se echó a reír, y rió hasta que las lágrimas llenaron sus ojos. Miró alegremente a su anfitrión, esperando que lo acompañara en la risa. Pero, con gran sorpresa por su parte, Telis estaba muy grave y silencioso, y se miraba las manos unidas y parecía no oír las carcajadas de Aristo. Sus mejillas estaban pálidas y, con estupefacción de Aristo, unas lágrimas se deslizaron por ellas.

—Yo vi al Dios Desconocido —dijo Telis.

"¿Se ha vuelto loco?", se dijo Aristo con desmayo.

—Por favor, atiéndeme —suplicó Telis, y lo miró con tal pasión, tal emoción y urgencia, que el griego quedó de nuevo desconcertado, pues lo consideraba hombre realista y pragmático—. He vivido mucho tiempo en Israel, y sé que aparecen muchos rabinos cuyos seguidores afirman que son el Mesías de los judíos, pues hacen milagros y son santos y sin culpa. Así que hay una ley en el Sanedrín que dice que tales maestros o habitantes del desierto han de presentarse ante el Tribunal para ser interrogados y examinados, pues incluso los sabios y eruditos miembros del Sanedrín ansían al Mesías. Pero nunca afirmaban aquellos rabinos ser el Ungido, y se entristecían si sus seguidores lo gritaban. Sólo querían servir a su Dios en paz, decían; y entonces el Sanedrín los despedía. No blasfemaban esos hombres, amables y gentiles. Como sabes, entre los judíos el blasfemo merece la muerte y generalmente la halla.

"Pero supe en Cesárea que este nuevo rabino no negaba ser el Mesías entre los pobres de su provincia, ni reñía a sus seguidores por afirmarlo. A mí no me importaba. Lo único que me interesaba es que hacía milagros. Estaba en cama, en casa de mis amigos, y medité en ello. Hice preguntas. El hombre andaba por la provincia de Galilea, en la miserable ciudad de Cafarnaum, en las costas del mar de Galilea. Mis amigos, que son supersticiosos, se ofrecieron a mandar un séquito en su búsqueda y escoltarlo hasta la casa.

"Pero esa noche tuve un sueño misterioso. Soñé que una mano larga y blanca como el mármol se extendía hacia mí, y una voz, una voz muy hermosa, me decía: "Ven. Te espero en Cafarnaum".

Aristo no podía hablar. Era como si de repente estuviera cogido en un encantamiento. Miró el rostro de su anfitrión y sus brillantes ojos juveniles.

—Mis amigos fueron amables —dijo Telis—. Salí a la mañana siguiente en su carro más lujoso, cubierto de pieles y atendido por solícitos sirvientes. Fue un largo viaje por aquella área de negras colinas de basalto y tierra, y desoladas montañas y áridos valles. Pero pasó como un sueño. Dormí y descansé. Me llevaba el más ardiente deseo de ver el rostro del santo rabino. Todavía escupía sangre, en ocasiones deliraba y tenía fiebre; había momentos en que creí que ya había muerto, pues tenía una niebla ante mis ojos, en la que brillaban innumerables lucecitas. En ocasiones no me daba cuenta de nada. Una pesada languidez dominaba mis miembros, y rechazaba toda comida.

"Tú no conoces esas ciudades judías, tan pobres, tan desamparadas, tan tristes y llenas de dolor y desesperanza. Viven en el temor, pero son orgullosas. Cafarnaum es típica entre todas. Yo ya no podía hablar; los días eran calurosos y las noches frías, y sentía muy cerca la muerte. Hallamos una triste posada, muy pobre, y allí pasamos la noche.

"Al día siguiente nos dijeron que podíamos encontrar al santo rabino en la calle, hablando con el pueblo, y llevando a todos su mensaje de esperanza. Todos lo amaban. Se reunían en torno a él, tocándole las ropas, rogándole con lágrimas, y él les sonreía amablemente y hablaba de la misericordia de su Dios. Se decía que sus palabras los conmovían menos que su aspecto, pues parecía todo amor y fuerza, fortaleza y consuelo.

"Así que ordené a los sirvientes que me llevaran en una litera por las horribles calles de Cafarnaum en busca del santo rabino. Creí que encontraría a un venerable anciano de barba blanca, pues,

¡hay tan pocos jóvenes santos! Pero llegamos a él repentinamente, cuando hablaba junto a una fuente, y las mujeres, niños y ancianos, y jóvenes y doncellas se agrupaban a su alrededor, y sólo sabían mirarlo, llorando y tratando de tocarlo. Las mujeres llevaban cestos en la cabeza, llenos de verduras, y algunas cargaban cántaros de agua; los niños estaban casi desnudos en su pobreza; y los viejos, débiles y hambrientos, se sentaban en las piedras a los pies de él. Para ellos era suficiente tenerlo allí.

"Me alcé con esfuerzo en la litera, y lo vi...

Se detuvo. Ya no podía reprimir las lágrimas. Los esclavos que lo escuchaban también estaban conmovidos. Aristo frunció el ceño. ¡Esto le parecía indigno de su amigo!

—Te aseguro —insistió Telis— que jamás había visto un hombre parecido a éste. ¡Ah!, era pobre, vestía ropas bastas, llevaba sandalias atadas con cáñamo a sus tobillos y su capa estaba remendada. ¡Pero era un rey! Rubio, como suele ser la gente de Galilea, y tenía ojos tan azules como el cielo de Atenas. Era joven. Pero alto, musculoso y viril, sus mejillas y manos estaban tostadas por el sol, y tenía poder y majestad. Era un rey en harapos.

"Lo supe en seguida. No te rías, mi querido amigo. Lo reconocí instantáneamente como el Dios Desconocido, pero no me preguntes cómo lo supe. Pero la seguridad vino a mí, y me colmó de un gozo que no puedes imaginar.

"Sobre sus anchos hombros llevaba el inevitable chal de las plegarias de los judíos, y movía las barbas mientras hablaba al pueblo con acento amable. No sé lo que decía. Yo me sentí lleno de exultación. Lo vi tocar a los cojos, acariciar a los niños en brazos de sus madres, y fue como si un dios hubiera condescendido a bajar hasta aquellos pobres desgraciados; y sus rostros se encendían de felicidad.

"¿Quién era yo, me pregunté, para que el Dios Desconocido me mirara o se preocupara de mí? Era suficiente haberlo visto, haberlo conocido. Me disponía a marchar, pues me inundaba una profunda paz y no sentía dolor alguno, y la muerte ya no me parecía importante.

"Entonces fue cuando Él volvió el rostro hacia mi litera, y nos miramos algún tiempo en silencio. Después Él sonrió. Alzó la mano para saludarme, como si reconociera a un amigo que había recorrido larga distancia para verlo. E inmediatamente caí en profundo sueño. No me desperté hasta hallarnos lejos ya de Cafarnaum.

"Pero, ¡amigo mío! Gozaba de nuevo de fuerza y salud. Había cesado la hemorragia. Me sentía hambriento. Pedí comida. Cuando llegamos a una posada, salté de la litera y los sirvientes me miraron pálidos y asombrados.

"Imposible —pensó Aristo—. O bien encontró a un mago que lo hechizó."

—¡Mírame! —gritó Telis—. Estoy en perfecta salud. Los médicos están desconcertados. ¡No pueden encontrar falla alguna en mi cuerpo! Y no sucedió día a día, sino de repente, en un instante. ¡El Dios Desconocido me curó con la simple mirada de sus ojos compasivos!

Aristo se aclaró la garganta:

—Entonces... ¿te harás judío en agradecimiento?

Telis lo miró extrañamente:

—Sabemos que los judíos tratan de hacer prosélitos, pero Aquél que me miró no me dijo una palabra. Me dio su santa compasión, de hermano a hermano. Espero su llamada. Entretanto me propongo ser más honrado.

—¡Su llamada! —repitió Aristo con la mayor incredulidad.

Telis dijo:

—Has mirado a mi hija Iante, y ella te ha mirado con interés y placer. Considérala como tu esposa, Aristo. Permíteme decirte que fui esclavo, pero tuve un buen amo y él me educó, y me dejó un legado, libertándome en su testamento. Por tanto, no odio a todos los romanos. Pero... he sido un esclavo.

Aristo se sintió altamente conmovido, y dijo:

—Yo también, Telis. Pero, ¡piensa en lo que me has ofrecido! ¡Tu hija, que brilla como la luna! Ella podría tener un hombre mejor.

Telis extendió su mano sobre la mesa y Aristo la tomó, y fue como si una gran fuerza pasara de él a Aristo, y su corazón se sintió ligero.

Capítulo 20

Saulo ben Hilel dijo con desprecio:

—Me sorprende que des fe, aunque sólo sea ligeramente, a la historia de tu amigo griego Telis, que tiene tan mala reputación en Israel. No —añadió con la sombra de una sonrisa—, lo que hace no es demasiado malo, considerando que roba a los romanos, y que es famoso por haber vendido a damas romanas maravillosas y raras gemas que más tarde han resultado ser piedras sin ningún valor, o cristal pulido. Tiene amigos entre los funcionarios romanos y judíos, a los que soborna generosamente para ocultar sus pillerías, pero creo que hubo una interdicción contra él durante tres años en Roma.

—Dice —insistió Aristo— que ahora se ha convertido en un hombre honrado. O, para citar sus propias palabras, "un hombre más honrado".

Hasta el triste Saulo se echó a reír:

—Veo que no se confiesa del todo, lo que en verdad es griego. Estoy dispuesto a admitir que su precioso rabino de Galilea tenga algunos poderes curativos. Muchos de nuestros pobres rabinos vagabundos los tienen, pues son hombres realmente santos, ya que sirven a Dios más que al hombre.

—Yo sólo sé que Telis parecía un hombre a las puertas de la muerte. He visto muchos moribundos en la vida, y pocas veces me engaño. Tenía todas las señales. Telis no es tonto. Es cínico, y nada supersticioso. Sí, él está convencido de que se hizo un milagro.

Saulo rió de nuevo.

—En cualquier caso —agregó Aristo—, mi amigo Telis, hombre de considerable erudición, juró que el rabino que lo curó era el Dios Desconocido al que esperamos.

—¡Blasfemia! —gritó Saulo—. Y no sonrías. ¿No le dieron a su Sócrates la copa de cicuta porque blasfemó?

—Creo que la verdadera razón fue que animaba a los jóvenes a pensar, a no aceptar simplemente como sagradas las creencias de sus padres, y de su gobierno, sino a reflexionar por sí mismos. ¿Quién sabe qué tumulto habría originado si lo hubieran dejado vivir? Los hombres buenos y sabios seguramente merecen morir, pues son extraños a este mundo.

—No hablas en serio, naturalmente —dijo Saulo con una chispa de su profunda impaciencia habitual—. ¡Ah, me gustaría que éste de quien habla tu amigo viniera como Juan el esenio a Jerusalén, y yo lo denunciaría en su cara y lo expondría al castigo!

—Pero he oído decir que ya ha visitado esta ciudad, y muchas veces. ¿No tienen una orden de que todos los que puedan caminar o montar vengan a la ciudad en los Días Santos? Sí, eso me has dicho. De modo que ese pobre nazareno de la miserable región de Galilea debe haber estado a menudo aquí en su vida. Y me han dicho que también aquí hizo milagros.

—¡No he oído hablar de tales milagros! —exclamó Saulo. Luego se detuvo. Miró a Aristo con ojos relucientes como una espada—: ¿Te describió tu amigo a ese hombre? —había empalidecido y las pecas destacaban en su rostro.

Aristo describió al rabino según le contara Telis, y las cejas de Saulo se arquearon observándolo y sus labios quedaron blancos al escucharlo.

—¿Qué pasa? —preguntó Aristo, observando esto.

—Nada. Creo que he visto al tal nazareno dos veces, y una más en un sueño. Lo conocí inmediatamente por lo que era. Un brujo. Por tanto está condenado, pues los tales llevan un demonio —tembló, y después, con gran sorpresa por su parte, sintió un profundo dolor que no tenía nombre, pero que le parecía relacionado con una traición.

Aristo se aburría con esta charla. Estaban sentados en la pobre habitación de Saulo, con el suelo de tierra y sus molestos olores. El griego había traído vino y pasteles, y Saulo los compartió distraídamente. Moría la tarde.

Se había quedado en Israel más tiempo del que pensara, por Iante, con la que estaba prometido y a la que adoraba. Volvería por su esposa dentro de seis meses, cuando ella hubiera terminado el periodo de luto por su marido. Estaba también seguro de que Telis, aquel pillo comerciante, había iniciado discretas averiguaciones sobre su futuro yerno. No se sentía ofendido. Él hubiera hecho lo mismo; en realidad ya lo había hecho.

Ahora dijo a Saulo:

—Tienes asuntos que arreglar en Tarso. ¿No vuelves conmigo?

—Tengo abogados allí, y agentes. ¿Qué me importan las propiedades? Dispondré que se entreguen al Templo, en Tarso, con un diezmo para el Templo de Jerusalén.

Aristo lo miró como si estuviera loco.

—¡Pero si es una fortuna! —gritó—. Eres un hombre rico, un hombre poderoso. ¿Y vas a entregarlo todo? Vamos, Saulo, no te has vuelto loco, ¿verdad? ¡No hablas en serio!

—No estoy loco y hablo en serio —dijo Saulo.

—¡Oh, dioses! —gruñó Aristo alzando los ojos. De pronto pensó en otra cosa—: ¿Y tu hermana Séfora y sus hijos? ¿No quieres que reciban un buen legado?

—Séfora tiene su propia dote, y está casada con un hombre rico —dijo Saulo—. Lo que me gustaría es ver la tumba de mi padre —siguió con voz profunda—. Y me gustaría rezar por él en su propio templo. Sí. Sé que mi dolor aumentará allí, pero esto no puede evitarse.

—Al menos conserva la casa que tu padre amó. Será un refugio para ti en Tarso, cuando el mundo se te haga insoportable.

—Quizá —dijo Saulo con indiferencia.

Pero la indiferencia era sólo exterior. Pensaba en la casa en que había nacido, llena de amorosos recuerdos. Guardaría aquella casa, que también era la de Séfora.

Dijo:

—Hay algo que no puedo perdonarme: jamás comprendí a mi padre.

Aristo suspiró:

—¡Saulo, Saulo! ¿Es que me comprendes a mí, o a tu hermana, o a tus amigos? ¿Acaso te comprendes a ti mismo? Entonces no te reproches por no haber comprendido a tu padre. Es muy posible que él tampoco te entendiera.

—No sé por qué —dijo Saulo, sonriendo—, pero en cierto modo me consuelas como nadie puede hacerlo, ni siquiera Gamaliel, ni José de Arimatea.

—Probablemente porque hablo con sensatez —dijo Aristo—, y no con misterios y símbolos.

Capítulo 21

El rabino Gamaliel discutía de filosofía con sus alumnos, Saulo entre ellos.

—Los griegos —dijo— han declarado que hay una gran similitud entre su ascética y nuestra antigua fe, y han señalado que Dios, bendito sea Su Nombre, nos ha ordenado que no nos obsesionemos con el mundo secular (por temor a perder nuestro espíritu eterno y el mundo futuro), y sus ascetas han declarado que el mundo de los hombres es extraño al espíritu.

"Pero hay una diferencia de enormes proporciones entre nosotros y los ascetas. No es que el mundo carezca de importancia para los judíos; es parte de nuestro ser, como el cuerpo es de la tierra y el polvo, y nuestras manifestaciones físicas tan animales como las del toro y el caballo. En esa manifestación hemos de tratar con la parte material del mundo, y, si fallamos en esto, desobedecemos al Padre Todopoderoso; pues, ¿no ha dicho Él que Su Mesías tomará nuestra carne? Y, ¿tomaría nuestra carne si ésta fuera despreciable e indigna de Él..., de Él, que la creó? Despreciar el mundo y sus criaturas es, en cierta medida, despreciar a Dios mismo. ¿Por qué frunces el ceño, Saulo de Tarso?

—Perdona —dijo éste—. Me temo que me había distraído un momento.

—Por tanto, ascetas y judíos divergen mucho en su explicación del mundo y la maldad. Un hombre no debe ser enteramente del mundo, a menos que pierda su alma, ni debe ser enteramente del espíritu, a menos que pierda su humanidad. Hace tiempo que lo hemos comprendido y por esto desconfiamos del hombre exclusivamente intelectual, que no sabe trabajar ni tratar con las cosas de la tierra. Su mentalidad puede ser buena o dañina, aparte de tender siempre a la locura. Por saberlo, hemos afirmado que el mundo es verdaderamente nuestro hogar, y que el Mesías lo transfigurará de la misma manera que nuestra carne, para convertirlo en una digna morada del espíritu. No es difícil compenetrarnos con esta idea, pues vemos el mundo dividido en límites y fronteras. Y para el espíritu no hay fronteras ni límites. Es un gran misterio. Es la Verdad, pero siempre un misterio para nuestras mentes finitas.

"En conclusión, debemos recordar esto: si Dios no amara este mundo y sólo lo despreciara, no nos enviaría a Su Mesías. Más bien elevaría las almas de los hombres por encima del mundo y destruiría la tierra, este hermoso jardín de Dios. Por consiguiente, sin lágrimas ni lamentos, debemos amar al mundo de los hombres como una manifestación del Todopoderoso. El hombre ha de ser juzgado justamente. Así como paga por sus errores de espíritu en el mundo futuro, así debe pagar sus errores de la carne en este mundo. Es responsable de sus acciones. Sea débil o fuerte, loco o sabio, humilde u orgulloso, el hombre ha de responder por sí mismo, ha de ser juzgado imparcialmente. No es un esclavo de las circunstancias, como implican los ascetas. Es dueño de todo lo que piensa y hace. Pueden oprimirlo otros hombres, pero, en su alma, es libre —concluyó Gamaliel.

—Salgo mañana para Tarso —le dijo Saulo después de la lección—, pues debo arreglar unos asuntos de la herencia de mi padre. Me propongo venderlo todo, y darlo al Templo de Tarso y al de Jerusalén.

Gamaliel lo contempló un momento atentamente. Luego se limitó a decir:

—Es un propósito ejemplar, pero Dios, bendito sea Su Nombre, también nos ha exhortado a proveer por nosotros mismos en este mundo, de modo que nunca seamos una carga para nuestros vecinos y comunidades. Nuestra religión es sensata y práctica.

Ni siquiera el sombrío Saulo podía mostrarse indiferente, aunque lo intentara, a la generosidad del día. Iba sentado en el carro de cuatro caballos negros de José de Arimatea, que lo acompañaba a la Puerta de Jaffa. Allí lo dejaría en el carro para que siguiera el viaje a Cesárea, donde aguardaba el barco que lo llevaría a Tarso.

En aquellos días José parecía lleno de una excitación y expectación que desconcertaban a Saulo. José nada explicaba, pero latía en él una perceptible alegría, como si tuviera noticias maravillosas.

El viaje a Cesárea fue agradable y sin tropiezos, y Saulo procuró hablar sólo de cosas sin importancia. No veía la sonrisa de José, ni sabía si éste lo comprendía bien. Al fin dijo:

—Es una pena que tu barco no te lleve directamente a Tarso, sino que tenga que detenerse en una isla griega. Pero el tiempo es bueno, y el mar suave y gentil en este tiempo del año, y descansarás.

"Yo jamás descanso —pensó Saulo—. Ni siquiera en mi sueño descanso." Pero forzó una sonrisa con objeto de complacer a su amigo.

Estaban en Samaria, cuyos habitantes se burlaban de los de Judea. Los samaritanos eran alegres, disfrutaban a pesar de la dura vida que arrastraban en sus colinas de piedra y estrechos valles, pero pecaban con gusto, cometían adulterio con alegría, y apenas eran mejores que paganos. Así que, cuando José y Saulo se detuvieron en una posada por la noche, a Saulo no le sorprendió oír música y bailes y una gran animación.

Al día siguiente llegaron al puerto de Cesárea, azotado por el viento. Varias velas del barco romano estaban colocadas ya, y el navío se movía sobre las aguas como un ave. Llevaron los cofres de Saulo a un pequeño camarote. Se despidió afectuosamente, aunque un poco violento, de José, y dijo:

—Volveré dentro de dos meses.

—Descansa —lo animó éste—. Reflexiona. Medita. Han pasado años desde que visitaste tu hogar.

Saulo se había traído libros de comentarios para estudiar, pero una especie de languidez producida por el viento, el mar y el sol, lo dominaba: luchó contra el deseo de dormir, de mirar sólo al cielo y el mar. El hombre no tenía razón de ser a menos que estudiara las cosas de Dios. Pues el mundo de los hombres era sólo un sueño malvado que pasaría, que no tenía sustancia ni realidad. Saulo se había alejado —aunque lo ignoraba— de las enseñanzas de su propia secta farisea. Había absorbido su dureza, pero nunca la claridad, y durante aquellos días a bordo no se le ocurrió que esto era lo que el nazareno había querido decir en las calles de Jerusalén. La piedad sin alegría, la fe sin gozo, el deber sin los placeres inocentes..., todo esto no complace a Dios.

Ni siquiera Saulo podía resistir tanta majestad, aunque sólo poco antes se reprochara que, por admirar el mundo, olvidaba a Dios. "Me pregunto —pensó una vez—, si no hemos descuidado muchas cosas referentes a los Salmos de David, concentrándonos sólo en sus gritos de desesperación y piedad." Pero le pareció un pensamiento blasfemo y trató de apartarlo.

El nombre de la isla griega en la que el barco se detuvo escapó a Saulo, pues no tenía importancia, y el puerto era pobre y ruinoso. No tenía más cargamento que subir a bordo que unas groseras estatuillas destinadas a las casas paganas de Tarso. Y un sólo pasajero, rodeado en el muelle por hombres y mujeres que le besaban las manos, el manto, el borde de la túnica, e incluso los pies. Los niños corrían hacia él y sonreían encantados. Dejaban a sus pies cestos de frutas como ofrendas. Era alto, evidentemente griego, y de aspecto musculoso, y su cabello claro tenía ya manchas grises. Contaba unos cuarenta años. Sus ropas pobres y el manto remendado; llevaba groseras sandalias y una gran bolsa. Sólo llevaba un adorno, un gran anillo en el índice derecho, un anillo real de singular belleza y enorme valor, esto fue lo que captó el interés de Saulo.

Miró al rostro del griego y vio líneas pálidas y esculpidas, y sus grandes ojos azules. El hombre era hermoso. Se veía claramente que no le complacía la adulación que le demostraban los pobres adoradores (¿es que lo consideraban un dios?), pero no les reñía, por amabilidad. Saulo observó satisfecho que sus cejas se fruncían de forma desaprobadora:

—¡Apolo! —gritaron algunos—. ¡Esculapio! ¡Quilón! —Los niños le abrazaban las rodillas, y sus padres lo miraban como al mismo sol.

Saulo vio que llevaba un palo con las dos serpientes de Mercurio enlazadas en él, y que su bolsa era la de un médico. Sintió disgusto. El hombre habría nacido esclavo, y habría sido educado como médico, y luego libertado por algún amo benévolo; de otro modo no iría por las islas con tales ropas y libertad.

Saulo no se había mezclado con los otros pasajeros del barco, ni se había dignado dirigir una palabra a Galo, su capitán. De pronto lo encontró junto a él, mirando gozoso al griego.

—Ahí —dijo— está el famoso médico Lucano, o Lucas, adoptado por el gran noble romano Diodoro Cirino, cuyo nombre honran todos los romanos. Lucas hace honor a la memoria de su padre adoptivo, pues es célebre en todo el Gran Mar, y es hombre de considerable fortuna, y amado del mismo Tiberio César. No acepta pago, ni regalos. Para él es suficiente ayudar a los pobres. No quiere pacientes ricos, excepto los que sus propios médicos han abandonado como casos perdidos, y entonces les pide que den lo suyo para ayudar a los pobres —Galo sonrió y agitó su cobriza cabeza.

Creció el interés de Saulo. No era propio de un griego rechazar dinero.

—Lleva un magnífico anillo —observó.

El capitán echó atrás la cabeza:

—Es el anillo que su padre adoptivo le entregó al morir.

Lucano, el médico griego, se había librado al fin de sus adoradores y subía a bordo, con su palo y su bolsa. Galo fue a saludarlo y lo abrazó con respeto y afecto. Llevó a Lucano a su propio camarote, pidiendo comida y vino, y, cuando pasaron junto a Saulo, Lucano le dirigió una sonrisa ausente. Conservaría luego en su recuerdo la visión de aquel joven sombrío, de ojos enfermizos.

Capítulo 22

—Tu amigo y discípulo Saulo me recuerda la historia de Ixión, en los infiernos, el maldito que gira y gira en silencio, huyendo y siguiéndose a sí mismo —dijo Iante a su marido Aristo.

Éste la miró con admiración. Adoraba a su esposa. Era para él Artemis y Afrodita, escurridiza como una ninfa y tan firme como Hera. No comprendía si era tonta o muy sabia, y esperaba no averiguarlo jamás. Su comentario sobre Saulo era profundo y sutil, pero lo había dicho con la dulzura de una niña. Era deliciosa, y Aristo daba gracias a los dioses —en los que no creía— por haber descubierto tal tesoro.

—Ixión, sí. ¡Mi desgraciado Saulo! Él no sabe que mora en un infierno, que habita en la oscuridad y duerme con la Desesperación. Como muchos judíos, está perseguido por su Dios. Sin embargo, su padre fue alegre de corazón, de buen humor y conversación fascinante, y su hermana es una auténtica deidad.

—No es guapo —dijo Iante—. Quizá las mujeres lo eviten. ¿Por qué no se casa?

—Se ha dedicado a su Dios.

Saulo fue a la tumba de sus padres, pero sintió que Hilel no estaba allí, sino en el fondo del estanque. Intentó imaginarse a su padre en el más allá, alabando a Dios, pero sólo conseguía verlo dormido, como si esperara.

Su hermana Séfora le escribía con su habitual y alegre estilo, y él no sabía ver la inquietud que sentía por él. Le hablaba de su familia, de su marido Ezequiel ben David, de su amada suegra Claudia Flavia, de sus tíos y su abuelo Chebua ben Abraham, cuya salud declinaba, y que había perdido su antigua serenidad y cortesía. "Pero es ahora muy viejo —escribía Séfora— y a menudo parece perder la cabeza. A veces habla de nuestro padre como si aún estuviera vivo, y no le agradara. Pero pregunta cuándo lo visitará de nuevo. Es muy extraño."

En su última carta había escrito: "Hemos tenido muchos disturbios últimamente en Jerusalén, y excitadas discusiones. Un joven rabino de Galilea ha promovido un gran revuelo entre la gente del pueblo, y los sacerdotes y el Sanedrín se muestran muy ansiosos pues los romanos lo vigilan. Tememos que si este galileo origina tumultos y rebeliones —se rumora que es un esenio, y ya sabemos cómo son— los romanos nos destruirán de una vez para siempre. Han sido benévolos con Israel, como con nadie, dejándonos exentos del servicio militar, respetando nuestro Sábado e incluso emitiendo para nosotros monedas especiales sin la efigie acuñada de sus tiranos. Tampoco citan a juicio a ningún judío en sábado, ni profanan el Templo, sino que se quedan en el Patio de los Gentiles con respeto, y escuchan a nuestros hombres santos. Es cierto que sus impuestos son onerosos, pero no más de los que pagan otros pueblos. Durante el último mes hemos respirado un poco. Ese rabino se ha alejado de entre nosotros y ha vuelto a sus colinas, y esperamos que se quede allí. Los que tenemos niños siempre estamos con miedo, y soñamos con amenazas cuando posiblemente no existen".

A pesar de sus profundos y escrupulosos exámenes de conciencia, el propio Saulo no llegaba a comprender por qué la sola mención del nombre del nazareno inflamaba tanto su cólera. Llevó la carta de Séfora al anciano rabino Isaac, ahora muy doblado por los años y con la cabeza cubierta de nieve.

—En otro tiempo —dijo Saulo— mi hermana despreciaba a los romanos y admiraba a los esenios y zelotes, como yo... Comprendo que siendo ya madre, y con niños pequeños, tema por el destino de sus hijos. No debe pues reprendérsele por esto. Pero si Séfora, que fue bien instruida por nuestro padre, y ama a Israel como él lo amaba, se siente inquieta y atemorizada por este... galileo, seguramente hay razón para temer.

El viejo meditó, sin apartar sus irascibles ojos del rostro alterado de Saulo. Luego dijo:

—Has vivido mucho tiempo en Jerusalén. Dime. ¿Has oído hablar antes de ese galileo, o lo has visto? Nunca me lo has mencionado.

El aspecto feroz del rostro de Saulo se acrecentó:

—Lo he visto. Sí.

El rabino aguardaba, pero Saulo no decía nada más.

—Y ¿cuál es tu opinión?

—Es un hombre iletrado —dijo Saulo—. Un ignorante galileo, aunque admito que tiene elocuencia. Habla en parábolas...

—Una característica judía muy corriente.

Saulo lanzó una exclamación de impaciencia:

—Pero esos acertijos parecen incitar al pueblo. En cuanto a su aspecto, es rubio, como la mayoría de los galileos. En ocasiones parece vulgar. En otras ocasiones —me han dicho— parece transfigurado.

—No lo tienes en alta estima —dijo el rabino.

—¡No! Es un blasfemo, un charlatán. Seguramente ya debes haber oído hablar de él a tus amigos de Jerusalén. ¡Llega a permitir que se diga que es el Mesías! Parece que incluso atiende a las cortesanas y a los publicanos.

Una curiosa expresión apareció en el rostro de Isaac:

—Tal vez espera que se arrepientan.

Saulo lo miró fijamente:

—Entonces, ¿sabes mucho de él?

El anciano, sentado en su biblioteca, volvió la cabeza y miró por la ventana la dorada campiña:

—Sí, sé algo de él. Israel bulle de esos rabinos, que a veces hacen milagros. En este aspecto es como los demás. Sin embargo, no oímos hablar de los otros. Luego, es extraordinario; no en su fama ni en la opinión que el mundo tiene de él, sino en su persona. Oscuro, aparentemente sin instrucción, hablando sólo en arameo, sin casa, ni dinero, ni posesiones... Como los otros rabinos. Sin embargo, se apodera de la imaginación de cuantos lo conocen. ¿Por qué? ¿Es un profeta?

Saulo creía ver algo enigmático en las maneras y palabras del viejo. Se impacientó:

—¡Un profeta! ¡Jamás hubo un profeta tan bajo! ¡Ni menos honrado! Los profetas no blasfeman...

—Cuando hablas de él, pierdes por completo el dominio de ti mismo. Eres un joven de fuertes pasiones, pero consigues disciplinarlas. ¿Por qué entonces te alteras de tal forma cuando se menciona al nazareno?

Saulo exclamó:

—¡Lo odio!

El rabino lo miró sin hablar.

—¡Destruirá a Israel! —gritó Saulo, con fuerte y potente voz.

—¿Cómo? ¿Un miserable mendigo de Galilea, por mucha que sea su elocuencia? ¿No tenemos guardias, magistrados y tribunales para suprimirlo, si se vuelve peligroso? ¿Acaso no le estás dando demasiada importancia en tu interior?

—Él no tiene ninguna importancia.

Isaac se alzó de hombros:

—Entonces, ¿por qué discutimos sobre él? Hace un instante que me enseñabas la carta de tu hermana, tan alarmado como ella, y ahora dices: no tiene ninguna importancia. Hijo mío, no has sido sincero conmigo. Dices que odias a ese hombre, y te creo, pero algo se revuelve en ti a la simple mención de su nombre.

—Es un brujo, y se nos ha ordenado que condenemos a los brujos a muerte. Me miró y me sentí débil y no tuve resistencia. Lo habría seguido... sedujo mi alma y es un brujo.

—Los viejos soñamos, los jóvenes tienen visiones. Yo tengo sueños, y son misteriosos —ahora lo miró directamente—. Ya no estoy seguro de nada, excepto de Dios, bendito sea Su nombre. Cuando eras más joven y estuviste en Jerusalén por primera vez, te destrozaba el dolor de que nadie fuera en rescate de los esenios y zelotes crucificados por los romanos fuera de las puertas de Jerusalén. Acusaste a tu abuelo de ser pusilánime. Ahora, sin embargo, expresas tu temor de que este nazareno incite al pueblo y haga que la ira de los romanos caiga sobre nosotros. Hablas como habló tu abuelo.

Saulo apretó los labios con gesto de cansancio:

—No. No hablo como ellos. Mi corazón sigue con los esenios y zelotes. Quisiera que murieran, si es necesario, pero por una causa heroica, la liberación de Israel, o al menos el intento de liberarlo. Pero no por un desgraciado carpintero de Galilea, un blasfemo.

Saulo no volvió a Jerusalén como había planeado. Se enojó consigo mismo, se acusó de estar perdiendo el tiempo, se dijo que Dios estaría disgustado con él. No había alcanzado el conocimiento de la inmediata presencia de Dios, de que Gamaliel hablara, ni se le había mostrado aún el camino. Sólo podía servir como sirve un fiel criado, por amor y devoción. Tenía periodos de éxtasis, repentinas intuiciones en las que todo parecía explicado, y su espíritu ardía de gozo. Pero, al momento siguiente, ni siquiera podía recordar la experiencia, ni lo que así comprendiera. Nada oía. Nada veía. Sin embargo, la memoria de algo que no podía recordar latía ardientemente en su alma y vivía para esos raros episodios.

Una vez aceptó el encargo de defender a un hombre acusado de asesinato ante el Tribunal de Tarso. Saulo se sintió exaltado especialmente cuando el hombre fue declarado inocente y el magistrado lo felicitó por su elocuencia de abogado y su dramática defensa. Saulo pensó: "Acaso Dios quiere que practique la abogacía, defendiendo a los inocentes y ayudando a la justicia".

Se aficionó a recorrer en pleno sol los caminos cercanos a la ciudad, cuando estaban tranquilos y libres de gente. Sus pensamientos, demasiado pesados para la serenidad de aquel tiempo otoñal, lo dejaban agotado.

Un día vio a un muchachito de unos trece o catorce años que jugaba en las polvorientas hierbas junto al camino, con un perrito que ladraba alegremente. Saulo oyó las risas del niño incluso antes de verlo, y le pareció que había algo familiar en aquella risa, como si la hubiera oído antes. Entonces, de la dorada hierba surgió una cabeza gritando al perro, y luego unos hombros juveniles. El pelo era furiosamente rojo, y el rostro cuadrado, los ojos muy azules, la nariz grande aunque bien formada; y tenía pecas.

Saulo, estupefacto, se halló ante su propia imagen. El perrito saltó hacia él y le mordisqueó los tobillos, pero él no lo advirtió. El chico corrió sobre la hierba hacia el camino y Saulo vio sus propias piernas arqueadas y fuertes. Vio entusiasmo, exuberancia y humor en el rostro juvenil, y los labios abiertos en franca risa que revelaban unos dientes como los suyos, anchos, cuadrados, muy blancos.

El muchacho se detuvo en seco a la vista de aquel hombre que parecía haber caído del cielo. Desapareció su sonrisa. Quedó en silencio mirando a Saulo. Su túnica era escarlata, casi del color de su cabello, y el cinturón de plata; y las sandalias, aunque sencillas, eran de buena piel.

El muchachito aguardaba cortésmente, mientras el perro corría junto a él. Miró inquisitivamente a Saulo.

Éste, al fin, pudo hablar.

—¿Quién eres, niño? —preguntó, con voz ahogada.

—Me llamó Bóreas —contestó con una sonrisa—. Porque soy ruidoso, y dicen que levanto tempestades.

Daba la impresión de una energía latente, aunque seguía quieto con el perro en brazos.

—Y ¿quién es tu padre, Bóreas?

Éste señaló hacia el estanque que Saulo jamás había podido olvidar:

—Mi padre es el vigilante de las tierras del noble romano Centorio; además es escriba, y lleva las cuentas. Es liberto

—añadió el chico, alzando orgulloso la cabeza—. Pero yo nací libre.

Saulo sintió que todo su rostro temblaba:

—¿Y tu madre, Bóreas?

Éste se encogió de hombros:

—No la recuerdo. Murió al nacer yo.

"Dacil", pensó Saulo. Y ahora su alma atormentada, siempre dispuesta a acusarlo de todos los pecados, habló firmemente. "No era suficiente —pensó Saulo—, que me acostara con Dacil, a la que amé y odié por lo que no fue su falta, sino que además le di este hijo, que no me reconoce como a padre, ni debe saberlo nunca."

—¿Tu padre es un hombre amable? —preguntó.

El chico quedó asombrado ante la extraña pregunta. Saulo observó que sus modales eran desenvueltos y no temerosos, y se alegró mientras aguardaba su respuesta:

—Mi padre, Peleus, es un hombre bueno y digno, amo. Se casó con otra mujer, al morir mi madre, y tengo tres hermanas.

"No me llames amo", rogó Saulo en su corazón. Había observado que la voz del chiquillo era la de su propia juventud, alta, dominante, segura y rápida. Bóreas seguía hablando:

—Tengo un tutor de la misma casa de Flavio, el tribuno. Mi padre quiere que yo también sea escriba, y lleve las cuentas, y sea respetado por todos.

Saulo deseaba tomarlo en brazos y apretarlo contra su corazón, y sólo entonces comprendió cuán solitario estaba, con una soledad que jamás había imaginado. Se sintió lleno de amor y de dolor.

—Me alegro que tu padre sea tan estimado —dijo, y su voz era amable.

—También es rico —añadió Bóreas, con el candor que Saulo reconoció como suyo—. Un hombre de gran riqueza le dio una fortuna en sextercios romanos cuando yo sólo tenía cuatro años.

El pulso de Saulo se alteró.

—Y ¿quién fue ese señor tan benévolo?

Las rojas cejas del muchacho se arquearon.

—No sé, amo. Nadie lo sabe. Se dio a través de un banco y unos abogados. Se dice que una vez me vio y le gustó mi aspecto y dio a mi padre una fortuna para alimentarme.

"Mi padre —pensó Saulo—, mi padre, que no tuvo más hijo mío que éste; mi padre, que jamás me lo dijo."

—¿Quién eres tú..., amo?

—Mi nombre... mi nombre... —Saulo se detuvo. En bien del muchacho no debía ser reconocido por ninguno de la casa del tribuno, ni por él mismo tampoco. Así que dijo, con voz en la que latía una despedida—: No soy nadie importante, Bóreas. Soy un extraño. Voy a la ciudad y no creo que vuelva a pasar por aquí otra vez.

Bóreas asintió. El perro luchaba en sus brazos, y el chico gritó con la misma impaciencia de Saulo cuando el perro cayó y echó a correr. Al cogerlo y alzarse de nuevo, el desconocido había desaparecido.

Saulo pensó en su padre, que nada había dicho, pero que sin duda reconoció a su nieto y, por grandeza de corazón, había asegurado el futuro de Bóreas. ¿Qué dolor no habría sentido en sus noches, qué anhelos de abrazar a Bóreas y reclamarlo? El chico ni siquiera había sido circuncidado. Era judío, y nadie lo sabía; sólo Saulo. Nunca conocería al Dios de sus padres, ni oiría hablar del Sinaí, de Moisés y de los profetas. Adoraba a los dioses de los paganos, se casaría con una mujer de la sangre de su madre, y la semilla de Saulo se perdería para siempre.

Capítulo 23

A veces Saulo se permitía el enfermizo placer de contemplar a Bóreas desde lejos, mirando en dirección al lago donde jamás había vuelto después de su último día con Dacil. Entonces ayunaba para castigarse de su debilidad. Pero, dado que sus comidas habitualmente eran muy frugales, el ayuno no le resultaba una suficiente mortificación y buscó un castigo más severo. Con este fin, se puso a trabajar en el huerto con sus sirvientes. Sin temor al viento helado que descendía de las montañas, recolectaba dátiles, uvas, granadas, barría las hojas, segaba la hierba. Y le tomó tanto gusto a estos trabajos que estuvo a punto de abandonarlos; aquello era un placer y no un castigo. Pero se dio cuenta de que trabajar rudamente al aire libre lo fortalecía, y recordó que Dios había aconsejado firmemente a los hombres que cuidaran su salud para mejor servirle y no convertirse en una carga para su familia o sus vecinos. Persistió pues en sus tareas agrícolas y, al par que su cuerpo se endurecía, pasaba las noches más reposadamente. Incluso se le abría el apetito y volvía a descubrir las delicias de un vaso de leche fresca, de una porción de cordero asado al punto, de los frutos maduros. Raramente aceptaba invitaciones de los amigos de la familia. Pero acogía siempre a Aristo con afecto.

Pronto la nieve cubrió las cumbres de los montes; las lluvias inundaron el valle, el viento ululaba en los pórticos y sacudía puertas y ventanas. El río se hinchaba y corría embravecido, y, en el puerto, los grandes barcos se balanceaban furiosamente, sin levar velas. En las madrugadas el hielo endurecía la tierra, y la escarcha pendía como cristales en las ramas de los árboles y entre las hierbas muertas. El aire helado daba una transparencia cristalina a la atmósfera, y las voces de los pastores resonaban claramente a través de las praderas. Las cigüeñas de patas rojas sobrevolaron Tarso, y pasaban nubes sonoras de pájaros que emigraban. Era el invierno.

Una paz misteriosa dominaba a Saulo. Presentía que se acercaba su hora. Nunca había asistido a los juegos romanos, pero Aristo le explicó una vez que, en las carreras de carros, siempre había otro conductor esperando, de modo que, cuando el primero era arrojado del vehículo, pudiera ocupar su lugar. Y Saulo se sentía como el conductor que espera impaciente por la carrera, por la victoria, por el premio. En alguna parte el primer conductor había caído, o estaba a punto de caer, y Saulo sería llamado...

Una mañana Saulo quedó sorprendido al ver que florecían los almendros; después de mucho tiempo volvía a oírse el arrullo de la tórtola sobre la tierra... Era de nuevo la primavera. Recibió una carta de su hermana Séfora rogándole que volviera a Jerusalén para la Pascua. Si se apresuraba, escribía, llegaría a tiempo. ¿Por qué seguía en Tarso? Sus negocios habían concluido.

Saulo aceptó la invitación del rabino Isaac a cenar en su casa. Y a la mañana siguiente se despertó pensando que al anochecer se celebraría la Pascua, este día santo entre todos los días santos, en el cual se ofrecían sacrificios al Señor *que ha pasado ante las casas de los hijos de Israel en Egipto, cuando quiso castigar a Egipto, mientras preservaba nuestras casas.* Después del oficio en la sinagoga, las familias judías de Tarso se reunirían en sus hogares y ante una mesa bien abastecida, iluminada con candelas, los abuelos contarían a sus hijos el milagro pascual.

Hacía ahora buen tiempo en los jardines, y Saulo paseaba por ellos gozoso, como jamás lo estuviera, ante la hermosura de la tierra que parecía alegrarse con los hombres. Los pájaros cantaban en el apasionado verde de los árboles. Florecían los mirtos. El suave viento acariciaba las nuevas flores, y pequeñas nubecillas blancas cruzaban el vívido azul del cielo. Los capullos de los lirios eran como bulbos de alabastro, brillantes y traslúcidos. Era mediodía, un día de extraño calor, y Saulo se sentó en un banco de mármol y miró a la vida que susurraba y cantaba en torno suyo, y se rió al ver huir a una lagartija junto a sus pies.

Aumentó el calor y Saulo entró en la casa y durmió un rato. Cuando se levantó pidió leche, pan y queso. El intendente, al servírselo, dijo:

—Señor, habrá tormenta.

Las puertas estaban abiertas y, desde su asiento en el comedor, Saulo podía ver el jardín. En el exterior la luz era tan viva que hería la vista. No se percibía ni el canto de un pájaro ni un soplo de viento. Reinaba el silencio precursor de las tormentas; pero el cielo era todavía de un azul radiante.

Cuando acabó de comer salió de nuevo al jardín; jamás había visto una luz tan terrible ni sentido tanto calor, ni siquiera en el desierto. Respiraba agitadamente, y el sudor le resbalaba por el rostro. El ojo enfermo empezó a lagrimearle y el otro también. La túnica se le pegaba al cuerpo con el calor. Los árboles inmóviles brillaban. Y las flores, los pilares del pórtico, las paredes de la casa, incluso el estanque, resplandecían extraordinariamente, como si se hubieran vuelto incandescentes bajo el fuego del sol. El calor aumentaba.

El cielo implacable seguía sin una nube. Saulo miró las montañas enrojecidas: temblaban como si un fuego interior las devorara. Se encaminó hacia el valle para ver el río, y la corriente del agua lo deslumbró con sus destellos. Cerró los ojos, pero aun así, en la oscuridad de los párpados, seguía viéndola y había tomado el color de la sangre. Manteniendo los ojos cerrados, se sentó en un banco de mármol y respiró con ahogo. Un sudor frío bañaba su cuerpo. De pronto sintió frío. Una ráfaga de viento helado lo azotó salvajemente.

Abrió los ojos. Y, ni podía creerlo; negras nubes cubrían la tierra y la oscuridad lo rodeaba. "Me he quedado ciego", pensó aterrorizado. "Aquella luz tan viva me ha quitado la vista", y lanzó un gemido desesperado. Entonces, sintió bajo sus pies oscilar la tierra, que empezó a temblar con fuertes y repetidas sacudidas, acompañadas de un ronco y temible ruido que resonaba en su interior, mientras el viento seguía ululando en el cielo negro y vacío. Voces de hombres y griterío de mujeres despavoridas le llegaban del interior de su casa. Y el suelo seguía moviéndose, ondulando, como un navío sobre las olas que amenazaran engullirlo.[1]

Saulo, incapaz de moverse, comprendió entonces que no se había quedado ciego, pues oyó gritos de: "¡Luz, luz! ¡Encended las lámparas de la casa!" Dejó que el aliento escapara lentamente de sus labios y se aferró al banco para no ser despedido a tierra.

Saulo, aterrorizado, se imaginó realmente que había llegado el terrible Día del Señor: su ira barrería con el viento y el trueno la faz de la tierra que se abriría para devorar las ciudades y todas las obras de los hombres.

[1] Un enorme terremoto se registró a esa hora en Nicea. En el cuarto año de la 202 Olimpiada, Flegon escribió que "una gran oscuridad cubrió toda Europa, inexplicable a los astrónomos", y que envolvió a Asia también. Los informes de Roma, según Tertuliano, hablaban de una completa y universal oscuridad que aterrorizó al Senado y originó gran temor en toda la ciudad, pues no había tormenta, ni nubes. Los informes de los astrónomos griegos y egipcios demuestran que aquella oscuridad fue tan intensa durante algún tiempo que incluso ellos, escépticos hombres de ciencia, se sintieron alarmados. La gente gritaba, dominada por el pánico en las calles de todas las ciudades, y los pájaros se hundían en sus nidos, y el ganado regresaba a sus establos. Pero no hay notas de un eclipse de sol; ningún eclipse se esperaba. Fue como si el sol se hubiera retirado del espacio y se hubiera perdido. Grandes terremotos, algunos de ellos bastante destructivos, se registraron en muchos lugares. Los códices mayas e incas hablan también de estos fenómenos, teniendo en cuenta la diferencia en la hora solar.

Respiraba con dificultad. La tierra se calmaba, pero el profundo rumor continuó por algún tiempo, como si piedras inmensas se deslizaran unas sobre otras en el insondable abismo interior, y llegara el caos y todo desapareciera en la noche interminable. El negro aire helado azotaba las mejillas de Saulo, sus brazos y piel. No sabía si la tierra temblaba aún, o si era él quien temblaba.

Mirando en las tinieblas aguardó lo que había de venir ahora, sin apenas darse cuenta de los gritos que salían de la casa. El viento empezó a decrecer, a ser menos furioso. Un hálito de calor llegó a su cuerpo. Después, poco a poco, menguó la oscuridad y una pálida luz empezó a lucir en el zenit. De pronto el sol volvió de nuevo a la vida, tan brillante como siempre, tan cálido, y cesó el gemido de la tierra, y todo fue paz y dulzura. Los pájaros se lanzaron a cantar de nuevo y una fuerte y apasionada fragancia surgió de la tierra.

—Gracias, Dios mío —dijo Saulo en alta voz, y se levantó. Vaciló por un instante y comprendió que había sentido el más profundo terror de su vida, más profundo que el de la muerte.

Se dirigió a la casa. Sus sirvientes estaban postrados en el suelo, cubriéndose la cabeza con las manos. Lloraban, pero Saulo no sabía si de temor o de alivio.

—Fue un eclipse de sol —les dijo amablemente—. Todo está bien ahora.

Era una mentira compasiva, pero ignoraba la causa del fenómeno. Como había estudiado algo de astronomía en Tarso, sabía que ningún eclipse se había predicho para esta víspera de la Pascua. ¿Se había desencadenado una extraña tormenta sobre Tarso? Jamás oyó hablar de una semejante, pero su vida no había sido larga. Los terremotos no eran extraños en esta parte del mundo, sino bastante frecuentes. Sin embargo, era muy raro que el sol hubiera desaparecido, y hubiera llegado la noche, y que un terremoto acompañara esta desaparición.

Fue a su cámara a meditar. ¿Se habría observado el mismo fenómeno en otros lugares? Escribiría en seguida a Jerusalén.

Entonces se le ocurrió que en el mundo había ocurrido algo terrible, algo espantoso, quizá inexplicable. Dios había pronunciado una Palabra y el firmamento se había agitado, y temblado los fundamentos de la eternidad, y el mundo sufrido una convulsión. Unió sus manos y un estremecimiento recorrió su cuerpo.

Pidió a un sirviente el carro pequeño y marchó a casa del rabino Isaac. Los campos y las corrientes del valle estaban bañadas por una amable luz, pero Saulo vio grupos preocupados, reunidos en los pórticos de las casas, discutiendo con vehemencia. Pasó por el templo de Isis, lleno de gente que llegaba hasta el pórtico, y pudo oler el incienso, y oír los encantamientos y plegarias de los sacerdotes del interior, y el sonido de flautas, arpas y cítaras.

La casa del rabino Isaac estaba tranquila, pero el viejo, muy pálido y con manos temblorosas, dijo en seguida a Saulo:

—Pensé que era el terrible Día del Señor.

—Yo también —repuso Saulo. Después, viendo la agitación del anciano, le abrazó impulsivamente—: Ya será explicado —dijo, como a un niño.

—¿De verdad? ¿De verdad? —murmuró el rabino—. Lo deseo de todo corazón.

Dos días más tarde, cuando Saulo salió de nuevo a pasear por el jardín, vio que los lirios estaban totalmente abiertos al sol, brillantes sus corolas, y que exhalaban un perfume de tal intensidad que era como una plegaria.

Capítulo 24

Saulo escribió a Jerusalén, a su hermana, a José de Arimatea y a Gamaliel, preguntándoles si habían observado "un fenómeno notable y extraño" que tuviera efecto la víspera de la Pascua. Él, Saulo, lo consideraba algo local, sin significado, pero "interesante". Selló la carta y la envió a Jerusalén, no sin alguna timidez. Mientras tanto trató de explicárselo racionalmente una y otra vez, a sí mismo y especialmente a Aristo, quien se limitó a alzar las cejas y a sonreír. Sólo hizo un comentario:

—Saulo, yo lo creí un suceso terrible. Si tuviera fe en los dioses —cosa que afortunadamente no sucede— diría que el Olimpo se había convulsionado hasta su mismo centro, y que Zeus había decidido destruir este mundo con su ira divina, pero que se había reprimido en el último momento, probablemente por pensar que, si destruía el mundo, también quedarían destruidas miles de encantadoras doncellas. Éste no es un pensamiento ligero.

A Saulo no le importó su ligereza, ni habló de su propio terror aquel día. Tal vez una negra nube de tormenta, sugirió, se había condensado sobre Tarso por algún tiempo, retirándose luego.

—Una nube tan negra —contestó Aristo— que el sol desapareció y las estrellas se asomaron. Yo mismo las vi. No, Saulo, prefiero creer en algo sobrenatural.

Se echó a reír, viendo que lo había enojado.

La primavera fue dando paso al espléndido verano, y una luminosa niebla suavizó las montañas. Saulo se sentía más y más impaciente, y más y más convencido de que aguardaba una llamada que no recibía. Cada día renovaba el propósito de volver pronto a Israel. Una mañana su vigilante se le acercó muy excitado para informarle que tenía un importante visitante, romano, y capitán de la Guardia Pretoriana.

—¡Tito Milo Platonio! —exclamó Saulo, apresurándose a entrar, con sus manos llenas de tierra, encantado y sorprendido al ver a su primo esperándole en el atrio. Los dos hombres se abrazaron afectuosamente. Milo se quitó el casco, se aflojó el cinturón y miró en torno con evidente placer.

—¡Y todo esto para un hombre sin esposa ni hijos! —dijo—. ¡Ni siquiera yo tengo en Roma una villa así! —su fuerte rostro moreno estaba curtido por el tiempo, y sus cabellos mostraban hebras grises, pero todavía conservaba su antigua elegancia, su aire militar y su serenidad acostumbrada.

—Vuelvo a Roma desde Jerusalén —dijo, como si examinara cada palabra—. Mis padres son viejos ya. También mi padre desea volver a Roma, donde espera que lo elijan tribuno. No les había visto en cuatro años, ni a mis hermanas y a sus hijos. Mi barco se detuvo en Tarso y decidí visitarte.

—De otro modo no lo hubieras hecho —dijo Saulo, sorprendido de su propia desilusión, pues suponía que la visita de Milo se debía sólo al afecto que se profesaban.

—Te equivocas. Elegí este barco porque deseaba visitarte.

—¡Ah! —exclamó Saulo, y, con su antigua impetuosidad, extendió la mano a su primo y ambos se estrecharon los dedos en un firme apretón—. Tienes, pues, algo grave que decirme. En nombre de Dios, ¡dímelo en seguida, si es algo malo!

—No son malas noticias —dijo Milo—. Son noticias portentosas.

—¿De mi familia?

—En cierto modo. Pero se refieren... —Milo se detuvo y no miró directamente a Saulo ahora, sino hacia los jardines, como si temiera decir alguna extravagancia, pues ¿no era romano?—. Se refiere —continuó, enrojeciendo de embarazo— a todo el mundo.

Instantáneamente los pensamientos de Saulo volvieron al fenómeno de la víspera de la Pascua y a la carta que había escrito recientemente. Pero no habló. Siguió mirando a Milo con sus metálicos ojos, y una tensión extrema se apoderó de él.

—Soy judío, además de romano. Hago sacrificios a Marte en su templo —dijo Milo—, y tengo la más profunda devoción a Júpiter, aunque en verdad no puedo considerar divinidades a Julio César y a Cayo Octavio César. Pero los honro también en sus templos, aunque me ría en mi interior. ¿Creo en los dioses de Grecia y Roma? No lo sé. Están llenos de esplendor y belleza y resultan comprensibles a los hombres. Comparten nuestra naturaleza. Por otra parte, soy hijo de mi madre, y por tanto fui circuncidado y presentado en el Templo.

"Ahora, cuando voy al Templo o a la sinagoga, me quedo en el Patio de los Gentiles, pero lo que oigo del interior del Templo me exalta la sangre con sus antiguos cantos y movimientos. Pero, cuando me hallo ante el altar de Marte, también me siento conmovido, y creo en él con absoluta fe..., como creo en el Dios de Abraham y de Jacob.

Saulo dijo:

—Los griegos creen que todas las religiones contienen cierta medida de la verdad, pero no toda la verdad, Milo.

—Y ¿tú no?

Saulo vaciló:

—Mentiría si dijera que creo a los griegos. Yo creo que sólo hay una Verdad, bendito sea Su Nombre, y espero Su Mesías

—vaciló de nuevo—: Perdóname si te he ofendido, pero no puedo mentir.

—¿Has oído hablar del galileo Yeshua de Nazaret, o Jesús, como lo llamamos los romanos?

La rigidez se apoderó de Saulo. Inclinó la cabeza sin hablar, pero su rostro se endureció.

—Tu hermana, mi prima Séfora, te escribe sobre Él, este Jesús, y yo te traigo su carta, y cartas de José de Arimatea y mis padres. —Ahora Milo vaciló, luego alzó el rostro y miró a Saulo firmemente—: ¿También Tarso se oscureció en la víspera de la Pascua?

Una tremenda excitación se apoderó de Saulo que exclamó:

—¡Sí, sí! ¡He escrito sobre ello a mis amigos, y a mi hermana! ¿Se oscureció Israel? ¡Imposible! ¡Sólo fue una nube de tormenta sobre Tarso!

—Una nube muy extraña —dijo Milo—. He recibido cartas de mis compatriotas en Roma, de mis compañeros soldados. Esa "nube" también cubrió Roma, durante considerable tiempo, y a la misma hora en que cubría a Cilicia e Israel. Y he oído lo mismo de Asia Menor, Egipto y las Islas de Grecia. Pero antes de seguir hablando de este acontecimiento, es necesario que te explique otro. Seguramente no habrás tenido noticias de Séfora desde antes de Pascua, ¿verdad? Yo te diré por qué: su hijo Amos, el favorito de la familia, un muchacho de gran virtud y fortaleza, cayó gravemente enfermo, de una misteriosa enfermedad, y fue desahuciado por los médicos.

—Pero ¿se recobró? —exclamó Saulo con ansiedad.

—No. Murió.

—¡Oh, Dios mío! —gritó, vencido por la angustia—. ¡Oh, no es posible! Yo conocía al chico. Se parecía a mi padre.

Se cubrió el rostro con las manos y gimió:

—Me juraste que no traías malas noticias y has destrozado mi corazón.

—Se te aliviará —dijo Milo amablemente, y Saulo asombrado, dejó caer las manos. Su rostro estaba cubierto de lágrimas.

—El muchacho murió al amanecer —continuó Milo, mirándolo ahora francamente al rostro—. Los tres médicos estaban con él, uno de ellos un famoso egipcio. En dos horas el muchacho quedó frío como el hielo. Le habían cerrado los ojos y la boca. La casa estaba llena de llantos. El muchacho yacía en el suelo, cada vez más lívido y fantasmal, de modo que era una agonía mirarlo. Se aproximaba el anochecer, la hora de su entierro.

Saulo cerró los ojos rápidamente, pues veía lo que Milo había visto, y su corazón se sentía enfermo.

—Parece ser... —la voz de Milo se hacía como lejana— que había un sirviente en la casa que había visto a Yeshua de Nazaret y caído a sus pies. Era un viejo y devoto sirviente que amaba al muchacho. Así, sabiendo que Yeshua estaba recién llegado de nuevo a Jerusalén, sin duda para celebrar la Pascua según la ley, corrió a buscarlo. Y lo encontró.

El rostro de Saulo se había transformado de tal modo que Milo apenas podía reconocerlo. Pero siguió:

—Mientras las mujeres lavaban al niño muerto, el nazareno llegó a la puerta de la casa con algunos de sus pobres discípulos. El sirviente les indicaba el camino. Y Jesús entró en la hermosa casa de tu abuelo, y miró tristemente a los que lloraban. No les habló. Se aproximó al muchacho, que envolvían en vendas. Lo contempló. Parecía que Yeshua, o Jesús, estuviera a punto de llorar, no porque el muchacho estuviera muerto...

—¡Ha profanado la casa de mi abuelo! —susurró Saulo en furioso terror.

—¡Escúchame! —gritó Milo, perdiendo por primera vez su compostura militar—. ¡No me has escuchado, Saulo ben Hilel! ¡Has estado escuchando sólo a tus propios pensamientos, terco, obstinado! Pero ¿acaso no fuiste siempre así?

"Escúchame. Jesús extendió su mano y dijo: "A ti te digo, levántate, Amos ben Ezequiel". Y el muchacho se agitó en su mortaja, y abrió los ojos y miró en torno con extrañeza. Alzó la cabeza y los que lloraban se pusieron en pie con gritos terribles, y luego se echaron junto a él, para sentir el calor de su carne y ver cómo el color volvía a sus blancas mejillas y labios. Nadie más que el sirviente vio marcharse al nazareno.

Saulo se puso en pie de un salto y se dirigió rápidamente a una columna del pórtico, apoyando allí la mano para sostenerse, de espaldas a su primo.

—¿No lo entiendes? —insistió Milo levantándose también, pero aún junto a su silla—. El que estaba muerto, recibió nueva vida. El que estaba muerto, fue resucitado en un abrir y cerrar de ojos y devuelto a los brazos de su familia. ¡Tu sobrino vive, Saulo de Tarso, tu sobrino vive!

—Te equivocas —dijo Saulo con voz sofocada—. Jamás estuvo muerto.

—Yo estaba allí —dijo Milo—. Te juro, por el Dios de Abraham y de Jacob, que estaba allí y lo vi por mí mismo, y también muchos. Soy soldado. He visto a la muerte innumerables veces. Conozco su aspecto, y el olor de la muerte. Tu sobrino estaba muerto, como cualquier caído en el campo de batalla.

—Entonces —dijo Saulo sin volverse— fue por algún maligno encantamiento, y mejor hubiera sido que mi sobrino hubiera seguido muerto. ¿Quién sabe lo que se habrá hecho de su alma?

—Saulo, Saulo —dijo Milo, rellenando un vaso—. ¿Te has olvidado de la extraña oscuridad? Verás, Jesús de Nazaret fue encarcelado por blasfemo, a instigación del Sumo Sacerdote, que es amigo de Pilato. Fue llevado apresuradamente, de noche, ante unos cuantos miembros del Sanedrín, muy pocos, pues no lo consideraban importante, sino sólo un pobre trabajador, indigno de la reunión de todo el tribunal, y lo declararon culpable de blasfemia. Y de algo peor, aunque no se mencionó en el tribunal: de incitar al pueblo de Israel a alzarse contra los romanos y destruir así la ley y el orden. Me han dicho que el Sumo Sacerdote dijo, temiendo a los romanos: "Mejor es que muera un hombre que no toda la nación".

Saulo apenas podía hablar, pero una especie de feroz alegría brillaba en sus ojos.

—¡Fue crucificado!

—Sí —dijo Milo, clavando en él una formidable mirada—. Fue crucificado. A mediodía, la víspera de la Pascua. Murió tres horas después, en la cruz, en el Lugar de la Calavera, llamada Calvario, y en el instante de su muerte hubo un gran trueno y la tierra tembló y todo quedó en oscuridad. Y... el Velo del Templo que oculta al Sancta Santorum se rasgó en un instante. Yo estaba allí, en el Calvario.

"Yo creo que Él es el Mesías —prosiguió Milo—. Creo en el testimonio de mis propios sentidos, mis ojos y oídos. Yo estaba en casa de tu padre y vi cómo resucitaba el niño. Vi la muerte de Jesús de Nazaret y lo vi resucitar de entre los muertos".

—No siempre confío en la evidencia de mis sentidos. Nuestros sentidos son frágiles y fácilmente resultan engañados. Hay mil explicaciones racionales para lo que tú crees que sucedió.

—Y cada una más increíble que la otra —terminó Milo—. Te he traído unas cartas. Léelas.

Con rostro lleno de suspicacia, Saulo leyó la carta de su hermana Séfora, en la que relataba lo sucedido en casa de su abuelo, que se ajustaba a lo que Milo había contado:

"¡Con toda seguridad es el Mesías! —escribía gozosa—. Lo sabemos en nuestros corazones, en nuestras almas, en nuestra casa. Esta casa está bendecida, pues Él entró en ella y nos devolvió a nuestro hijo. Lloramos cuando supimos que lo habían condenado por incitar la rebelión contra Roma y por blasfemo. Pero recordamos las profecías. Aguardamos con paciencia... y Él resucitó de entre los muertos, como había resucitado a nuestro hijo. ¡Bendito sea Israel que ha conocido este día, y benditos nosotros que vivimos en sus años! Ahora, con mayor felicidad y paz, podemos decir: —¡Oye, oh Israel! ¡El Señor es eterno, el Señor es Uno!"

Había también una breve carta de José de Arimatea:

"Tu primo Tito Milo Platonio te dirá lo que vio con sus propios ojos y oyó con sus propios oídos. Pero yo Lo conocí desde el principio. Yo me regocijo, porque Dios no ha olvidado a Su pueblo, y nos ha dado el Mesías."

Saulo dejó la carta en silencio; luego la miró sobre la mesa. Se sentía personalmente traicionado, pues, ¿no había llegado a querer a José como a un segundo padre? Se acordó de la visita que había hecho con él a los esenios en el desierto, donde encontraron también a Juan el Bautista. En personas así basaban su inmortal esperanza y su fe hombres de gran cultura y nobleza. ¿Es que habían perdido la razón?

Se volvió a Tito Milo y el capitán pretoriano vio, con gran dolor, el disgusto de su primo.

—Volveré en seguida a Jerusalén —dijo Saulo—. Y haré lo que pueda, con la influencia que tengo, y con todo mi dinero y conocimientos, por destruir ese mito de Yeshua de Nazaret, pues si no es destruido, todo Israel perecerá en herejía y blasfemia. La ira de Dios debe ser aplacada.

Milo dijo:

—Procura más bien que tú no la provoques, Saulo de Tarso.

Capítulo 25

Saulo había desconfiado siempre de sus propios temores, emociones y observaciones subjetivas, pues, como Gamaliel le dijera a menudo: "Es un error, y a menudo peligroso, esperar que otros acepten nuestras conclusiones y experiencias subjetivas como hechos objetivos. Ahí está el peligro, según ha ilustrado con frecuencia la historia de muchos hombres buenos, pues éstos, convencidos de que sus convicciones subjetivas eran la verdad, trataron de imponerlas a otros, con violencia y entusiasmo, y eso llevó frecuentemente a matanzas, a leyes crueles y opresivas, al despotismo y a la locura universal".

Saulo, que tendía a ello por naturaleza, tuvo que admitir de mala gana que Gamaliel tenía razón. Practicaba la disciplina siempre, a veces con éxito. Ahora sentía cierta desconfianza ante sus impresiones subjetivas, sospechando que su mente influía en la realidad de lo que él llamaba un hecho.

Sin embargo, cuando entró en Jerusalén, sus sentidos, su intuición o su imaginación lo llevaron a creer que la ciudad había cambiado de modo indescriptible. Mientras recorría las calles en un carruaje que alquilara en Jaffa, vio, o creyó ver, cierta calma que lo impregnaba todo, incluso a la gente de las calles; y que hasta la luz se había alterado. Se dijo que esto era absurdo. Había esperado algún cambio, y su imaginación lo satisfacía. Pero... ¿no había un aspecto diferente ahora en los rostros? ¿No había menos ruido y bullicio en calles y mercados? ¿Era posible que una ciudad tuviera vida propia, secreta a los hombres, y que sus vastos pensamientos metamorfosearan el mismo aire, los ángulos de luz y sombra?

Era a fines de verano, y las colinas y campos estaban dorados con las cosechas, las distantes montañas tenían un profundo tono púrpura, y las murallas de Jerusalén, a los ojos de Saulo, mostraban el brillo más profundo que jamás viera. Ni el día, ni la noche ni la hora, eran los mismos que le precedieron, y, en casi un año, Jerusalén debía haber cambiado inexorablemente. Eso era lo que sus habitantes no observaban, mientras lo notaba el viajero que regresaba.

Fue primero a su tienda, en la Calle de los Fabricantes de Tiendas. ¿Había sido siempre tan estrecha, tan oscura, tan maloliente? El ruido de los telares era más alto ahora que las voces en las tiendas. ¿Había sido siempre así? Dejó sus escasas posesiones y un pequeño baúl, y miró la pobre luz con sensación no de haber llegado al hogar, sino al exilio. Agitó las mantas, que olían a moho. Abrió las ventanas. Los ratones habían andado muy ocupados por allí, y los maldijo interiormente. Fue al mercado más cercano, y, de pie sobre las piedras de la calle, bebió algo de vino, comió queso y compró una hoja de parra llena de carne caliente y cargada de especias. Un mercader discutía allí cerca con otro, y, aunque quedaban ocultos a Saulo por la pared de la tienda, podía oírles.

—Te lo digo. Él era el Mesías.

—Calla. Serás acusado como él de blasfemia y herejía. O de incitar contra Roma. Si los sacerdotes no te agarran por el cuello, lo harán los romanos.

—¡Bromeas! Pero te digo de nuevo que yo le vi dar luz y vista a los ojos de un ciego, que se sentaba siempre en los muros del Templo pidiendo limosna.

—He oído decir lo mismo de muchos de nuestros pobres rabinos, en el pasado. ¿Es ésa toda la prueba que tienes? —el comerciante soltó una risita.

—No, fue algo más. Yo vi su rostro, y supe que era el Mesías. Mi corazón me lo dijo. Mi alma...

—Si no atiendes al fuego, la comida se convertirá en cenizas.

Hubo una sofocada maldición, una humareda que salió hasta la calle, olor a carne quemada. Saulo comía sin darse cuenta. Tito

Milo Platonio había dicho lo mismo: "Yo vi Su rostro y supe que era el Mesías". El mercader dijo entre toses:

—Ríete si quieres, pero es cierto, y un día sabrás que lo es.

Volvió a su tienda, se bañó, se puso sus mejores ropas y fue a casa de su abuelo, Chebua ben Abraham. Había comprado en Tarso regalos para su hermana y sus cinco sobrinos, y, a pesar de su frugalidad, había gastado mucho dinero. También había traído una limosna para el Templo de Jerusalén, según lo acostumbrado. Al poner los regalos en su bolsa pensó que no había comprado nada para el marido de Séfora, aquel hombre amable y silencioso, de ojos azules. Se enojó consigo mismo. Pero era fácil olvidarse de Ezequiel, que nunca tenía nada que decir.

Claudia Flavia había engordado con los años, aunque sus ojos eran aún claros y observadores. Estaba sentada en una silla de ébano junto a Séfora, que, en opinión de todos, era ahora una joven y decorosa matrona. Pero sus ojos dorados eran aún alegres y elocuentes cuando miraba a su amado hermano. Sus ropas eran modestas y discretas. Estaba sentada, con las manos pacientemente unidas en su regazo; y Saulo, por primera vez en su vida, la aprobó, aunque nunca había dejado de quererla.

Había venido aquí con un propósito definido, y Claudia lo comprendió al cabo de unos instantes, por lo que lo miró con sinceridad, aguardando.

Saulo acercó a sí a Amos, con mano amable pero perentoria, y el muchacho lo miró con los dulces ojos de Hilel, en los que brillaba la inteligencia. Era alto y esbelto, con una boca firme y hermosa. "Así debía haber sido Hilel en su juventud", pensó Saulo, con el familiar dolor en su corazón.

—Me gustaría hacerte unas cuantas preguntas —dijo, y miró a Séfora—, con el permiso de tu abuela y de tu madre.

Claudia y Séfora asintieron serenamente.

—Me hablaron de tu enfermedad, antes de la Pascua —dijo Saulo, mirándolo fijamente a los ojos—. Dime: ¿Comiste o bebiste algo peculiar antes de tu enfermedad? ¿Algo que tus hermanos no comieron?

El chico negó desconcertado. Pero Claudia y Séfora intercambiaron una rápida mirada.

Sin dejar de clavar en el muchacho sus ojos fieros y dominadores, Saulo preguntó:

—Ese sirviente, el viejo Céfalo, el griego, ¿no te dio un dulce, o una pasta, antes de tu enfermedad, o una copa de vino que nadie más compartió?

—No, tío —repuso Amos—. Céfalo no viene a esta parte de la casa.

—¿Te ha hecho alguien antes estas preguntas?

—No —contestó el muchacho, con labios ahora francamente temblorosos.

—Pues ahora yo te pregunto.

—Yo... soñé —dijo Amos, y trató de retirar la mano. Pero Saulo la retuvo.

—¿Con qué soñaste?

—Me desperté en un hermoso país, más hermoso que cualquier parte de Israel. Había montañas de marfil y oro en la distancia, y brillaban, aunque yo no veía el sol. El cielo era muy azul. Y entre las montañas y yo había amplios valles y jardines, muchos árboles y flores, y el aire estaba lleno de música y canciones, pero yo no veía a los que cantaban. Me quedé en la orilla de un río, tan verde como la hierba. Parecía muy profundo y ancho. Y al otro lado...

—¿Sí? —dijo Saulo. La habitación estaba en profundo silencio.

—Estaba mi abuelo, Hilel ben Boruch, con ropas blancas que eran como de luz. Lo conocí en seguida, pues le había visto antes de morir —ahora miraban directamente a los ojos de Saulo, y no desafiante, sino como pidiendo ser creído. Era una mirada imperativa, firme y reservada.

Saulo se sintió conmovido, a pesar de su creciente cólera y su convicción de que el muchacho había sido secretamente drogado por un sirviente, un seguidor de Yeshua de Nazaret, sólo con objeto de dar ocasión a un engaño.

—Creo que soñaste que viste a mi padre, Amos.

Pero la voz del muchacho se alzó clara y decisiva:

—No soñé, tío. Lo vi. Y él me sonrió, y me hizo señas de que me acercara, pero el río estaba entre nosotros. Entonces alzó la mano y el río pareció estremecerse hasta no ser más que un arroyo. Extendió la mano y yo la tomé y salté sobre el agua, y reímos juntos, y vimos cómo el río se ensanchaba de nuevo —sus palabras salían ahora tumultuosas—: Crecieron los cantos, y yo deseaba llorar de gozo, y mi abuelo me dijo: "Bendito el hombre que muere en su juventud y no ha pecado, y que espera aquí la vuelta del Mesías, que se sienta a la derecha de su Padre, bendito sea Su Nombre".

—¿Qué blasfemia es ésta? —gritó Saulo atónito—. ¿Cuál es el significado de tus palabras, dime, Amos ben Ezequiel?

—¡No lo sé! —dijo el muchacho con énfasis—. Sólo sé que mi abuelo las dijo.

—Pero esas palabras no significan nada, pues el Mesías aún no ha dejado el cielo, ni ha venido aún al hombre. ¿No lo comprendes, Amos? ¿No comprendes lo absurdo de tu engaño?

—Sólo sé que mi abuelo lo dijo.

—Todos los sueños, menos los de los santos y los profetas, son ridículos —dijo Saulo. Pero el muchacho no apartó la vista; el suave contorno de sus mejillas se había endurecido y su aspecto reflejaba lo que sería de hombre hecho y derecho.

Sus ojos ya no eran soñadores, sino resueltos y valerosos.

Saulo agitó la cabeza lentamente.

—Y ¿cuál es el recuerdo siguiente?

Amos no contestó por un instante. Observaba a Saulo con incomprensible expresión. Después, con tono lento y deliberado, como si esperara el ridículo y se dispusiera a combatirlo, dijo:

—Oí una voz. Nunca la había oído antes. Era la voz de un hombre, que llenó todo aquel aire transparente, y era como si los montes, valles y ríos, escucharan también. Y me dijo: "A ti te lo digo, Amos ben Ezequiel, levántate".

Un violento frío sacudió a Saulo y luchó contra el estremecimiento:

—Creo, Amos, que no mientes cuando me cuentas ese sueño. Pero dime, te lo ruego ¿qué dijo tu abuelo... cuando oyó esa voz?

—Lloró.

—¿Lloró?

—Sí. Y soltó mi mano y volvió conmigo al río, que de nuevo se estrechó y él me indicó que cruzara al otro lado. Y yo lloré también, pues no quería dejar aquel lugar de paz y de gozo, y a mi abuelo. Sabía que debía obedecer a aquella voz, pero no sé por qué. La voz no me había mandado que volviera a cruzar el río, pero sabía que tenía que hacerlo. Así que salté sobre el arroyo, y mi abuelo me hizo un gesto de despedida, se volvió y ya no lo vi más. Lo llamé, pero ya no hubo respuesta, ni cantos, y estaba todo oscuro. Aún se hizo más oscuro, y fue como la noche ante mis ojos, y mi corazón se llenó de dolor. Y entonces hubo luz de nuevo pero no la que había visto. Era una luz más pálida, y vi que estaba en el suelo de mi dormitorio... —miró sobre el hombro a las mujeres que ahora ocultaban los rostros llorosos en las manos—. Y mis padres, mis parientes y hermanos estaban en el suelo conmigo, derramando lágrimas, cogiéndome la mano y besándome en las mejillas.

Bajó los ojos. El silencio llenó la habitación.

Saulo se sintió conmovido de nuevo, pero encolerizado. Puso la mano en el hombro de Amos.

—Y ¿eso fue todo? ¿No viste más?

—Lo vi... a Él. Lo vi antes de mirar los rostros de los que me quieren. Me sonrió, pero estaba triste y parecía pesaroso. Su rostro era hermoso. Luego se volvió y dejó la habitación, y dos o tres desconocidos salieron con él, y ya no lo vi más, aunque quería pedirle que se quedara.

—¿Por qué?

—Él es el Mesías, y yo sé que Él resucitó de entre los muertos, y que se sienta a la derecha de nuestro Padre, como me dijo mi abuelo. Cómo lo sé, lo ignoro, pero lo sé.

Las palabras terribles y familiares eran como puños que destrozaran el corazón de Saulo.

—¡Soñaste!

Amos suspiró:

—Entonces, ¡ojalá no hubiera despertado de mi sueño!

Aquellas palabras, pronunciadas con la voz de un hombre, hicieron que el mismo Saulo deseara llorar. Apartó a su sobrino y se levantó. Miró con fríos y furiosos ojos a su hermana.

—Le has dejado creer monstruosas mentiras, que amenazan su alma. Que Dios te perdone, aunque yo no puedo, Séfora bas Hilel.

Volviéndose, salió de la habitación.

La atmósfera de la casa había cambiado misteriosamente. Saulo lo comprendió en seguida al avanzar hacia el atrio. Era una atmósfera de serenidad, paz y compostura. Era..., y el mismo pensamiento le pareció absurdo, como el aire de un patio o jardín del Templo.

Le aguardaban sus familiares: Chebua ben Abraham, David ben Chebua y Ezequiel, que siempre parecía escuchar amablemente. Los dos hombres más jóvenes se levantaron a abrazar a Saulo, que aceptó impaciente su saludo. Por encima de los hombros de David miró a su abuelo, que parecía mucho más viejo; no ya suave y cortés, sino tranquilo. Era como un profeta, y llevaba —por primera vez, según Saulo podía recordar—, el gorro ritual de la Tribu de Benjamín, aunque muy sencillo y austero. Era un verdadero patriarca. Aceptó el beso de Saulo en la mejilla y apretó su hombro con su larga mano.

—Bienvenido a esta casa, nieto —dijo—. Deseábamos tu regreso.

La boca de Saulo se curvó en una burlona mueca. La voz de Chebua ya no era arrogante.

—Has venido a dudar, y a expresar tus dudas, Saulo ben Hilel —dijo Chebua amablemente—, y no te censuro, ni me quejo, pues, si yo no hubiera visto con mis propios ojos lo ocurrido, también dudaría.

—Ese brujo, ese nigromante, tiene más poder del que yo creía —dijo Saulo.

Como si no le hubiera oído, Chebua continuó:

—Bendita sea esta casa, pues Él entró aquí, donde no había santidad entre nosotros, ni fe, ni piedad, ni humildad.

Saulo contempló aquellos rostros, conmovidos y a la vez serenos, y exclamó:

—¿Es posible que creáis esa estupidez, ese insulto a la inteligencia de un hombre, esa afrenta a la decencia, ese ultraje contra el mismo Dios?

—Nosotros creemos —dijo Chebua.

Y David, el elegante saduceo, repitió:

—Nosotros creemos.

Y, por primera vez, habló Ezequiel con su voz modesta e insegura:

—Yo creo.

Capítulo 26

Se sentó ante José de Arimatea en un estado de pasión frustrada y salvaje, tan fiera que era casi maligna. Cuando pudo hablar dijo con voz extrañamente profunda y dura, con repugnancia y violencia reprimidas:

—Perdóname. Has sido mi amigo, José de Arimatea, y te lo agradezco, pues sé que no poseo las gracias de otros hombres y tú has demostrado paciencia y amabilidad. Aunque no sé por qué. Me sentía contento y feliz de que me aceptaras por lo que yo era, ya que otros no lo hacen. Confiaba en ti más que en los demás hombres, excepto Gamaliel... Confié en ti más que en mi padre, que descanse en paz.

''Pensé que no sólo eras un piadoso judío y fariseo, sino que estabas por encima del engaño, aunque había observado en ti cierta... confianza en aquél a quien los griegos llaman Juan el Bautista, aunque nosotros le conozcamos como Jochanan ben Zacarías. Creí que amabas su apartamiento de la rebelión contra el opresor romano, y por tanto te mostrabas indulgente ante sus excesos y celo. Cierto que hablabas del Mesías como de algo inminente, pero ¿no es eso lo que esperamos todos? Frecuentemente hablabas en acertijos, pero tal es el estilo de los viejos judíos, y yo podía soportarlo, aunque sea pragmático. Sabía que adorabas al Señor nuestro Dios tan profundamente como el mejor hombre, y que defenderías Su honor y Su nombre hasta la muerte.

''Sin embargo, ahora, en esta casa, hoy, ¡me dices en mi cara que Yeshua de Nazaret, vagabundo y haraposo rabino, mentiroso, vano, loco y blasfemo, un iletrado galileo, que nadie conocía hasta hace tres años, es el Mesías, el Santo de Israel! ¡Me dices que lo "supiste desde el principio"! ¡Me dices que le diste una magnífica tumba "y que sabías que sólo estaría allí tres días contados"! ¡Me dices que no sólo resucitó de entre los muertos... sino que lo has visto después!

''Si otro que no fueras tú, José de Arimatea, me hubiera contado esto, le habría dicho: "Mientes o estás loco".

Se habían sentado en la pequeña biblioteca de José, cuyas puertas de bronce estaban cerradas. Éste lo miró amablemente y en silencio, y sus grandes ojos oscuros parecían llenos de interna luz. No estaba furioso, sino sereno y en calma.

—¿Sí? Y ¿qué dices de mí, Saulo de Tarso?

El párpado de su ojo enfermo se agitó visiblemente, y había cierto temblor en su boca:

—No sé qué decir —contestó—; sólo que sé que no mientes. ¿Cuál es, entonces, la respuesta? Que tú, de una gran casa de Israel, hombre de buen gusto y erudición, has sido horriblemente engañado y traicionado por pillos y nigromantes de la peor clase. ¿Cuál es su objetivo? Destruir Israel, atraer la ira de Dios sobre nosotros.

—Yo lo vi cuando nació, rodeado de los pastores de las colinas, en un pesebre de Belén. Yo había visto la gloriosa estrella. Había tenido sueños. Lo vi con su joven madre; ella no tendría más de catorce años, una niña en toda su inocencia y virginidad. Lo vi con su padre adoptivo, José, un carpintero. Los pastores habían sabido la buena nueva de boca de los mismos ángeles de Dios en las colinas que rodean a Belén. Los hallé de rodillas y orando junto a la madre y su Niño. Supe en seguida quién era. Ya no tuve dudas ni vacilaciones. Y me postré ante Él, el Santo de Sión, el Santo de Israel.

Saulo se sintió tan horrorizado ante ésta —¡la peor de las blasfemias!— y tan temeroso del castigo instantáneo de Dios, que se levantó de un salto:

—¡Que Dios me perdone por haber escuchado, pero que no perdone a los que tan malignamente te engañaron y confundieron!

José aguardó en silencio; después, con voz triste y amable, dijo:

—Saulo ben Hilel, esto es lo que sé: Algún día, Él no tendrá mejor amigo que tú.

Saulo se echó la capucha sobre la cabeza y se envolvió apretadamente en la capa. Corrió por las calles, pero sin destino. Había pensado en ir a ver al rabino Gamaliel, pero, por alguna razón, apartó esa idea. El célebre Nasi del Templo... ¿no confirmaría el horror y rabia de Saulo ante los blasfemos? ¿No denunciará a aquel miserable Yeshua ben José de Nazaret? ¿Por qué entonces esta resistencia a acudir a quien podía consolarlo? No lo sabía.

En cambio fue a casa del sumo sacerdote, Caifás, el que había inducido a Poncio Pilato, tras muchas discusiones y ruegos, a ordenar la ejecución de Yeshua el nazareno bajo la acusación de incitar al pueblo a la rebelión contra Roma. Había mucha distancia hasta su casa, a través de la lluvia, el viento y la gente que volvía a sus hogares. Los camellos avanzaban renqueando por las estrechas calles, los asnos se quejaban; los muchachos soltaban latigazos. Saulo siguió por los mercados, entre la creciente oscuridad. Llegó al fin a casa del sumo sacerdote, un verdadero palacio rodeado de elevados muros y guardias, y que brillaba al anochecer como alabastro.

Los guardias se mostraron suspicaces y despectivos ante aquel hombre de aspecto salvaje, con el enmarañado y húmedo pelo rojo pegado a sus mejillas y cuello, y sus ropas de trabajador. Pero él les dijo imperativamente:

—Díganle a su amo que Saulo de Tarso, nieto de su amigo Chebua ben Abraham, desea verlo para un asunto de gran importancia.

Esperó mientras uno de los burlones guardias entraba en la casa con el mensaje. El corazón le latía tumultuosamente. Respiraba con agitación, y los otros guardias lo miraban con curiosidad. No había nadie a quien despreciara más que a Caifás, yerno del legendario y cruel Anás, más poderoso que el mismo Herodes Antipas. Consideraba al sumo sacerdote el más despreciable de los traidores a su pueblo, un sicofante de Roma. Era su servidor como rehén por la obediencia, docilidad y sumisión de todo Israel. Estaba pagado por los romanos, y ofenderlos hubiera sido renunciar a su hermoso palacio y verse privado de gloria y poder. Sin embargo, él, Saulo ben Hilel, necesitaba a este hombre detestable con objeto de proteger a su país y librar de blasfemias al nombre de Dios.

Caifás, hombre de unos cuarenta y cinco años, con barba gris cuidadosamente peinada, recibió a Saulo con inesperada cortesía. Le hizo pasar del atrio a una retirada cámara, brillante de sedas, terciopelos y alfombras persas, y un guardia cerró obsequiosamente la puerta.

—Conozco tu ilustre casa, Saulo ben Hilel —dijo con voz rica y untuosa—. Tu abuelo no tenía mejor amigo que yo.

Trajeron vino en vasos recargados de gemas, pero Saulo, luchando por ocultar su odio y desprecio, lo rechazó con impaciencia. Se sentó en una hermosa silla, aunque chorreaba por la lluvia, pero no ofreció disculpas. Caifás era un hombre agudo y sutil, y se limitó a alzar las cejas y sonreír afectuosamente. Reconocía a Saulo por lo que era, y no lo engañaban los groseros vestidos, ni sus voces y gestos. Aguardó con paternal expresión. No dudaba que Saulo tenía algo de gran importancia que decirle.

No quedó desilusionado. Escuchó con interés, no sólo sus palabras, sino sus inflexiones, y pensó: "Aquí está el que yo buscaba".

Cuando Saulo hubo terminado, Caifás suspiró y afectó hallarse agotado de cansancio. Inclinó la cabeza y se frotó la frente. Un hermoso anillo brillaba en su índice derecho.

—¡Ah! —dijo, y había un profundo gemido en su voz—. Los días peligrosos no han dejado aún nuestra santa tierra, Saulo ben Hilel. En verdad me temo que el peligro sigue creciendo. Pilato me acusó furioso de estar enterado de que se habían llevado el cuerpo de Yeshua de Nazaret de la tumba, aunque más tarde se disculpó. Sus acusaciones eran injustas e histéricas, pues ¿no le había entregado yo al malhechor? ¿Por qué entonces tenía yo que simular que había resucitado, según "profetizara"? Ah, fueron horas muy tristes. Los discípulos de Yeshua huyeron de Jerusalén, pero ahora mis espías dicen que han vuelto y han sido vistos en el Templo, con los judíos a los que han traído el desastre. Pronuncian suaves discursos, tratando de convencer a sus hermanos de que Yeshua ben José era en realidad el Santo de Sión. Rechazarlo, afirman, es rechazar a Dios, bendito sea Su Nombre. ¡Desgraciadamente están convenciendo a cientos y cientos que habían visto a Yeshua, y escuchado sus discursos en las calles y en el Templo! ¿Sabes que tuvo el descaro de arrojar a los cambistas de moneda del Templo, y a los que vendían sacrificios, y a los banqueros? Proclamó a gritos que habían convertido la casa de su Padre en "cueva de ladrones".

—Lo he oído decir.

Caifás lo miró fijamente:

—Y ¿has oído también que mi mejor amigo, tu abuelo, y toda su familia, se han dejado seducir por esa locura de creer que Yeshua de Nazaret es el Mesías?

Saulo enrojeció:

—Lo sé. Por eso estoy aquí. Es preciso convencerlos de que son víctimas de un nigromante, con el que colaboró un esclavo de su propia casa.

—Hay otros, también de familias distinguidas. ¿Quién nos librará de esta locura?

—Yo. Ya te lo he dicho, señor —dijo Saulo.

—¡Ah, sí! Tú eres ciudadano romano, respetuoso de la Ley y los tribunales romanos. ¿Sabes que mi cuñado, Judas Iscariote, se ahorcó después del arresto de Yeshua? ¡Hombre impetuoso! Era un esenio y había dejado la casa de su padre para vivir en el desierto, con otras criaturas tan salvajes como él. Se convirtió en uno de los discípulos de Yeshua, y creía que éste era el Mesías. Judas era orgulloso y altivo. Cómo se dejó convencer por esa blasfemia, no lo sé. Pero siempre fue indominable. Para "obligar" a Yeshua a revelarse como el Mesías, Judas contribuyó a entregármelo. Pensó que, si Yeshua era arrestado, los mismos ángeles descenderían a libertarlo. ¡Ja!

"Y cuando Yeshua fue azotado por los romanos, que le clavaron una corona de espinas en la frente, entonces comprendió Judas que no era el Mesías, ni el Santo de Sión, sino sólo un mago barato, un mentiroso. Según la ley, tuve que darle las prescritas treinta monedas de plata, la recompensa por la exposición de un blasfemo. Entonces estalló en lágrimas y me las echó a la cara y salió huyendo entre aullidos de desesperación y tormento. Cuando pienso en el hermano de mi mujer, tan horrorizado por su traición a Yeshua, mi corazón sangra de dolor...

Por primera vez había genuino dolor en su voz. Hasta él mismo pareció sorprenderse de ello.

—Mañana tendré la carta del procurador Poncio Pilato en mis manos, con su sello de autoridad, y un pergamino que proclame que eres el perseguidor romano de los buscalíos y rebeldes en todo Israel, Saulo de Tarso. Que Dios, bendito sea Su Nombre, te dé fuerzas en tu tarea, en tu firme determinación de librar a nuestra afligida tierra de los blasfemos que la destruirían.

Abrazó a Saulo de Tarso, nieto del noble Chebua ben Abraham... ¿Qué hombre más formidable que éste podía haber del lado de los ángeles y, naturalmente, del lado del sumo sacerdote Caifás?

Pero el mismo Poncio Pilato fue el que graciosamente lo llamó, le invistió con las propias manos la toga del cargo, le dio el sello de autoridad, y le hizo repetir el juramento de lealtad a Roma. Esto hizo palidecer a Saulo, pero se forzó a recordar que era el precio que debía pagar por defender a su Dios. Luego Pilato le informó que, como funcionario al servicio de Roma, debía tener un séquito de legionarios que actuarían a sus órdenes; y él viviría en una casa adecuada de Jerusalén, amablemente concedida por el cónsul.

—No creo —dijo Saulo —que este asunto me lleve mucho tiempo.

Pilato sonrió a sus palabras, pero agitó la cabeza.

—¡Ay, Pablo de Tarso! ¡Las nuevas de Jesús de Nazaret, de su muerte y supuesta resurrección, se han extendido mucho y los convertidos crecen en número diariamente! También he oído que muchos han salido de Israel, para hacer prosélitos entre los judíos de otros países. Es como si las noticias nacieran con el viento, y el viento se hubiera convertido en huracán.

Capítulo 27

Para el pueblo de Israel, Poncio Pilato era el terror del momento, ayudado por Herodes Antipas y las legiones romanas, y tolerado por los saduceos en nombre de la paz y por los exigentes fariseos en nombre de la Ley. Pero ahora había surgido otro terror, a quien los romanos llamaban Pablo de Tarso, un piadoso judío, erudito fariseo, alumno del gran rabino Gamaliel, hombre de posición, ciudadano romano, ejecutor de la ley romana y miembro de una notable casa de Israel. Hasta los más piadosos que creían en el castigo de los blasfemos y herejes estaban alarmados, y hablaban con piedad de los judíos que, aunque engañados en su idea de que Yeshua de Nazaret fuera el Mesías, eran hombres amables, de mente gentil, inocentes como palomas y sin la menor violencia. Se adherían a la Ley de los profetas y los Mandamientos con más devoción aún que los propios judíos que se reían al oír el nombre de Yeshua, y eran más caritativos y pacientes.

Muchos se decían preocupados: "¿No tenemos muchas sectas en Israel, todas luchando entre sí y decididas a prevalecer? ¿No vivimos en paz con esos hombres de nuestra misma sangre? ¿Por qué, entonces, los que creen que el Mesías ha nacido no han de ser mirados con la misma tolerancia, aunque nos riamos de ellos? ¿Por qué esa terrible furia y persecución, esa pérfida alianza de Saulo de Tarso con el opresor romano? ¡Qué excesos ha estado cometiendo en cada provincia y ciudad, y en el campo, llevándose a esposas y niños de los llamados herejes, encarcelándolos y reteniéndolos como rehenes hasta que padres y esposos juran no extender más el erróneo mensaje! Jamás Israel había visto nada de esto. Nuestros amigos judíos son azotados en las calles hasta que huyen para salvar su vida. ¡Ni siquiera el más salvaje de los esenios y zelotes, de los que gritaban en los mercados la abierta rebelión contra Roma, ha sido tan terriblemente perseguido como esos pobres e inocentes judíos! Saulo de Tarso lanza a los legionarios romanos contra las indefensas criaturas, a las que azotan ante sus propias puertas y encarcelan a una orden de Saulo".

Pero, en temeroso secreto, miles de judíos en Jerusalén, e incluso sacerdotes del Templo, escuchaban las historias de los llamados Apóstoles y Discípulos, y a centenares eran bautizados en la oscuridad de la noche en el estrecho río, cerca de la ciudad. A su vez buscaban a otros a los que contar la "buena nueva". Pero, con discreto temor, trataban de quedar en la oscuridad, y, como muchos eran pobres y humildes, no era tarea difícil. Sin embargo, las noticias viajaban e invariablemente llegaban a oídos de Saulo ben Hilel, cuya rabia crecía diariamente.

Frecuentemente consultaba con Pilato y con el sumo sacerdote. Aquél empezaba a encontrar divertido todo el asunto. Siempre había odiado a los judíos y le complacía que un judío vigoroso, en la persona de Pablo de Tarso, estuviera persiguiendo, denunciando, encarcelando y castigando a su propio pueblo. También Herodes Antipas se portaba como un hombre osado, que murmuraba constantemente bajo su barba roja, ofrecía sacrificios a Júpiter en su templo y luego cumplía regularmente con la Pascua. Pilato encontraba que la vida se estaba poniendo interesante.

Saulo supo que la nueva y blasfema secta judía se había extendido como las alas de la mañana más allá de Israel, que ya estaba en Siria ahora, en su propia tierra de Cilicia y, por increíble que pareciera, ¡estaba llegando a Grecia! Era de nuevo la Pascua, y la secta florecía como las plagas de Egipto, apareciendo en los lugares más insospechados. Había rumores de que muchos soldados romanos se habían afiliado a ella, así como humildes sacerdotes del Templo, y Saulo pensó en su primo, Tito Milo Platonio, en Roma con sus ancianos padres, y su rabia llegó al paroxismo. Sentíase sin amigos. No era bien acogido en la casa de sus parientes en Jerusalén, si bien éstos no hacían nada abiertamente para ganar conversos (aunque, con su gran intuición, sospechaba que darían ayuda y consuelo a los perseguidos).

Había momentos en que pensaba en el Nasi del Templo, Gamaliel, que ni lo buscaba ni le escribía; en esos momentos Saulo ardía de apasionada cólera, de furia incluso. Pero intentaba creer que Gamaliel deseaba que luchara, que cayera o ganara por su propio esfuerzo, pues, ¿no había dicho siempre que cada hombre ha de enfrentarse solo con Dios y crear su propio destino? Esa confrontación, temerosa e inevitable, llegaba a todos los hombres. Los demás no se atrevían a interferir en esas horas finales de lucha, oscuridad y pelea, con los ángeles de Dios. La victoria debía ser de cada hombre; no la de otros. Saulo intentaba mostrarse agradecido por el silencio del gran rabino, que sabía más que él. Sin embargo..., una sola carta, una sola palabra de ánimo... "Estoy cayendo en la debilidad", se decía Saulo con firmeza.

Una o dos veces pensó que nada sabía de Aristo, en Tarso, aunque le había escrito varias veces. Finalmente escribió una carta al rabino Isaac, y recibió una breve nota de su nieta, la viuda Elisheba, en la que le comunicaba que su abuelo yacía ahora en el seno de Abraham. No hablaba de Aristo, aunque Saulo había preguntado por él. Le abrumó la noticia de la muerte de su antiguo mentor, y le pareció que era otro eslabón que se rompía en una cadena que lo unía a los que quiso y lo habían querido.

Le parecía oír las palabras que Dios había dicho a Job:

¡Cíñete los lomos como un hombre!
¡Yo te llamaré y te declararé mío!
¡Vístete con majestad, y arréglate con gloria y belleza
Pon a los malvados en su lugar.
Húndelos en el polvo, y oculta su rostro en secreto.
Entonces yo también confesaré
que Mi propia mano puede salvarte!

—¡Señor, Señor! —gritó Saulo, dominado por la humildad y el remordimiento de haber sido tan humano como para quejarse de que nadie le ayudaba. ¿No tenía a su Dios como abogado y general, y no llevaba su inmortal estandarte? Él, Saulo ben Hilel, debía regocijarse ante sus pruebas como singular manifestación de gracia, sin dudar jamás de la victoria. Pero, por alguna terrible razón, no se sentía confortado, y temía que Dios hubiera rechazado su arrepentimiento, ofendido por su debilidad.

—Esos rebeldes son como la langosta —decía Poncio Pilato con placer ante la frustración y furia de Saulo—. Un día son diez, al día siguiente miles. ¿Qué vamos a hacer con ellos?

Saulo sospechó lo que Pilato quería hacer con todos los judíos. A veces se preguntaba si no estaría poniendo en peligro a todo su pueblo en aquella persecución, pero inmediatamente rechazaba el pensamiento como tentación de Lucifer. Sólo podía seguir, cada vez más desesperado pero más resuelto, en el servicio de Dios. Ante las multitudes del Templo gritaba: "¡Al proteger y ocultar a los blasfemos, o callar acerca de ellos, están provocando la ira de Dios, bendito sea Su Nombre, pues Él no soportará mucho tiempo la herejía de tantos! Por eso, entréguenme a los malhechores para que sean castigados y silenciados, y la paz vuelva a Nosotros, y Dios se deleite en su Tierra Santa. ¡Hacer lo contrario es atraer la ruina y muerte sobre todos, y la destrucción de Israel!"

Corría el rumor de que varios de los discípulos, encarcelados por órdenes de Saulo, eran milagrosamente libertados y seguían proclamando lo que ellos llamaban el Evangelio, la buena nueva. Saulo ordenó que encerraran a los guardias por borrachera y descuido, a pesar de sus protestas de que los prisioneros habían desaparecido de sus celdas aunque las puertas seguían cerradas. A este absurdo, Saulo replicó con una sarta de coléricas atrocidades. Envió los guardias a Pilato para que éste los castigara. Pilato dijo:

—Mis hombres juran que divinas criaturas vestidas de luz abrieron las puertas de la prisión y liberaron a los presos, y que ellos no pudieron alzar una mano —se echó a reír ante la furiosa expresión de Saulo y agitó la cabeza. Desde luego, ya no estaba tan aburrido esos días, y daba gracias a los dioses, en los que no creía. Solía decir a Herodes Antipas—: Tu Pablo de Tarso es notable. Se dice que no acepta tus invitaciones a cenar —Herodes se mordía los labios y ardían sus ojos, pero no contestaba. Tenía horribles pesadillas esos días.

Pilato llamó a Saulo una tarde, con aire de disgusto. No le ofreció vino, lo cual era mala señal, y el judío lo observó.

—Me has hablado a menudo de tu famoso maestro, el Nasi del Templo, el rabino Gamaliel —dijo—. Lo conozco bien. Lo he recibido en mi casa, y he estado en la suya. Es hombre de sabiduría, ingenio y erudición, y disfruto con su compañía, pues éste es un país incomprensible para un hombre de mundo. ¡Hay tan pocos con gustos cosmopolitas...! ¿No te has preguntado, Pablo de Tarso, por qué no lo has visto, ni has oído hablar de él?

—Sí —dijo Saulo, e inmediatamente un helado temblor envolvió su espíritu, y sintió la angustia de la premonición.

—Se sospecha que también es hereje.

Saulo se puso en pie de un salto con el rostro enrojecido:

—¡Ese rumor es insufrible! Tú conoces a Gamaliel; sabes que es el jefe del Sanedrín, Nasi del Templo, hombre famoso en Israel, e incluso en el mundo, por su piedad y sabiduría, su devoción a Dios, sus escritos, conferencias y disertaciones. Los que extienden esas mentiras deberían ser castigados y destruidos, pues el rabino es un hombre santo ante el rostro de Dios, y Dios no debe ser insultado en la poderosa persona del Nasi. Esto es una conjura para destrozar los fundamentos de nuestro Templo, nuestra fe y nuestra misma supervivencia. Si tal cosa puede afirmarse de Gamaliel, nadie estará ya seguro en Israel, y todos quedaremos expuestos a mentiras y blasfemias.

La voz se le ahogaba en la garganta y tenía los ojos inyectados en sangre.

Pilato lo observó con curioso interés; luego, viendo que Saulo había llegado realmente al límite de sus fuerzas, pidió vino y se lo sirvió personalmente, poniendo la copa entre sus manos, rígidas y temblorosas.

—Bebe —ordenó— o seguramente morirás. ¡Dioses, qué exageración, qué extravagancia demuestran los judíos, fuera de toda proporción! He dicho que es un rumor, sólo un rumor. ¡Pero tú te pones como si te hubieran atrapado las Furias, o Caronte hubiera aparecido ante ti! Tranquilicémonos. Bebe, te lo ordeno.

Al fin, Saulo susurró con voz dura:

—No comprendes la monstruosidad de esa acusación.

El romano se encogió de hombros:

—Puedo creer cualquier cosa de los judíos, Pablo. Son un pueblo increíble. Pero cálmate, te lo suplico. No me gustan los excesos de emoción. No son civilizados. Y te creía un hombre culto y templado.

Recuperó cierto dominio y miró a Pilato con odio:

—¿Y si yo iniciara el rumor de que tu emperador, tu César Tiberio, era pederasta? —preguntó.

Con gran sorpresa suya, Pilato se echó a reír:

—Nada me extrañaría de los Césares —dijo—. He oído cosas peores.

Capítulo 28

"Tiene la cara de un ángel —pensó el rabino Gamaliel al mirar al joven Esteban ben Tobías, que cenara con él en compañía de

José de Arimatea—. ¡Ah, se ve tan poco ahora este esplendor entre los jóvenes, en estos inquietos días de descontento! Si alguien le preguntara: —¿Quién eres tú?—, sin duda no se sentaría a meditar y contemplar con desesperación, como tantos de su generación; contestaría con sonriente orgullo: —Soy Esteban ben Tobías, judío de una gran casa, siervo de Dios, bendito sea Su Nombre—, y, al decir esto, diría todo cuanto puede decirse, pues más allá no hay nada..."

Esteban era joven y tenía una viveza de espíritu y una ternura tan intensa como llena de humor. Siempre había tenido ese temperamento, pero ahora más rico y profundo, hasta hacer brillar su rostro. Era alto y atlético, y, en realidad, como Caifás había dicho, representaba la personificación de la belleza masculina griega, como sólo podía verse en Macedonia.

—Sin embargo —estaba diciendo ahora José de Arimatea, con cierta ansiedad—, te ruego que seas discreto, Esteban. Ya te hemos hablado de Saulo ben Hilel, Dios se apiade de él, ahora es un hombre implacable, lleno de dedicación y fanatismo, un verdadero león de Dios. Esperamos que llegue el día bendito en que sepa ver la gloria de lo que ahora ataca, pues siempre hemos sabido, en cierta medida, su destino. Pero, hasta ese día y hora, conviene apartarse de él. Estoy seguro de que se ha enterado de que haces prosélitos, pues nada escapa a su conocimiento por mucho tiempo, ni respeta a nadie. Te suplico que no te enfrentes con él.

—Gracias por tu preocupación, José —dijo Esteban, en cuyo rostro, aunque se había tornado grave, aún latía el humor—. Siento que no lo invitaras esta noche para que pudiéramos discutir. Lo he visto a distancia y, en realidad, sí parece un león, con esa gran melena roja suya, los fieros ojos, los modales autoritarios, la nerviosa impaciencia y la ligereza de movimientos, y sus gestos reales. Creo que nuestra conversación sería, por lo menos, furiosa e interesante, y no pesada como las piedras de la doctrina ritual. Los hombres con los que generalmente tropiezo son hostiles y aburridos, o dóciles y aburridos, rechazando o aceptando con la misma falta de razón positiva. En verdad, la aceptación dócil y blanda me molesta, pues no son guerreros de Dios.

—Me temo que tu camino no será fácil ni soleado —dijo José.

—Tiene todo el brillo de la eternidad —afirmó Esteban. Su rostro cambió de nuevo. Rió espontáneamente y dedicó su atención a los manjares y al vino servido en finas copas de cristal de Alejandría.

El rabino dijo:

—Creo notar cierto brillo helenístico en tus palabras, Esteban.

—Quizá sea verdad, pero, ¿acaso Grecia y la filosofía griega no han tenido siempre profunda influencia en nuestra fe, desde que el primer griego entró en Israel? No puedo evitar sentir repulsión y suspicacia ante el hombre que encuentra triste nuestra fe, y que niega la vida, en vez de considerarla una canción alegre, entonada en la mañana soleada.

—¿Conoces algunos así? —preguntó José, sorprendido.

—Demasiados. También encuentro seres débiles que ven en el Salvador de su pueblo únicamente un refugio para sus pequeñas adversidades, de las que quieren huir, y no un Templo en cuyo sagrado recinto hallarán la fuerza para soportar el mundo y seguir adelante con su carga sin quejas. Los débiles han derribado más templos y naciones de los que creemos, y sus voces egoístas han ahogado la misma voz del Todopoderoso. La vida no es una bolsa de la que pueden sacar tesoros con sus plegarias. Es, como dicen los griegos, los Grandes Juegos, donde sólo el valor, la fuerza y la fe pueden ganar el premio y la corona de la victoria.

—Como has dicho —observó Gamaliel—, la Nueva Alianza no es para hombres tímidos, ni pedigüeños, e inseguros. Recuerdo las palabras del profeta: "Confía en el Señor de todo corazón, *y no te apoyes en tu prudencia*. En todos sus caminos piensa en Él, y allanará todas tus sendas."[1]

—Pero habrá discusiones —dijo José de Arimatea.

Esteban rió amablemente:

—Ya las hay. Empezaron incluso antes de que Él fuera crucificado.

Ardía tanto de vitalidad y juvenil certeza que los viejos suspiraron y oraron en silencio por él, y Esteban lo adivinó, pues los miró con respetuoso afecto. Dijo, antes de despedirse de ellos:

[1] Proverbios, 3: 5-6.

—Encontraré a su Saulo de Tarso, y entonces tendremos una buena discusión, ¡y será un día maravilloso!

"Será una dura noche de otoño", pensó José de Arimatea, y la idea lo hizo temblar, como dominado por la fiebre.

Un día vino un centurión a Saulo y dijo:

—Señor, hay un helenista entre el pueblo, de gran reputación, que no hemos cogido porque es de familia rica y noble, con un nombre ilustre, y sus familiares son amigos de Caifás, sumo sacerdote, e incluso del cónsul Poncio Pilato. Hemos pasado por alto sus inflamados discursos en el Templo de los judíos y en las sinagogas, pero ahora ha estallado el escándalo entre los mismos judíos, que luchan, gritan e incluso se escupen en los recintos del Templo.

—Esteban ben Tobías —dijo Saulo, y su rostro se ensombreció—. He oído hablar de él.

La turbulenta procesión de vociferantes, dirigida por Saulo ben Hilel, y acompañada resignadamente por el centurión romano y sus hombres, llenó de clamor las calles de Jerusalén, añadiéndose a ella las multitudes, como el río que, en su camino al mar, va recogiendo arroyos y arroyuelos en él. El último sol invernal se inclinaba hacia el oeste como un agujero de fuego rojo en el cielo, pues se alzaba una débil neblina. Y ahora se levantó también el viento que agitaba el polvo en las estrechas calles, en inquietas nubes bajo los pies de la apresurada muchedumbre. Los montes tenían un tono malva, libres aún del verdor de la primavera, aunque aquí y allá se alzaban islas de oscuros cipreses.

Los comerciantes cerraron sus tiendecitas para unirse a la procesión, con ávidas preguntas, y hasta algunos acudieron también con sus asnos. De las calles laterales salían camellos con sus jinetes; las mujeres miraban desde las ventanas, y los chiquillos corrían gritando, muy abiertos de excitación los ojos: "¡Llevan un blasfemo al Campo de la Lapidación!"

El romano no podía ver a Saulo a la cabeza de la muchedumbre. Entonces se le ocurrió que no era digno de un romano el seguir a la gentuza. ¡Ni tampoco dirigirla! Sin embargo, en la puerta chocarían con los soldados romanos, y habría confusión, y probablemente violencia, si esos malditos se veían retrasados en su locura; así que dio un latigazo a los caballos y se abrió camino entre aquel montón de cuerpos, y sus hombres lo siguieron. Cuando llegó a la cabeza del tumulto miró a la izquierda y vio a Esteban ben Tobías empujado y arrastrado por una docena de brazos. Parecía semiinconsciente. Sus ojos estaban cerrados, y la sangre corría de nuevo. Su aspecto era como el de una estatua caída, teñida de rojo. Por un instante el centurión sintió deseos de atravesar misericordiosamente con la espada el corazón del condenado. Entonces recordó que Pilato le había ordenado que obedeciera a Saulo de Tarso, aquel hombre terrible que marchaba con increíble rapidez ante los demás. El romano pasó ante él. Pero Saulo no veía nada; sus ojos estaban fijos y parecía en trance. El centurión pensó: "Ya no es un hombre, es sólo una fuerza".

Los soldados de la puerta acudieron al camino con sus cascos brillantes bajo la débil luz, y, sobre ellos, los estandartes de Roma y las grandes águilas de bronce de las puertas parecían vivas. Viendo al centurión que azotaba a los caballos, corrieron a las puertas y las abrieron, saludando y mirando con ojos incrédulos a la muchedumbre que salía a la desnuda y rojiza llanura, llena de piedras y grava. Los soldados pensaron que media Jerusalén salía allí en torrente, aullando como chacales o riendo como hienas. Había algo que arrastraban en el centro, algo blanco, débil y manchado de rojo, algo que parecía caer flácidamente, algo que no podían creer fuera humano, excepto por el brillo de los cabellos rubios que captaba su mirada.

Después de las calles de la ciudad la desolación exterior resultó demasiado amplia y silenciosa para la muchedumbre que, de pronto, se detuvo, originando nueva confusión al chocar unos con otros. Ahora Saulo tomó el mando. No miró a los romanos que se habían colocado junto al oficial. Alzó la mano y su voz resonó alta y firme al gritar en aquel terrible silencio:

—¡Que se adelanten los que han testificado contra este hombre ante el sumo sacerdote y el Sanedrín, pues dice la Ley: "La mano del testigo será la primera"! Los que no han sido testigos deben quedar atrás, en quietud y orden, u ordenaré que sean llevados al otro lado de las puertas y dispersados. ¡Esto no es una celebración! Es una ocasión solemne de reparar una acción terrible contra Dios, bendito sea Su Nombre.

Tan tremendo era el poder de su personalidad y su sobrehumana presencia, y tan terrible la expresión de sus ojos, que la gente se aquietó, y hasta se la oía respirar.

Allí quedó Esteban, destrozado e inconsciente, con la mejilla apoyada sobre la amarilla grava, las piernas extendidas, y también los brazos como clavados a una cruz. No abrió los ojos: las doradas pestañas daban sombra a sus mejillas, y sus alegres labios apenas se abrían en débil respiración. El vástago de la casa de Tobías estaba ya cercano a la muerte. Su belleza destrozada en el polvo, el cuerpo inmóvil.

Saulo aspiró pesadamente el aire, como en un gemido, pues ese blasfemo era muy joven; tenía, apenas hacía un instante, un brillante aspecto, con su mano extendida en gesto de amistad, discutiendo y alzándose orgulloso ante el sumo sacerdote —¡aquel hombre detestable!—, sin defenderse a sí mismo, sino al que quería más que a su propia vida. ¿Qué poder tenía aquel carpintero, aquel miserable rabino vagabundo, para que hombres como, Esteban le sirvieran y dieran su vida por él?

Saulo dirigió una mirada al condenado, extendido a sus pies, y el dolor que lo atravesó fue como una espada en su carne, una quemadura en su garganta. "Yo lo hubiera perdonado —pensó—, pero él estaba loco y ahora tiene que morir, pues Dios no debe ser burlado, o todos moriremos."

Se retiró unos cuantos pasos e hizo un gesto con la mano. Los testigos saltaron sobre Esteban y le desgarraron la túnica, la capa y el chal de las plegarias, dejándolo sólo con el paño interior. Y hubo algunos entre los ávidos espectadores que quedaron asombrados ante la marmórea simetría de su joven cuerpo. Los que habían visto templos griegos, e incluso entrado en ellos, pensaron que Esteban parecía una estatua de Hermes. Entonces algunos empezaron a retirarse, inquietos.

Otros, como escorpiones en sus oscuras túnicas, avanzaron precipitadamente, se inclinaron, formaron un amplio círculo, y recogiendo piedras las elegían según su peso. La primera piedra resonó entre los hombros de Esteban, y un vivo temblor sacudió su cuerpo, pero sin que la expresión de su sereno rostro se alterara. Saulo deseaba que estuviera inconsciente, que no sintiera nada. El sonido del golpe había sido terrible. Apareció una enorme herida entre los hombros de Esteban.

Al ver la sangre, los testigos enloquecieron. Se pusieron a danzar, una parodia de danza sagrada, con movimientos reptantes y rígidos a la vez, como si fueran de madera. Al danzar en círculo iban arrojando las piedras contra el destrozado cuerpo sobre el polvo amarillo. Una fue a dar en la nuca de Esteban, y sus rubios cabellos desaparecieron del todo en un torrente escarlata.

"No debo desmayarme, no debo caer", pensó Saulo ben Hilel, pues las horribles chispas que conocía demasiado bien empezaron a brillar tras sus cerrados párpados y notaba el temblor de su carne, y la boca seca, con la lengua pegada al paladar. Pequeñas burbujas de espuma se escapaban por las comisuras de sus labios.

Pero algo le hizo abrir los ojos, y olvidó los gritos de los asesinos, pues, a lo lejos, por entre las figuras que danzaban y gritaban, vio una alta figura, un rostro pálido, largo y sombrío, ojos azules bajo una masa de cabellos encanecidos. El hombre se había detenido en la distancia, ante la muchedumbre de observadores, envuelto en su capa de lana azul, con la capucha retirada. No miraba a los asesinos que gruñían y sudaban ante él. Toda su atención, su sombría y dura mirada, estaba clavada en la figura de Saulo.

¿Había acusación en sus ojos, odio, condenación? Y, ¿quién era aquel desconocido; desde luego, no judío? La luz del sol brilló de pronto en su anillo, que era como una estrella en su índice derecho.

El primer mártir había muerto en nombre de Yeshua de Nazaret, a quien los romanos llamaban Jesús, y los griegos Yesu. Su boca abierta parecía beber el polvo del desierto, y las gentiles palmas de sus manos estaban vueltas hacia arriba como en piadosa oración.

Saulo hizo acopio de todas sus fuerzas. Lo que estaba hecho, hecho estaba. Pero, entonces, ¿dónde quedaba el sentido del deber cumplido, de la tarea bien hecha? ¿Dónde la experiencia del sentimiento de haber obedecido a Dios? Esteban ben Tobías, el engañado, el hechizado y blasfemo, había muerto como un gozoso héroe y un profeta amado de Dios, y a él, Saulo ben Hilel, lo dominaba la angustia.

Cuando pudo mirar a Esteban, de nuevo vio que alguien había arrojado compasivo la capa del difunto sobre su destrozado cuerpo, y un poderoso sentimiento de gratitud lo dominó, tan intenso que apenas pudo reprimir las lágrimas. Los testigos, alterados y aún medio dementes, recogían sus capas con aire de seguridad y casi con desafío, pero la multitud se había retirado de ellos, cerca de las puertas, vencida por la vergüenza y la confusión.

Entonces fue cuando el desconocido a quien Saulo había observado avanzó hasta el cuerpo extendido en el polvo. Se arrodilló lentamente ante Esteban y retiró suavemente la capa y, después de contemplar aquella destrozada cabeza, sus fríos y penetrantes ojos azules se volvieron de nuevo hacia Saulo, con una mirada que éste no pudo descifrar.

De pronto lo recordó. Era el médico griego Lucano. ¡Éste era el piadoso defensor del hombre contra Dios!

Lucano habló entonces a Saulo sobre el cuerpo de Esteban, con la cabeza sobre su corazón, y su voz resonó clara y sin pasión en el silencio:

—¿Me permites que me lleve a este muchacho al lugar de enterramiento que designen sus parientes, entre su gente?

Saulo se sintió dominado por la angustia, y eso lo enloqueció y lanzó sus palabras al médico como un insulto:

—¡No somos paganos ni griegos! ¡No nos vengamos en los muertos!

Se volvió al centurión, cuya faz romana estaba tensa, y lo llamó. El centurión se acercó, haciendo sonar su armadura.

—No me acompañes a casa —dijo Saulo—. Coloca el cuerpo del condenado en tu carro... —se detuvo; miró al médico arrodillado— y permite que este médico se lleve al muerto a donde quiere. Llévate a tus hombres.

El centurión llamó a los soldados. Lucano recogió el cuerpo, después de haberle vuelto a cubrir con la capa, y los soldados lo acomodaron en el carro. Sin una mirada a Saulo, se alejaron. El carro renqueó sobre las piedras y la grava, y Saulo observó alejarse aquel sombrío cortejo de la muerte. Hasta el final vio la cabeza de Lucano inclinada sobre el horrible amasijo a sus pies.

Aún se quedó largo tiempo como en trance, hasta que se dio cuenta de que estaba tan frío como la muerte y temblando de dolor. También vio que el desierto se oscurecía rápidamente y que una luna turbia se alzaba como una calavera desde el oeste. No había nadie cerca de él; ni un hombre, nadie de la muchedumbre, ninguno de los testigos; vio que estaba completamente solo, abandonado.

Capítulo 29

"Y aquel día comenzó una gran persecución contra la iglesia de Jerusalén, y todos, fuera de los apóstoles, se dispersaron por las regiones de Judea y Samaria. En cuanto a Saulo, devastaba a la iglesia, y, entrando en las casas, arrastraba a hombres y mujeres y los hacía encarcelar. Los que se habían dispersado iban por todas partes predicando el Verbo."[1]

El rabino Gamaliel y José de Arimatea permanecieron en pie ante la tumba blanca de Esteban ben Tobías, contemplando las flores allí depositadas, frescas como el rocío. Hombres y mujeres de rostros entristecidos y pobres ropas, y otros ricamente vestidos, hacían también acto de presencia. Un hombre de unos cuarenta años, bajo y robusto, seguía con la mano apoyada en la tumba. Llevaba una toga blanca bordada de oro y escarlata, y botas escarlata también, como un senador, y al ensanchar el pecho en un suspiro, la toga se abrió revelando una blanca túnica de la mejor seda. Llevaba el gorro bordado de la tribu de Dan, y anillos en todos los dedos de sus gruesas manos blancas —cuidadosamente depiladas—, brazaletes enjoyados, y una cadena de oro y rubíes en torno al cuello. Dos sirvientes permanecían respetuosamente a

[1] Hechos, 8: 1-4.

poca distancia. Pero él no parecía advertir a nadie. Su rostro, redondo y colorado, a pesar de la severidad de la expresión, respondía al tipo de hombre que ha llevado una vida lujosa. Iba completamente afeitado y despedía olor a verbena y menta, y sus uñas cuadradas estaban tan pulidas como ópalos.

Su mano perfumada acarició la tumba, pero su expresión no cambiaba. No suspiraba tan sólo. Al fin dio media vuelta y vio a Gamaliel y a José.

—Salud —dijo con voz rica y segura.

—*Shalom*, Tobías ben Samuel —dijo Gamaliel, y su famosa voz estaba llena de piedad.

Los fríos ojos los miraron escudriñadores. Después repitió:

—*Shalom*, es decir "paz". ¿A quién, amigos míos? ¿A mi hijo, que yace en esta tumba, asesinado por hombres malvados, de los cuales el peor es Saulo de Tarso? ¿A mi casa, a mi esposa y mis hijas? ¿Quién me devolverá a mi único hijo varón?

—Tu hijo vive, y vive como jamás vivió en este mundo inicuo —dijo el rabino—. Juzgas esto una ilusión, la fantasía y la inútil fe de un viejo. Pero, escúchame: anoche soñé con tu hijo. Sólo lo he visto cinco veces en su corta vida. Sólo dos he estado en tu casa, y siempre cuando tu esposa me llamaba por estar enfermo alguno de tus hijos.

Tobías lo miró intensamente, aunque sus labios seguían curvados en despectiva sonrisa:

—¿Qué tratas de decirme, rabino?

—Ya te lo he dicho: tu hijo vino a mí en un sueño. Su rostro era como el sol, pero había lágrimas en sus mejillas. Y me dijo: "Mi amado padre no cree en nada, y así no podrá estar con él cuando parta de este mundo, y no quiero que él lamente haber negado a nuestro Dios, bendito sea Su Nombre. Si tú le dices que has soñado que vivo, y con más gloria de la que nunca podía imaginar, se reirá de ti, a pesar de su tristeza. Por tanto, voy a darte un mensaje para él, un mensaje que sólo él comprenderá, y así sabrá que vivo.

"No entendí a tu hijo, y eso era lo que él se proponía. Lo juro por las barbas de mi padre, que descanse en paz. No puedo darte interpretación alguna de las palabras de tu hijo. Esto me dijo:

"Dile a mi padre que saque del cofre dorado que guarda bajo su cama lo que me mostró el día de mi *Bar Mitzvah*, y pídele que recuerde todas las cosas que me dijo, de las que reímos juntos. Ruégale en mi nombre que, si me quiere, coloque lo que está en el fondo de ese cofre en el lugar a que pertenece, y que ponga en mi mano el hermoso regalo que me entregó en mi décimo cumpleaños, sobre el cual están grabadas en esmeralda estas palabras: *Tú eres el rocío de mi juventud.* Pues eso tan hermoso perteneció a su padre, y luego a él y me lo dio de niño diciéndome: —Guárdalo. Consérvalo para tu propio hijo".

Mientras hablaba el rabino, el rostro del dolorido padre había empezado a trasformarse. Desapareció todo el color de sus mejillas y labios; abrió la boca, y sus fríos ojos color miel se agrandaron como en una visión, y un temblor recorrió todo su cuerpo. Miraba al rabino con intensidad, y su mirada no se apartó del viejo hasta un rato después de que éste hubiera cesado de hablar. Y José creyó percibir que el infortunado padre oraba desesperadamente en silencio, para que no lo engañaran por piedad.

—¿Significan algo para ti esas palabras de tu hijo vivo, Tobías ben Samuel —preguntó el viejo rabino con dulzura—, o sólo las he soñado?

Tobías repuso, con aire aún escéptico:

—¿Significan algo para ti, Gamaliel?

—Nada. Y de nuevo te lo juro por las barbas de mi padre; y repetiría lo mismo ante el Santo de los Santos, Tobías ben Samuel.

Tobías alzó los ojos. Todo su rostro temblaba. De pronto extendió la mano, cogió la manga gris del rabino entre sus dedos y se aproximó a él.

—¿Quieres saber qué significa lo que mi hijo deseaba comunicarme?

—No, a menos que tú desees que lo sepa, Tobías.

El padre inclinó la cabeza:

—En ese cofre, en el fondo, olvidado hasta este momento, está el chal de las plegarias que tu padre, Gamaliel, dio al mío antes de que yo naciera. Él lo conservaba como un tesoro, aunque fuera escéptico, como toda mi familia. Hay también una banda azul, bordada en oro. Mi padre amaba la tradición, aunque no tuviera fe, y en los Santos Días colocaba el chal sobre sus hombros y se anudaba la banda a la cintura. En realidad, mostré ambas cosas a mi hijo Esteban cuando llegó a su *Bar Mitzvah*, y le pregunté si deseaba llevarlas y él... él me miró a la cara y vio burla en ella, y por amor a mí agitó la cabeza y ambos nos reímos un poco hablando de supersticiones.

Suspiró pesadamente:

—...Y envuelta en ellas, guardaba como todas sus cosas de niño, una bola de brillante oro, un juguete encantador, con la inscripción que tú has repetido. Yo... la había olvidado, pero cuando la puse allí pensé: "Su hijo la tendrá y la querrá como yo, y como mi padre antes que yo, y también Esteban". No he abierto ese cofre durante años.

—Bendito el Nombre del Señor, el Santo de Israel —dijo el rabino—, pues Él no olvidará a los que lo aman, y secará sus lágrimas.

—Hijo mío... —dijo Tobías ben Samuel, volviéndose hacia la tumba, con expresión, a la vez, de angustia y alivio—. Colocaré en torno a tu cuello el chal de las plegarias de tu abuelo, y te pondré en la mano tu juguete, como deseas, pues ahora sé que vives.

Capítulo 30

"...Saulo, respirando amenazas de muerte contra los discípulos del Señor, se acerco al Sumo Sacerdote pidiéndole cartas para las sinagogas de Damasco, a fin de que, si allí hallaba quienes siguiesen este camino, hombres o mujeres, los llevase atados a Jerusalén. Estando ya cerca de Damasco..."[1]

Habían dejado Jerusalén seis días antes, cruzando el verde Jordán, estrecho pero muy lleno en la primavera, y cuyas orillas se

[1] Hechos, 9: 1-3.

cuajaban de flores de almendro y menta, de tomillo y capullos salvajes, y de árboles de tiernas hojas.

Los jóvenes soldados encantados con el nuevo gozo de la tierra primaveral pasaron cerca de Jericó, de sus altas y oscuras casas. Pero, al segundo día, la tierra ya no estaba llena de vida y verdor. Los rodeaba el desierto, terrible y agostado, el cielo hirviente de calor, el suelo gris y áspero por las piedras, polvo y cantos rodados, los montes lejanos y cobrizos. Aquí moraba el silencio, los espinos, chacales y buitres; los manantiales eran escasos y estaban distantes, y extraños espejismos palpitaban en el horizonte: ciudades misteriosas, oasis y lagos, sombras temblorosas, templos de columnas, e incluso las costas de un mar sin nombre.

Acamparon de noche bajo las monstruosas estrellas, vívidas y heladas, y el viento del desierto atravesaba sus corazas de cuero e incluso las mantas, y durmieron armados por temor a los ladrones que asolaban el desierto persiguiendo a las caravanas. Durmieron rodeados de hogueras para mantener alejadas a las bestias del desierto, y con frecuencia las vieron, mirándolos con ojos amarillos en la oscuridad, y aullidos terribles cortaron el silencio de la abandonada tierra. Comían juntos soldados y jefes. Sólo uno se mantenía aparte, envuelto en la oscura capa, con los ojos fijos en el fuego, sin dormir, sin comer apenas, casi sin beber, con el rostro oculto a la sombra de la capucha, y la barbilla hundida entre las rodillas.

—Un hombre terrible, este Pablo de Tarso —murmuró el joven oficial, observándolo—. Es imposible comprender a los judíos, pero más imposible aún a éste. ¿A qué vamos? ¡A arrestar a gente de Damasco por blasfemia! Si no fuera tan misterioso, sería absurdo.

—Sin embargo —dijo uno de sus hombres—, yo he oído decir que su Dios se deja llevar con facilidad por la ira y el deseo de venganza y lanza tormentas de fuego, pues su genio es muy fuerte. Eleva montañas con una mirada de sus ojos, y demuele ciudades con el simple alzar de la mano, e incluso puede partir en dos la tierra como yo partiría una manzana. No hay que jugar con tal Deidad.

Una noche, en el largo camino a Damasco, Saulo sintió un súbito temor. Apoyó la mano en el caballo y, con creciente alarma, notó que el animal temblaba como dominado también por el pánico. ¡Pero no había nada allí, más que el silencioso y lechoso mar del desierto! Trató frenéticamente de recordar una plegaria. Su mente estaba en blanco, como la de un niño, y eso lo aterraba más, pues nunca sus pensamientos le habían traicionado ni huido de él. "Estoy agotado, agotado —pensó—. Sólo es esto, y la enormidad de la luna del desierto y la soledad y el fantasmal silencio, y el sufrimiento que he soportado. Ya pasará."

Era un hombre tenaz, y golpeó perentoriamente el cuello de su montura. Miró ante él, esperando divisar ya la ciudad, rogando porque se alzara como un espejismo de plata en el interminable desierto; para que pudiera contemplar el brillo de sus puertas. Pero nada veía.

—¿Qué es eso? —exclamó el oficial en voz alta y tensa que cortó el silencio. Tiró de las riendas de su caballo, y sus hombres se detuvieron con él—. ¡Oí la voz de un hombre! —dijo a Saulo, que seguía adelante—. ¿No oíste algo, una voz, una orden, que no venía de ninguno de nosotros?

—No —dijo Saulo, casi fuera de sí de terror, convencido de que se hallaba frente a algo objetivo, no imaginado. De pronto sujetó las riendas de su caballo.

Y entonces, ante sus ojos, hubo una enorme explosión de inefable luz, palpitante, una nube de esplendor llena de chispas de blanco fuego, que brillaba en su centro como el oro, más vívido que el sol.

Y lo vio a Él, de pie en aquella nube de oro, en el desierto.

Estaba como Saulo lo recordaba en la plaza del mercado, con su madre, en la calle, en su sueño, caminando entre las cruces; sin embargo, estaba glorificado, transfigurado. Era el Hombre poderoso, el Hombre heroico y hermoso, con toda la monumental grandeza de su divinidad, majestuoso de rostro, con el poder de sus ojos imperiosos. Su cabeza majestuosa, irradiando pureza de su frente, blancura fulgente de sus ropas, con el chal de las plegarias sobre sus hombros, cuajado de los colores del arco iris.

Saulo alzó las manos y abrió la boca, y al fin supo a quién había estado buscando, con anhelo y desesperación, con esperanza y amor..., y con vehementes negativas. Sus ojos, aunque llenos de aquel esplendor que brillaba sobre él, no parpadeaban, no se abrasaban. Una quietud, tan inmensa como el océano, lo dominó. Su corazón se agitó y se alzó en su pecho. Pero el éxtasis aumentaba por momentos. Saulo trataba de hablar, de susurrar, pero al fin le bastaba única y exclusivamente con poder percibir lo que tenía ante él.

Entonces habló Él, con aquella gran voz potente y masculina que Saulo oyera antes:

—¡Saulo! ¡Saulo de Tarso!

La Voz corrió sobre el desierto, y a Saulo le pareció que las montañas escuchaban, que la tierra retenía el aliento.

Y la voz de mando, a la que nada podía oponerse, gritó de nuevo:

—¡Saulo! ¡Saulo de Tarso!

Éste no supo que había caído al suelo del desierto y que yacía en él. Lo que veía era toda la vida, todo el conocimiento, toda la certidumbre y culminación, la explicación de los misterios, la Revelación. Olvidó dónde estaba, e incluso quién era. Olvidó a los soldados que lo rodeaban, apiñados por el temor, pues oían una voz y nada veían.

Pensó que iba a expirar en su éxtasis. Sus manos se movieron sobre la dura grava; trató de incorporarse. No podía apartar los ojos de la poderosa Figura envuelta en aquella nube de oro.

—¿Quién eres tú, Señor? —preguntó, exaltado. Sólo deseaba tocar aquellos divinos pies, apoyar su cansada mejilla en ellos, descansar en la bendición del conocimiento.

La voz perdió algo de severidad, como si sintiera piedad de él:

—Yo soy Jesús, a quien tú persigues. ¿Por qué te revuelves contra mí?

"Aunque Él me destruya en castigo y me mate para siempre, ¡me regocijaré porque me ha hablado! —pensó Saulo—. ¡Que el mundo caiga sobre mí y me reduzca a la nada... y yo gritaré de gozo, cantando Hosana, porque Él me ha recordado!"

—¿Qué deseas que haga, Señor? —preguntó.

—Levántate —dijo el Señor— y ve a la ciudad, donde se te dirá lo que has de hacer, Saulo.

Y ahora sonrió como un padre, o el más querido amigo que el hombre pueda conocer, y el gozo dominó a Saulo de nuevo, y se sintió transportado. La eternidad fue suya...

Los soldados, casi fuera de sí de temor, por haber escuchado una voz pero no palabras, y no haber visto nada, desmontaron y corrieron hasta donde estaba el hombre caído en tierra. Vieron su rostro, sus labios abiertos. El rostro era más brillante que la luna, como si hubiera contemplado la divinidad, pues, estaba transfigurado. Los asustó tanto que se retiraron un paso, temblando, pues era peligroso acercarse a uno tocado por la visión de lo divino.

—Ha visto a Júpiter, Apolo o Mercurio —susurró un soldado a su oficial—. Tiene el aspecto del que se ha acercado a los dioses.

El centurión venció su temor al cabo de unos momentos. Había de mantener su honor de romano. Tocó a Saulo en el hombro y éste se levantó.

Entonces dijo, como si anunciara un maravilloso mensaje de tanta importancia que apenas podía pronunciar las palabras:

—No veo, y sin embargo veo. ¡Que ya no vea más con estos ojos para que la dicha no me sea quitada!

Los soldados se miraron. Entonces el oficial preguntó tímidamente:

—¿Has quedado ciego, señor?

Saulo juntó sus manos:

—¿Qué me importa a mí, ahora que he visto al Mesías?

Era como si hubiera mirado demasiado tiempo al Sol, y ahora veía su aureola, su eterna imagen grabada en su retina. Pero no sentía miedo.

—He visto mi vida —dijo sin ver a los soldados—. He visto la Verdad, la Eternidad. He visto al Santo de Israel y eso es suficiente para mí. Mi búsqueda ha terminado. Lo he encontrado al fin. ¡Oh, mi Señor y mi Dios..., al fin!

Se dio cuenta de la alterada respiración de los hombres que lo rodeaban, y sintió su temor, y una profunda ternura dominó su corazón:

—Estoy ciego —dijo—; por tanto, llévenme a Damasco, a casa de Judas, en la calle llamada Recta.

Capítulo 31

"... Había en Damasco un discípulo, de nombre Ananías, a quien dijo el Señor: "¡Ananías!" Él contestó:

"Heme aquí, Señor."

"Y el Señor volvió a Decirle: "Levántate y vete a la calle llamada Recta y busca en casa de Judas a Saulo de Tarso, que está orando, y ha tenido la visión de un hombre llamado Ananías que entraba y le imponía las manos para que recobrara la vista."

"Y contestó Ananías: "Señor, he oído contar cuántos males ha hecho este hombre a tus santos en Jerusalén, y sé que viene aquí con el poder de los sacerdotes para prender a cuantos invocan Tu Nombre."

"Pero el Señor le dijo: "Ve porque él ha sido elegido por mí para que lleve mi nombre ante las naciones y los reyes y los hijos de Israel. Yo le mostraré cuánto ha de padecer por mi nombre."

"Y Ananías fue..."[1]

Judas ben Jonás se sentía temeroso.

Era un rico y respetado banquero y comerciante de la antigua ciudad de Damasco, hombre de unos cuarenta y ocho años, grave, circunspecto y digno.

Era amigo no sólo de Poncio Pilato y Caifás, el sumo sacerdote, sino también de Chebua ben Abraham. Éste valoraba su amistad, y Saulo ben Hilel lo había encontrado varias veces en casa de su abuelo.

Y todo esto le preocupaba. Pues Judas ben Jonás se había hecho seguidor de Yeshua ben José de Nazaret, paso a paso y sólo después de un prolongado y juicioso estudio.

[1] Hechos, 9: 10-17.

Muchos de sus amigos judíos llegaban a Damasco desde las provincias de Israel, contando las persecuciones del sumo sacerdote Caifás y de Poncio Pilato a los que se adherían al nuevo culto. Cuando alguien mencionaba a Saulo ben Hilel como uno de los más feroces perseguidores, se sentía débilmente incrédulo, y así acogió con gusto la visita del joven, ya que le agradaban mucho los visitantes.

La calle llamada Recta no lo era en verdad, sino más retorcida que las otras calles de Damasco. Sin embargo, tenía cierto decoro y quietud, pues todas las casas eran mansiones de hombres ricos que no presumían de su riqueza. Judas había encargado apartamento para Saulo, a quien recordaba como un joven batallador, de fieros cabellos rojos, ojos impacientes y modales abruptos, no tan respetuoso como debía con sus mayores.

Esperó la llamada de Saulo con ansiedad y aprensión ocultas. Pero Saulo había llegado pasada la medianoche, aunque no se le esperaba hasta la mañana; había llegado mudo, con unos soldados romanos que lo condujeron al patio y, después de entregarlo a su anfitrión, se retiraron al cuartel.

No le gustaba lo inesperado, lo extraño. Se acarició la barba, meditó profundamente, se tocó los anillos de sus dedos. Dejó pasar algún tiempo y luego fue a la cámara que había asignado a su huésped y se sentó ante el joven de brillantes ojos azules, vestido ahora con las ropas limpias que los sirvientes le trajeran. Judas observó que apenas había tocado la cena. Se sintió inquieto. No había señal de daño alguno en aquellos ojos, que apenas parpadeaban a la luz de las lámparas. Saulo parecía envuelto en alguna visión, una profunda meditación que le hacía olvidarse no sólo de sí mismo y lo que había en torno, sino también de su anfitrión.

Judas vaciló. Pronto sería de día y él estaba cansado. Juzgaba casi pecaminoso no retirarse al lecho a la hora acostumbrada. Pero no sólo se sentía ansioso, sino curioso también. Y dijo con voz amable:

—¿Estás enfermo, Saulo ben Hilel? ¿Por qué no ves?

—He visto a la Vida —dijo Saulo, y ésas fueron las primeras palabras que pronunció. De pronto su rostro brilló como el rayo, y una insostenible exaltación flameó en sus ojos—. Pero debo esperar —se detuvo. Volvió los ciegos ojos en dirección a Judas y dijo con voz apasionada—: Perdóname, Judas ben Jonás, por no haberte saludado antes, dándote las gracias por tu hospitalidad, pero estoy asaltado por celestiales revelaciones y debo meditar en ellas.

Una arruga apareció entre las cejas de Judas. De nuevo se preguntó si Saulo se habría vuelto repentinamente loco.

—¡He visto al Mesías! —dijo Saulo, y su voz resonó como una trompeta, y sonrió gozosamente y apretó sus manos tostadas al sol convulsivamente sobre su corazón, como para acallar sus latidos.

Judas se sintió aún más confuso. ¿Era éste el Saulo ben Hilel del que se decía el mayor enemigo del nazareno?

—¿Cuándo? —preguntó con su habitual prudencia.

—Hace sólo unas horas. En el desierto, antes de que llegáramos a las puertas de Damasco.

Saulo hablaba sencillamente, con infantil candor, y Judas no reconocía ese candor en él.

—El Mesías... —dijo Judas, como si reflexionara.

—¡Lo vi! —gritó Saulo levantándose y mirando en torno con extraordinaria sonrisa, aunque no podía ver—. ¡Debes creerme, Judas ben Jonás! Lo vi, a Él, a quien he estado persiguiendo. ¡Y Él no me reprochó, ni me aniquiló! ¡Me ha dado una misión y me siento lleno de revelaciones que Él me concede momento tras momento! Me ha elegido a mí, el más bajo, el más despreciable, el más digno del fuego del infierno y de la total destrucción. ¿Cómo no muero al pensamiento de tal magnificencia, tal merced, tal amor?

—No lo sé —murmuró Judas, más confuso que nunca. Había oído hablar de los inspirados discípulos y apóstoles de Yeshua ben José, aunque sólo conociera a uno de ellos. Y ahora Saulo, a la luz de la lámpara, le parecía un sol vibrante, un león rojo en aquella agradable cámara, cuyas cortinas de damasco, sacudidas por el viento, dejaban penetrar el intenso perfume de las flores y el hálito de las piedras caldeadas. Nadie más extraño a la casa de Judas ben Jonás había entrado antes, y éste se sentía inquieto ante aquella vehemente alegría y extraterrena certidumbre.

—Descansa, Saulo ben Hilel, y, si mañana no has recobrado la vista, llamaré a mi médico.

El elocuente rostro de Saulo expresó su tremenda impaciencia, pero luego se dominó y sonrió con una amabilidad que Judas encontró asombrosa:

—Me han dicho que alguien vendrá a mí dentro de unos días, me bautizará y me será devuelta la vista, y luego emprenderé el camino que Él me ha ordenado, bendito sea Su Nombre.

Era evidente que creía hablar con toda razón, y que Judas le entendería sin más explicaciones.

—¿Quién vendrá a ti, Saulo?

—Un hombre llamado Ananías.

Judas conocía a Ananías, hombre pobre pero sabio, el instrumento que llevara a Judas a la compañía del Mesías. Antes de que pudiera preguntar a Saulo cómo lo sabía, éste dijo:

—Me han hablado de él después de que quedé ciego y él vendrá.

Judas se levantó:

—Permíteme que te conduzca al lecho, querido amigo, pues estás exhausto y necesitas descanso.

Aunque Judas era banquero además de comerciante, respetaba la erudición y la sabiduría, y prefería ser conocido como sabio antes que como rico. Por tanto recibió a Ananías con grave cortesía cuando el anciano llegó a su puerta; y le dio la bienvenida y pidió refrescos para él. Simuló que no se daba cuenta de lo usadas que estaban las pobres ropas de su huésped, de sus botas remendadas y de la escasa capacidad de su capa y de su bolsa. Ananías había recorrido a pie muchas calles de la ciudad, y su pálido y delgado rostro, y la barba gris, estaban cubiertos de polvo dorado mezclado de sudor. Sin embargo, a pesar de sus modales tranquilos y evidente cansancio, su expresión era brillante y juvenil.

—Tengo una misión —dijo Ananías al fin, con la más dulce voz—. Tienes un huésped, Saulo de Tarso. He sido enviado a tu huésped.

—Él te espera —dijo Judas.

Entraron en silencio en la alcoba de Saulo. Lo hallaron sentado en el rico lecho, sus manos rodeando las rodillas, tratando de oír.

El viejo dijo suavemente:

—*Shalom*. Que el gozo de Abraham, Isaac y Jacob estén contigo, Saulo ben Hilel, y que la paz de Dios, bendito sea Su Nombre te acoja siempre.

Saulo se puso en pie de un salto. Avanzó dos pasos en dirección a él y gritó:

—¡Ananías!

—Soy yo —dijo éste—. Sé todo lo que tú me dirías, porque también yo he visto una visión.

Ananías alzó la cabeza y oró en silencio, para que la vista le fuera devuelta, si era voluntad de Dios, y para que Dios lo confortara y sostuviera siempre en su terrible camino. Se inclinó y apretó las palmas de las manos contra las febriles mejillas del joven, y besó su frente como un padre.

La luz del sol llenaba ahora la alcoba. Y la paz también, flotando como agua brillante sobre el hombre de rodillas y el viejo que se inclinaba tiernamente hacia él. La luz se reflejaba en el blanco suelo de mármol, en las paredes, y aureolaba de fuego el cabello de Saulo.

Saulo alzó la cabeza. Sonrió gozoso al viejo.

—Veo —dijo—. Ya no estoy ciego. ¡Veo al mundo con una gloria, como jamás lo vi antes! ¡Veo!

—Sí, hijo mío —dijo Ananías—. Por primera vez en tu vida, ves. *Shalom*.

Tercera parte

Apóstol de los gentiles

No cedas, por tanto, en la libertad con
que Cristo nos ha hecho libres, y no te
dejes apresar de nuevo por el yugo de la esclavitud.

Capítulo 32

A José de Arimatea le pareció increíble que el hombre tostado por el sol que tenía ante él fuera Saulo de Tarso. Lo miró con ojos vencidos por la edad, y su boca se abrió sin emitir sonido alguno, como hacen los hombres muy viejos. El día era caluroso en Jerusalén; el cielo estaba cubierto de pesada neblina y los polvorientos cipreses parecían tener partículas de oro; ni siquiera las fuentes de los jardines podían refrescar el ambiente. Sin embargo, José se envolvía en chales de lana, llevaba botas altas de piel de oveja, y se frotaba las manos como si las tuviera heladas.

Si le asustaba el aspecto de Saulo, éste quedó más impresionado aún ante la ruina de aquel espléndido hombre que viera por última vez hacía sólo cinco años. "Pero —pensó— ¿acaso creía yo que el tiempo seguía aquí inmóvil mientras los siglos se alzaban y caían en mi mente?"

—Y ¿qué hiciste en el desierto de los nabateos? —preguntó José.

—Proseguí con mi oficio de tejedor de pelo de cabra y fabricante de tiendas —dijo Saulo con su profunda y melodiosa voz, que José recordaba—. Hablé a los nómadas del Mesías. Viví y comí con ellos —sonrió débilmente y brillaron sus blancos dientes—. Nunca fui aficionado al lujo, ni voluptuoso, pero, como judío, me habían enseñado a lavarme con frecuencia. Aquellos con los que vivía no eran tan meticulosos.

—Eso observo... a través de mi olfato —dijo José con una risita—. Todos los perfumes de Persia no podrían lavar ese aroma que te circunda, Saulo, aunque estoy seguro de que te has lavado mucho recientemente.

—Me temo que aún huelo como un camello y una cabra, a estiércol, leche agría y queso —levantó una de sus manos y aspiró profundamente—. Sí, es cierto. Hay veces en que por necesidad me bañaba tan poco como mis compañeros. Además, no siempre es prudente singularizarse.

—Es peligroso también —dijo José, meditando en lo que Saulo le había contado. Veía que los vientos y polvos del terrible desierto le habían cortado el rostro, haciéndole perder toda la grasa y dejando reducido su cuerpo a piel y músculo. Sin embargo, nunca había parecido tan joven; no, ni siquiera en aquellos días, hacía muchos años, cuando visitara a Jochanan ben Zacarías en el desierto, ni había tenido tanta paz en su rostro. No era la plácida paz de la resignación a la voluntad de Dios, ni la paz de la santidad y el gentil misticismo, ni la paz de la retirada. Su barbilla resuelta era tan aguda de contornos como si un escultor la hubiera cincelado y suavizado después; la nariz era delgada y larga como un cuchillo, y había huecos bajo sus pómulos, que sobresalían en el rostro. Si alguna vez un hombre había sido templado y madurado por Dios, Saulo era tal hombre, pero renacía en él su humor juvenil —desaparecido durante años—, y demostraba una amabilidad de la que antes carecía.

—¿Y los árabes te escucharon, hijo mío?

—Son corteses, como todos los moradores del desierto, que viven o perecen por cortesía. Pero me dijeron que un profeta había anunciado hacía tiempo que ellos, los hijos de Ismael, tendrían su propia revelación.

José dijo amablemente:

—A cada pueblo envía Dios su revelación de acuerdo con su carácter y capacidad de comprensión, según sus propios términos y su alma. Aunque se ha dicho que todos los hombres son iguales, eso no es completamente cierto, pues hasta un hermano es diferente de su propio hermano.

José sonreía: recordaba haber oído que nadie en Damasco aceptaba la nueva y ferviente enseñanza de Saulo, diciéndose entre ellos, e incluso en su cara:

—¿No es éste el siervo de los romanos, el rabioso judío que encarceló y azotó a nuestros hermanos en Jerusalén porque creían que el Mesías no había nacido ya?

Los cínicos griegos de Damasco, y otros de la comunidad gentil, fueron incitados contra Saulo, y éste había tenido que huir, bajado en una espuerta a medianoche de las altas murallas por un muchacho llamado Bernabé, y marchó al desierto. Para alguien tan orgulloso como él, debía haber sido una humillante y desastrosa experiencia. Ser rechazado es intolerable, especialmente cuando uno cree que lleva la verdad. "¡Ah, Saulo!", pensó José con amor, y sonrió de nuevo.

El joven dijo con firmeza:

—El mundo está esclavizado por el romano. El mundo está oprimido por Roma. No hay nadie que pueda decir: soy libre, en mi propia tierra, en mi casa, a salvo de tiranos e impuestos, a salvo de los funcionarios del gobierno que me atormentan con inquisitivas preguntas y maliciosas leyes. De esa opresión y tiranía vino a librarnos el Mesías —se detuvo con furiosa impaciencia, pues el viejo agitaba lentamente la cabeza.

—Hijo mío —dijo José—, el mundo de los hombres siempre ha estado en servidumbre, oprimido por alguna nación poderosa, o incluso por su propio gobierno. Nadie ha sido realmente libre mucho tiempo, a salvo de impuestos y de guerras, matanzas y ultrajes. Los griegos han dicho que los hombres tienen el gobierno que se merecen, y nada he visto en mi vida para refutarlo. Si los hombres son ahora esclavos, ha sido por su propia y complaciente aquiescencia, su debilidad y ambición, su propia envidia. Pero si un hombre dice en su alma, aunque tenga atadas las manos: "Soy un espíritu libre, y el hierro del hombre no puede esposarlo", entonces ya no es un esclavo. Esa libertad del espíritu es la que el Mesías nos trajo, a nosotros y a todas las naciones que lo oigan, pues ¿no dijo, al ser apremiado por los rigurosos fariseos que le mostraron una moneda con la cabeza del César: "Dad al César lo que es del César, y a Dios lo que es de Dios"?

A despecho de sí mismo, algo impulsaba a Saulo a escuchar, como no hubiera escuchado años atrás, y de nuevo se maravilló, frotándose la frente.

—Es cierto —murmuró—. Sólo Dios puede darnos la verdadera libertad. Sin embargo, debiéramos luchar por ella contra los sanguinarios y ambiciosos gobiernos.

—Ése es también nuestro deber —dijo José—. Es un deber que el hombre tiene desde el principio. ¿No gritó Moisés: "¡Proclamad la libertad en toda la tierra y a todos sus habitantes!"? Sí, pero el hombre se olvida. El pan, la calma y la seguridad son el precio ofrecido por su libertad como hombre, y siempre, a través de los siglos, ha aceptado ese precio.

Saulo pensó en el César loco en el trono de Roma, y tembló.

—¿No se rumoraba, entre risas, que había hecho a su caballo cónsul de Roma?

—Estamos en vísperas de terribles sucesos —dijo.

—Siempre lo estuvimos y lo estaremos —dijo José.

Al poco rato, quedó dormido; y Saulo, levantándose en silencio, lo dejó. Fue a la Calle de los Fabricantes de Tiendas, donde de nuevo había empezado a ejercer su oficio, a soñar y a preparar su lucha.

Saulo de Tarso, llamado Pablo por griegos y romanos, estaba casi constantemente consumido por el poder y la gloria de las revelaciones que seguía recibiendo. Le parecía caminar en la luz, contemplando la belleza del mundo con poderoso éxtasis, y tan lleno del amor del Mesías que había veces en que casi se desmayaba en sus meditaciones. Ahora amaba también a los hombres, y sentía piedad por ellos, siempre y cuando no lo dominara su antigua y apasionada impaciencia, o al darse cuenta que los demás no veían la luz que para él, Saulo, brillaba tan clara, o que lo miraban con escepticismo o que se apartaban de su lado con indiferencia. ¡Y la verdad era tan patente, tan omnipresente! ¡Todos habían de sentir la presencia del Mesías en su alma!

A menudo Saulo se enfurecía con muchos de los nuevos nazarenos o adeptos. El Mesías había querido decir que el hombre no debía destruirse ni perder la calma por temor al mañana, pues ¿qué sabemos lo que ese mañana puede traer? Quizás la muerte, quizás otros deberes, tal vez la llamada a tierras extrañas. Sin embargo, ¡claro que el hombre había de cuidarse de los problemas y deberes de hoy! Los nazarenos sonreían inmutables, se encogían de hombros y miraban al cielo, esperando el regreso del Mesías.

Saulo gritaba:

—Si sus amigos judíos no les dieran pan y carne, queso y vino, ¿quién los alimentaría?

—El Señor —contestaban ellos con un amable susurro.

—¡No, si desobedecen su ley del trabajo! ¿No fue Él un carpintero?

—Eso era sólo para enseñarnos Su humildad —replicaban.

Finalmente, a pesar de sus dóciles sonrisas vio odio en sus ojos. Además, los judíos que no habían aceptado al Mesías se enojaron con sus exhortaciones:

—¿No eras tú el que perseguía a nuestros hermanos? —le preguntaban—. ¿No los enviaste a prisión? ¿No hay viudas, y madres sin hijos y hermanas que lloran y hermanos que sufren por tu culpa? ¿Eres espía de los romanos? Antes te sentías muy fervoroso en contra de los nazarenos. ¡Ahora los predicas! Eres inconsecuente, y somos caritivos al no decirte algo peor. No confiamos en ti, Saulo de Tarso. Márchate de entre nosotros. Hemos cerrado nuestros oídos contra ti y no te escucharemos, pues un hombre apasionado siempre es sospechoso, y el que un día está frío, y caliente al siguiente, despierta dudas sobre su sinceridad.

Los zelotes y esenios habían alarmado a los judíos con sus francos e inútiles ataques a los romanos, lo que dio por resultado el castigo de los más moderados. Ahora de nuevo la alarma se apoderó de ellos. Algunos nazarenos, pensando que emulaban al divino Salvador, incitaban deliberadamente a los romanos, llenando las calles de Jerusalén con sus cuerpos echados al suelo en muda protesta, no contra las leyes opresivas, sino ante la negativa de los romanos de abrazar la nueva secta judía. Decían: “Si los romanos se hacen nazarenos, compartirán con nosotros los frutos de la paz y el vino de la amistad, y todos los hombres se abrazarán y, cuando vuelva el Señor —que pronto volverá— descubrirá que el mundo lo espera lleno de amor y de canciones".

Los romanos perdían la paciencia. Se llevaba sin resistencia a los hombres y mujeres echados en las calles, y los encarcelaban; y muchos de ellos se regocijaban por lo que consideraban su martirio, e imploraban que los llevaran a la muerte, como el Señor fuera llevado.

Saulo estaba fuera de sí: "¿A dónde iré, Señor"?, preguntaba, con más pasión que reverencia, aguardando la respuesta. Su poderosa alma no soportaba la espera. Su amor por la realidad había aumentado, y, ahora que conocía la gran realidad del Mesías, le parecía increíble que nadie lo escuchara en Jerusalén, y lo evitaran como a un salvaje. Abandonado, meditaba solo en el Templo.

Capítulo 33

Chebua ben Abraham había muerto mientras Saulo se hallaba en los desiertos de Arabia; el rabino Gamaliel murió justo antes de su regreso, y lo mismo la noble dama romana Claudia Flavia. David ben Chebua era ahora un hombre rico, tan juicioso y moderado como siempre. Los hijos de Chebua, Simón y José, habían abrazado la nueva fe, pero con un positivismo que Saulo respetaba y comprendía. Sin embargo, ellos no lo aceptaban, pues recordaban su carácter apasionado y ahora lo veían más apasionado y dogmático que antes.

Por tanto, de la casa de Chebua ben Abraham sólo le quedaba su hermana Séfora, cuyo marido había enfermado y muerto hacía pocas semanas.

—Estamos de luto en esta casa —decía Séfora llorando—, pero los que amamos murieron en el conocimiento del Mesías, y ahora descansan en Su Seno —sus hijos eran jóvenes amables, aunque el más inteligente era Amos ben Ezequiel, resucitado de entre los muertos por el Mesías, y a este joven, ahora de diecinueve años, pero aún soltero, se volvió Saulo en su dolor.

Amos era de espíritu claro y sincero, tranquilo de palabras, determinado en la acción, justo, devoto y patricio. Una vez decidido su camino, nada lo apartaba de él. Escuchaba las apasionadas diatribas de Saulo contra los judíos, tanto los nazarenos como los no creyentes, con serenidad.

—*Él* te lo dirá —decía Amos. Saulo, a punto de estallar en imprecaciones, vio los ojos dorados de Amos brillantes como monedas, radiantes, y comprendió que sus palabras venían a caer sobre su corazón como una fría catarata de aguas vivificadoras, y dijo:

—Sólo eres un joven imberbe, y yo soy tu tío; conozco el mundo y he tenido una revelación. Sin embargo, algo misterioso me dice que has hablado palabras de sabiduría y que yo he pecado en mi impaciencia.

Los encuentros de Saulo con Simón Pedro no habían sido muy felices. Simón, un fiero pescador, no tenía la mente sutil de Saulo. Era tan terco como aquél, y frecuentemente tan obstinado, y sus voces se habían alzado con acrimonia.

Pedro se sentía ofendido. ¿Acaso Saulo había conocido al Mesías en carne mortal? ¿Había caminado con Él por el polvo? ¿Había presenciado su crucifixión? ¿Había escuchado Sus palabras a lo largo de muchos días? Juan había dicho, en verdad, que todo lo que el Mesías había dicho y hecho llenaría "muchos libros". Saulo afirmaba haber visto al Señor en el desierto, y Pedro no lo dudaba ni por un instante. Pero primero había perseguido a los seguidores del Mesías más que ningún romano. ¿Quién había dormido junto al Señor y partido el pan con Él sino Simón Pedro? ¿Acaso no le había lavado los pies? ¿No había estado con Él durante cuarenta días después de salir de la tumba? Sin embargo, este Saulo de Tarso, este fariseo, este hombre de altiva seguridad e inteligencia, parecía creer que tenía más conocimiento del Mesías que los que habían vivido con Él.

Mediante Pedro, Saulo había conocido también a los tempestuosos hermanos Juan y Jaime ben Zebedeo. Ellos, como Pedro, eran hombres acostumbrados al trabajo, y algo más jóvenes, aunque todos los apóstoles lo eran. Sin embargo, éstos eran más parecidos a Saulo, fieros, inclinados a veces a excesos de palabras y gestos, de fuerte e indomable genio. Pedro consideraba pecaminosa la cólera de Saulo contra la docilidad de muchos nazarenos, y le aconsejaba que mirara a los que trabajaban con la misma diligencia que antes o más. También le decía que no se podía echar toda la culpa a los judíos por no aceptar sus enseñanzas, pues lo temían y desconfiaban de él.

—¿No somos todos imperfectos? —preguntaba Pedro.

—Y ¿no hemos de buscar la perfección? —exigía Saulo.

Pedro suspiraba. Era un hombre de sereno humor:

—Sólo podemos intentarlo —decía, observación que Saulo juzgaba frívola. Juan y Jaime los escuchaban con viva emoción reflejada en sus rostros, y Saulo, con placer, veía que estaban de acuerdo con él, y no con Pedro. Sin embargo, también coincidían con éste en que antes que un gentil pudiera ser nazareno debía hacerse primero judío, ser circuncidado y aprender las Sagradas Escrituras. ¿Cómo comprendería, si no, al Mesías, que había sido profetizado a través de los siglos?

Juan decía:

—Cuando estábamos en Samaria, y las gentes rechazaron a Nuestro Señor y no quisieron oír hablar de Él, yo Le imploré que bajara fuego del cielo y los destruyera.

—Y ¿qué contestó el Señor? —preguntó Saulo.

—El Señor riñó a Juan —dijo, con tono que implicaba que el reproche no había sido amable. Juan enrojeció y se envolvió en su capa. Jaime alzó la cabeza con gesto vigoroso.

Los tres habían logrado convertir a muchos, y hasta hacían que los ociosos, avergonzados, reiniciaran su labor.

Esto desconcertaba a Saulo. Él era rechazado, pero a los otros apóstoles se les concedía respetuosa atención.

Pedro había dejado Jerusalén, y Jaime y Juan habían partido lejos también, y ningún judío, ortodoxo o nazareno, reconocía la existencia de Saulo, que se sentía solo.

Capítulo 34

Con patético placer, Saulo recibió una invitación a cenar de su viejo amigo José de Arimatea, quien insinuaba en su carta que tal vez le alegraría encontrar a otro huésped. Saulo, aconsejado por su sobrino Amos, a quien consultó con una humildad que antes no conocía, se atavió con una larga túnica de lana roja bordada en oro, cinturón y anillo también de oro, una capa azul oscuro y finas botas de piel contra el frío del otoño.

José lo acogió con un abrazo en el hermoso atrio de su casa. Entonces un joven de rostro alegre y negra melena salió de las sombras, y Saulo, con asombro y alegría, exclamó:

—¡Bernabé! —cayó en sus brazos y ambos se estrecharon con fervor, pues era Bernabé ben Joshua, que salvara su vida en Damasco bajándolo por las murallas de la ciudad en una espuerta. También le había hablado mucho del Mesías, ya que había sido uno de sus discípulos, y luego le entregó cartas de presentación para Simón Pedro y los hermanos Juan y Jaime ben Zebedeo.

El rostro agotado de Saulo se rejuveneció mientras abrazaba a Bernabé, dominado por la alegría; luego exclamó:

—¿Es cierto que eres tú, pillo?

—¡Seguro que sí! —rió Bernabé.

Tenía la boca de un muchacho travieso, y ojos reidores y luminosos. Nada podía ensombrecer o entristecer por mucho tiempo aquel alegre espíritu, y Saulo había hallado solaz en él en sus meses de duda, firme ayuda en sus problemas mentales, y un compañero que amaba la buena mesa, el vino y las bromas, hasta el punto de que Saulo había llegado a estallar en carcajadas, las alegres carcajadas de su juventud.

Para Bernabé, el Mesías no era terrible, como a veces se lo parecía a Saulo, sino un alegre camarada, que también amaba las bromas.

Aunque Saulo había sospechado en ocasiones, al estudiar las antiguas Escrituras, que a Dios también le gustaba una broma de vez en cuando, había rechazado ese pensamiento como judío. Pero ahora le atraía un Dios alegre, como un refrigerio en un sonriente jardín, y Bernabé había llamado frecuentemente su atención hacia el hecho de que en las Escrituras había inmenso humor, y fantasía, e inventiva; y el corazón tormentoso del joven fariseo había quedado impresionado.

El rostro de José brillaba de placer a la vista de sus jóvenes amigos. Los encaminó al comedor, donde Bernabé, mirando las ricas viandas y buenos vinos, el asado y el pescado, gritó:

—¡Ah, éste es un banquete para los ángeles! ¡Ah, si el Mesías estuviera aquí con nosotros!

Un Mesías que disfrutara con la deliciosa comida de esta tierra, y que saboreara con aprecio los mejores vinos, era un nuevo Mesías para Saulo. Pero se dijo: "¡Qué ridículo soy! ¿Por qué no había de amar Él los dones de Dios? ¿No los creó Él mismo? ¿Por qué no habría de gustar su sabor, Él, más que todos?"

Bernabé podía ser un muchacho alegre que se frotaba las manos con gustosa anticipación, pero no dejaba de ser sagaz. Vio los nuevos pensamientos que corrían por la frente cansada de Saulo como inquietas mariposas nocturnas, su firme boca que empezaba a sonreír débilmente. "¡Ah, Saulo, Saulo! —se dijo con profundo amor—. ¡El Mesías nos trajo el gozo, no sólo la fe y el duro trabajo! ¿No era Él mismo la alegría, la gloria del júbilo? Era hombre además de Dios, y gustaba de los placeres inocentes, y jamás rechazaría un rostro alegre. En verdad había clamado contra el dolor de los más rigurosos fariseos que creían que un aire melancólico y grave complacía al Señor."

Hacia el final de la comida, animada por la charla alegre e inconsecuente, Bernabé dijo a Saulo:

—Tengo un mensaje para ti.

Por alguna razón el corazón de Saulo se expandió y miró los negros y alegres ojos de su amigo, que asintió alegremente. Saulo sabía también que el mensaje no sería trivial.

—Tal vez no te agrade —dijo Bernabé—, pero no tienes elección. Sin embargo, como eres Saulo de Tarso, puede que te guste, en realidad, por esa misma razón de no poder escapar de ello.

Sólo cuando terminaron fue cuando Bernabé dijo:

—Saulo, querido amigo, debo darte el mensaje que Dios nuestro Señor me entregó en un sueño por medio de uno de sus ángeles. Has de partir de Jerusalén y volver a tu casa de Tarso, y aguardar allí su voluntad.

—¿Debo volver a Tarso?

—Sí. Hay nazarenos allí, pero no sé si te aceptarán o no, pues tu fama se ha extendido entre todos los judíos. Debes aguardar pacientemente, pues Dios te tiene reservado un gran destino.

—Siento como si Él me hubiera abandonado —dijo Saulo, con el acento de su juventud, y con la misma angustia.

—No, Él nunca abandona a los que lo aman —dijo Bernabé—. Ha aceptado tu penitencia. Tú has visto Su rostro transfigurado. Pero debes salir de Jerusalén, pues tu destino no está aquí.

Dos días más tarde dejó Saulo la ciudad de sus padres al amanecer, y se despidió, a lo lejos, de los muros y torres, y de la dorada cúpula del templo.

Capítulo 35

Sólo había dos casas en Tarso donde Saulo fuera bien recibido, la de Aristo y la de los hijos y nietos del rabino Isaac, muerto hacía muchos años. En esta casa vivía Elisheba, la hermosa viuda sin hijos que una vez deseara casarse con Saulo, y fuera rechazada por él.

Todos habían adoptado la nueva fe, y Saulo hallaba consuelo en la casa donde estudiara de joven. Ninguno de los hombres tenía la inteligencia y visión del patriarca, pero eran amistosos.

En la casa del rabino Isaac, y aunque ya no viviera la famosa Lea, la mesa era excelente, y Saulo era bien recibido en ella a cualquier hora. Las mujeres de la casa guisaban maravillosamente, y ofrecían finos vinos. Servían modestamente a los hombres como se les había enseñado, con el rostro apartado y la cabeza cubierta, según era adecuado a las matronas judías, pero los ojos oscuros de Elisheba se fijaban con frecuencia en Saulo, y su pálido rostro enrojecía y, por alguna razón, un mechón de sus negros cabellos escapaba con frecuencia del velo y venía a descansar en la redondeada mejilla. Su descuido se evidenciaba también en la tersura del cinturón en torno a su talle, o en la hermosura de sus vestidos. Los hombres no se lo reprochaban, ni sus esposas e hijas, y a menudo Saulo captaba la fragancia de la menta, rosa o jazmín, cuando ella pasaba ante él con los platos, o le daba una cuchara o cuchillo.

Obtuso en las cosas de las mujeres, e inocente de la conspiración de la familia, pasó algún tiempo antes de que Saulo se diera cuenta abiertamente de la presencia de Elisheba. Su aversión por las mujeres desde la época de Dacil no había decrecido con los años, y los anhelos y fiebres de su carne la parecían pecaminosos y los acallaba. Ahora, después de un año en Tarso, volvían las ansias. La mortificación de la carne, el trabajo en sus propios jardines y los interminables estudios y caminatas, hacían poco por suprimirlas.

Sin embargo, Saulo fue fijándose más y más en Elisheba, y todos sus esfuerzos por mirarla como una trampa para su alma nada hicieron por abolir su atención. Últimamente su corazón tenía un curioso modo de latir cuando ella entraba en el comedor con un plato para la mesa, bajos los hermosos ojos y los labios plegados en modesta sonrisa, y cuando salía, algo de brillo se iba con ella. Saulo sentíase desconcertado; débiles ecos de lo que sintiera por Dacil empezaron a perseguirlo.

Entonces, una noche, en casa del rabino Isaac, Elisheba no sirvió la mesa con sus parientes, ni la vio en los salones. Pasó algún tiempo antes de que, afectando poco interés, preguntara por ella. Su anfitrión le informó que se hallaba visitando a su hermana en Tarso, ya que había tenido un niño. No volvería durante algún tiempo. Saulo no observó las sonrisas que intercambiaron los hombres. Sólo se sentía consciente, con repentino conocimiento, de que la ausencia de Elisheba lo trastornaba.

¿Cómo era posible que él, que había dado su vida a Dios y a su Mesías, fuera traicionado por su propia carne?, se preguntó angustiado durante varios días. ¿Era ésta otra tentación, otra trampa de Satanás para apartarlo de su ordenada dedicación? Recorrió los caminos por la noche, llorando y retorciéndose las manos. Le horrorizó descubrir que, sin consciente conocimiento, vigilaba la vecindad de la casa donde vivía Elisheba en las oscuras horas que preceden al amanecer.

Y fue en una de esas oscuras horas cuando la encontró, fuera de los muros y jardines de casa de sus hermanos.

Al principio pensó que era una sombra, y luego quedó apabullado a la vista de la joven que se deslizaba en la oscuridad. Se acercó a ella y entonces, a la débil luz de las estrellas, vio el hermoso rostro de Elisheba, mudo, lleno de amor por él. Se detuvo, temblando. Ella alzó sus manos hacia Saulo, y él vio sus largos cabellos sin cubrir, la blancura de su cuello, el rápido agitarse de su seno.

Jamás pudo recordar Saulo en qué momento cayó ella en sus brazos, pero, con aguda sensación de gozo, sintió la presión de sus juveniles senos contra su pecho, el calor de su cuerpo contra el suyo; luego bajó la cabeza y sus labios se encontraron en cálida y tierna pasión. Toda su carne tembló con gozosa angustia cuando Elisheba le pasó los brazos en torno al cuello y, al retirarse las mangas, pudo él sentir todo el calor de su carne. Esto era muy distinto del éxtasis espiritual que había conocido... y, sin embargo, en cierto modo, no era muy distinto.

La retuvo apretadamente en sus brazos, como temeroso de que ella se convirtiera en niebla y se desvaneciera, y oyó su cálido murmullo junto a su cuello, y su corazón se hinchó de gozo y acudieron a sus ojos lágrimas de felicidad. Estaba traicionando a Dios, a quien había entregado su vida miserable en absoluto servicio; estaba traicionando al Mesías, que perdonara sus monstruosos pecados y condescendiera a rescatarlo y darle una misión..., aunque esa misión, después de un año en Tarso, aún parecía eludirlo. Otro pensamiento cruzó su cerebro: ¿Permitía el Mesías esta nueva tentación, esta gloriosa tentación de Satanás, para probar su valía?

Pero, ¡cuán dulce era el cuerpo de una mujer, el perfume de una mujer, la suavidad de una mujer! ¿Cómo algo tan deseable, tan amoroso y lleno de belleza, podía ser pecaminoso? El corazón de Saulo rugió con una mezcla de pasión y de horror por sí mismo.

Por un instante terrible, un pensamiento cruzó como fuego su mente: ¿No era el amor humano tan trascendente como el amor a Dios?

Entonces vio el camino que se había trazado ante él, la senda que había aceptado con reverencia y alegría, y supo que debía recorrerla solo.

Gentilmente entonces, pero casi con desesperación, separó los brazos que lo retenían y llevó a Elisheba a un lugar oscuro, junto a las murallas de la casa de sus hermanas, y se sentaron juntos. Ella se aferró a él y apoyó la cabeza en su hombro, y, a pesar de su fiera resolución, Saulo no pudo decidirse a alejarla. La cálida hierba estaba suave bajo ellos, una lluvia de jazmines caía sobre los dos, y las grandes estrellas escarlatas, blancas, doradas, parecían hallarse a su alcance. En algún lugar cantaba un ruiseñor de tal modo que ambos corazones se abrieron al escucharlo y temblaron de tristeza y excitación a la vez.

—Nunca te olvidé, amado mío, ni por una hora. Sin embargo, siempre supe, incluso de niña, que no podrías pertenecer a nadie en este mundo, sólo a Dios. Mi abuelo me habló de esto para consolarme, pero yo siempre lo había sabido. No puedes llevarme contigo, pues el camino que debes seguir has de hacerlo solo, ya que Uno te ama más que yo, y no has de rechazar su llamada.

"Sólo te imploro una cosa, amado mío. No me niegues tu presencia después de esta noche. No me impidas que pueda mirarte. Ninguna mirada mía te turbará o distraerá; ni una sonrisa te hará vacilar. Sólo pido verte en casa de mi hermano, y poderte servir vino, carne y pan. Tu sombra será para mí más brillante que el sol para mis ojos. El sonido de tus pasos y tu voz serán mi consuelo y mi contento. No soy más que una frágil mujer. No podría vivir si me privaras de la vista de tu rostro.

Alzó la mano de Saulo a sus labios y la besó humildemente. Entonces la miró, y a la luz de las estrellas vio que estaba pálida y sonreía, y sus ojos brillaban con las lágrimas.

Había juzgado débiles a todas las mujeres, dignas de desprecio y peligrosas, pero ahora descubría en una de ellas una resolución, un valor y una abnegación que hubieran sido gloriosas en el hombre más valiente; e, incluso en su angustia, Saulo se sintió humillado, y su amor por Elisheba se hizo reverente, y más hermoso de lo que hubiera podido expresar con palabras.

Tomando el suave rostro entre las manos la besó en los labios, húmedos y salados por las lágrimas. Después la apartó y, levantándose, se alejó a toda prisa. Ella lo siguió con la mirada hasta verlo perderse en la oscuridad de la noche. Entonces exhaló un gemido y se desplomó sobre la yerba, donde se quedó llorando hasta que asomaron las primeras luces pálidas del alba.

Capítulo 36

Pasó el cuarto y lento año en Tarso, y Saulo esperaba sin que le llegara el menor sonido, la menor revelación. Era como un barco lanzado a una playa y dejado allí para que se secara y blanqueara bajo el sol, inútil, sin tripulación ni capitán, con las velas caídas bajo el viento, sin movimiento en cubierta.

¿Habría sido todo un sueño, una ilusión? ¿Lo habría olvidado Dios al fin, dejando que muriera allí, en aquel apartado lugar? El guía espiritual de los judíos le pidió, con vacilante compasión, que no hablara en la sinagoga, pues enfurecía al pueblo que recordaba que había perseguido una vez a los suyos. Tampoco era bienvenido entre los nazarenos, que también recordaban. "No tengo amigos —pensó—, excepto los familiares de Isaac, y la mujer que no me atrevo a tomar, y mi antiguo preceptor Aristo y su esposa."

Caminaba por los jardines y trabajaba con los sirvientes, recogiendo las uvas. Tenía una pequeña tienda en Tarso donde vendía el pelo de cabra que tejía para unos pocos clientes.

Su hermana le enviaba noticias de la familia, tratando de hacer sus cartas alegres y consoladoras, como si sospechara la tristeza de Saulo. Él deseaba hablarle de la soledad de su espíritu, pero no podía. Sólo una conocía la verdad: Elisheba, y Saulo acudía cada vez con más frecuencia a la casa donde ella vivía para consolarse con su vista, su suave sonrisa y el sonido de sus pasos. Luego ya no pudo ir más, pues los hermanos empezaron a mostrarse serios, y a mirarlo con reprobación, alzando las cejas, de modo que hasta este oasis en el desierto le quedó cerrado. A veces gritaba en la noche: "¡Dios me ha olvidado! ¿No debería olvidarlo yo también, y aceptar ese gozo para mi corazón, y vivir como otros hombres, engendrar hijos, sentarse bajo mi propia higuera y regocijarme a la vista de mi esposa?" Entonces salía de casa e iba a la casa de Elisheba y se quedaba ante las puertas como un ladrón, dominado por el deseo, la soledad y el amor. Pero ella, conservando su pacto con Saulo y con Dios, no vino nunca a él, aunque Saulo supo, con extraño conocimiento, que ella sabía su presencia. Entonces volvía a casa vagamente confortado, como si su mano le hubiera tocado en la oscuridad, y su corazón hubiera latido junto al suyo.

Una tarde, en uno de sus paseos sin rumbo, se halló ante un pequeño cementerio donde enterraban a los gentiles, pero los de humilde cuna, libertos y siervos. El muro era bajo, y pudo ver las tumbas y oscuros cipreses. De pronto se sintió agitado, pues en algunas de ellas vio cruces de madera adornadas con flores y cintas. Abrió la puerta y entró, caminando suavemente, como para no despertar a los que dormían bajo el polvo.

El sendero de grava lo llevó en torno a un grupo de cipreses, y así llegó a una tumba sobre la que se alzaba una cruz. Estuvo a punto de retroceder, pues un joven estaba arrodillado con las manos unidas ante la cruz, y su melena roja brillaba como fuego al sol, y su rostro era el del joven Saulo.

"Mi hijo", pensó éste. Se hubiera alejado en silencio, pero su ligero movimiento había captado la atención del joven, que alzó sus serenos ojos azules, tan metálicos como los de Saulo. Bóreas se puso en pie, sin dejar de mirarlo, y los dos se enfrentaron en silencio. El sol brillaba en los cipreses y la hierba. El viento murmuraba entre los árboles y un carro distante resonaba sobre el camino.

—Te conozco —dijo Bóreas, y su voz era la de Saulo.

—Sí —intentó sonreír. Sintió en su corazón el antiguo dolor—. Te vi de niño. Eres Bóreas, ¿verdad? El hijo de...

Bóreas no contestó. Permanecía allí, firme como un joven león, sin moverse. Una peculiar sonrisa acudió a sus labios. Vigilaba a Saulo con penetrantes ojos, y su sonrisa se hizo más amplia.

—Nunca te olvidé —dijo al fin—. Con el paso de los años te recordé más y más. Y te he visto en el mercado, Saulo ben Hilel; te he oído hablar y predicar a la muchedumbre. Te he seguido a las sinagogas, aunque es ilegal —su sonrisa era una mezcla de sátira e ironía—, y me he maravillado de tu elocuencia.

Saulo no podía hablar. Quería huir, pero lo retenía la mirada de Bóreas.

—Yo también soy nazareno —dijo el joven—, como lo era el buen hombre a quien llamé padre, y que yace en esta tumba. Digo que era bueno, pues siempre debió haber sabido que no era su hijo; sin embargo, me amó y me aceptó como suyo propio. ¿Fue por el dinero? El dinero no le llegó hasta varios años después de mi nacimiento, y yo recuerdo que él me acariciaba sobre sus rodillas de muy niño, y me enseñó a caminar antes de que se lo dieran —la irónica sonrisa se hizo más fría, más dura—: El dinero de mi abuelo, Hilel ben Boruch.

El rostro de Saulo estaba ceniciento, y, aunque abría la boca, no podía respirar. Sin embargo, le era imposible apartar la mirada de aquel rostro satírico y condenador. El joven, de pronto, pareció divertido.

—Pensaste que no me daba cuenta de que venías a observarme cuando era niño, después de que nos vimos por primera vez —dijo—. Simulaba no verte, ni advertir tus miradas furtivas sobre los setos o los muros. ¿Te era tan querido, Saulo ben Hilel, que no te atrevías a hablarme, a mí, tu hijo?

Los ojos de Saulo se nublaron de dolor, y el amor pareció saltarle a la garganta como un tigre.

—¡Mirame! —dijo Bóreas, y avanzó un paso—. ¿Niegas que soy tu hijo? ¿Sabes lo que comentan los que te han visto y me conocen? Se ríen como de un buen chiste y dicen: "Sólo hay otro en todo Tarso aparte de ti, Bóreas, que tenga el color de tu pelo y tus ojos, y tus rasgos, y ése es Saulo ben Hilel, de noble casa judía. ¡Tal vez tu madre se cruzó con él cuando te llevaba en su vientre y quedó tan impresionada que sus rasgos llegaron a grabarse en ti!" Eso es lo que dicen, Saulo ben Hilel, lo que han dicho desde mis primeros años, lo que han susurrado a veces al oído del buen hombre que me acogió en su familia.

Su voz se alzaba, azotando a Saulo como un látigo.

Éste extendió las manos y dijo:

—Condéname si quieres, Bóreas, pero yo amé a tu madre, y apenas tenía quince años cuando te engendré, mucho más joven de lo que tú eres ahora.

—Y ella no era más que una miserable esclava, y tú un judío de noble familia.

Saulo agitó la cabeza:

—¡No! ¡No! —le era imposible decirle que su madre había conocido a otros hombres antes que a él, y que no era una virgen inocente cuando se entregara a Saulo, y que, en cambio, para él fue su primer encuentro con una mujer.

Los ojos de Bóreas se entornaron y sus rojizas pestañas fueron como una llamarada que cortara su pecoso rostro.

—Nunca conocí a mi madre —dijo—. Pero he oído decir que era muy hermosa, amable y encantadora, y la favorita de su ama, que la libertó cuando se casó y le dio una dote. ¿Es mentira?

—No, no es mentira —dijo Saulo; hizo acopio de fuerzas—. Ya te lo he dicho: yo aún no tenía quince años, soy judío. Tu madre no era una... doncella judía. No podía casarme con ella, pues mi padre no hubiera dado su consentimiento, y yo tenía deberes con mi pueblo.

Bóreas dijo:

—He oído hablar de esos deberes, pues tu fama precedió a tu regreso, padre mío —Saulo no pudo soportar las palabras, ni la sonrisa que las acompañaba—. No soy un niño —siguió el joven—. Me he acostado con esclavas, como tú hiciste con una de ellas. ¿Por qué he de condenarte? No lo sé. Quizás he soñado que me reclamarías, pero eso era un falso sueño, ¿verdad? No soy judío.

Saulo alzó las manos en vehemente gesto y las dejó caer sobre los fuertes hombros de Bóreas, y gritó:

—¡Tú eres mi hijo, mi semilla, y no te reclamé porque temía lo que ya ha sucedido, y sólo deseaba que vivieras en paz!

El muchacho empezó a retirarse de él. Alzó las manos para obligarlo a soltar sus hombros. Pero, al tocar las manos de su padre, dejó que las suyas se apoyaran en ellas sin poder evitarlo, y ambos se miraron profundamente a los ojos y empezaron a sonreír.

Entonces Saulo cogió a su hijo entre sus brazos, lo abrazó y dijo:

—No te he olvidado, Bóreas, hijo mío. Siempre te he añorado, a través de estos años. Pero no quería que te hicieran daño, ni que se burlaran de ti. Por amor a ti, por tu propio bien, no te busqué. Condéname por cobarde, si quieres, pero fui cobarde en bien tuyo. Todo lo que tengo será tuyo, pues soy un hombre sin hogar ni patria, y quizá sin Dios.

Capítulo 37

—Pero se burlarán de ti, padre —dijo Bóreas—, se reirán de ti, y eso no lo soportaré.

—Jamás en toda mi vida he dejado de hacer algo por temor a los comentarios o bromas de los demás —Saulo cambió su expresión—. ¡Ah, en ocasiones fui malvado! Pero en este asunto obro bien, y tú debes obedecerme.

Así que fueron ante los magistrados y Saulo adoptó a Bóreas, le dio públicamente el nombre de Enoc ben Saulo, y los magistrados ocultaron su sorpresa y maliciosas miradas, y mantuvieron el rostro indiferente y grave. Sobraban las conjeturas: el aspecto de ambos revelaba la verdad. Pero Saulo era un hombre rico y había adoptado a este joven, y el hijo heredaría, y sería rico a su vez, y los magistrados no se permiten el lujo de burlarse de la riqueza.

Saulo había adoctrinado intensamente a su hijo en la fe de sus padres, y Bóreas tenía una mente aguda y perceptiva, y gran sentido del humor, por lo que el padre se sentía orgulloso de él. Al fin Bóreas dijo:

—Ahora debo ser circuncidado y admitido en la congregación de Israel.

—No, no —dijo Saulo—. He discutido esto con Simón Pedro, que sigue firme en su idea de que un hombre debe abrazar primero la antigua fe, ser circuncidado y sólo entonces puede ser llamado nazareno. Pero yo he tenido revelaciones y sé que el Mesías, bendito sea Su Nombre, también vino a las gentiles, y es suficiente que ellos sepan de los profetas, los patriarcas, los Escrituras y Moisés, y comprendan por sí mismos que se han cumplido las profecías referentes al Mesías. Es cierto que, sin el antiguo conocimiento de los Mandamientos, el Sinaí, la Alianza y la fe que Dios dio a nuestros padres, es imposible que un hombre Lo comprenda. Pero no es necesario que sea judío y admitido en la congregación de Israel. ¡Ah, uno de estos días me veré de nuevo con Simón Pedro, frente a frente, y resolveremos esto!

Bóreas no dudó, mirando al rostro enrojecido de su padre, de que así llegaría a suceder, y le sonrió con cariño.

Saulo tenía treinta y ocho años, y Bóreas veintitrés. Había pasado por la mente de Saulo la idea de enviar a su hijo a la gran universidad de Alejandría, pero éste dijo:

—Mi corazón está con la tierra. Siempre he estado trabajando en las granjas que mi... que Peleus dejó a sus hijos, y mis hermanos trabajaban allí conmigo, y no quisiera dejar mi casa.

Dominado por celos salvajes, Saulo exclamó:

—¡Ellos no son de tu sangre!

—Por la memoria del buen hombre, de su padre, ellos son más que de mi sangre —dijo Bóreas, y su rostro se hizo tan firme como el de Saulo, el cual, al verlo, se sintió conmovido, como le ocurría siempre ante tales manifestaciones—. Esto bastaría para obligarme a seguir con ellos. Pero, sobre todo, mi amor por la tierra.

A Saulo le resultaba intolerable que su hijo, su único hijo, no fuera un erudito. Ambos se miraron implacablemente, con los mismos ojos, y Saulo fue el que al fin bajó los suyos y se obligó a sonreír. Pocos días más tarde adquirió una gran extensión de tierra unida a la granja de Bóreas, con olivos y huertos, con ganados, valles y pinos, y la entregó a su hijo; y éste aceptó el regalo en silencio, aunque con lágrimas de felicidad y un fuerte abrazo.

Había pasado casi el cuarto año de exilio, y la primavera reinaba de nuevo. Aunque Saulo se irritaba, y suspiraba, y demandaba a Dios con furiosa impaciencia, comprendió después que en esos años había estado absorbiendo conocimientos, no mediante las enseñanzas de los hombres, sino con la directa enseñanza del Mesías. Su aleccionamiento se producía en el silencio nocturno, a través de sueños, de visiones, de alguna intuición repentina. Excitado, exclamaba serenamente: "¡Claro! ¡Es cierto, aunque antes no lo entendía!" Entonces, durante horas o días, se sentía elevado y exultante, hasta que su impaciencia lo vencía de nuevo. Más adelante diría: "Fui enseñado por el Espíritu Santo, y no por la voz de los hombres, y esto es un gran misterio".

Una noche, cenando con su hijo Bóreas en el fresco comedor, se acercó a él el vigilante del pórtico y dijo:

—Amo, hay tres desconocidos que desean hablar contigo y te aguardan en el atrio.

Saulo frunció el ceño, pero salió para recibirlos acompañado de Bóreas.

—¡Amos! ¡Bernabé! —exclamó, abrazándolos.

El tercer hombre le resultaba vagamente familiar; alto, delgado, con una túnica azul, tenía el rostro bien formado, grandes ojos azules y decididos, y el pelo, que antes era de oro pálido, lo tenía ahora gris y ondulado. Vaciló Saulo. No llevaba aquél el gorro de ninguna de las tribus israelitas, sino la cabeza desnuda, y las pálidas mejillas estaban ligeramente tostadas por el sol. Por tanto no era judío. Tampoco romano, ni soldado, ni un moreno egipcio... Saulo, estudiando sus rasgos, intentaba recordar, sintiendo una punzada en el corazón, aunque ignoraba por qué, y pensó confuso: "Seguramente es griego". El hombre tenía aspecto juvenil, pero era evidente que se acercaba ya a los cincuenta años.

Éste dijo, y también la voz le resultó familiar:

—¿No te acuerdas de mí, Saulo ben Hilel? Nos hemos encontrado en dos ocasiones —y parecía bastante entristecido.

Saulo tuvo una visión repentina del mar, las velas, el olor de la brea caliente y las cuerdas, y luego otra de dolor, sangre y hombres que gritaban en el calor del desierto. Su mente vaciló con el aluvión de recuerdos... y luego lo supo: era el médico griego Lucano, que encontrara en el barco de Tarso, y volviera a encontrar, para dolor suyo, en el martirio de Esteban ben Tobías. Hacía mucho tiempo. Hacía un día apenas... El dolor lo asaltó, sin dejarlo hablar.

Bernabé, que lo observaba y lo sabía, dijo:

—Saulo, éste es nuestro querido amigo Lucano, que ha enseñado a tu sobrino Amos ben Ezequiel, que, como sabes, ahora es médico.

—Salud, amigo mío, hermano mío ante Dios y su Mesías —dijo Lucano extendiendo su mano.

Saulo miró aquella mano extendida y luego se miro la suya, y le pareció ver los dedos manchados de sangre. Se los limpió en la túnica y entonces, con la cabeza inclinada, aceptó los dedos helados del médico.

—Ambos hemos recorrido un largo camino —dijo Lucano, como si lo consolara.

—Un largo camino —repitió Saulo. Entonces Lucano lo abrazó como un padre.

Bóreas había observado, a la sombra de una columna, con curiosidad e interés, mirando sobre todo a Amos, pues lo conocía como su primo, del que Saulo le había hablado a menudo, y Amos, sintiendo aquella mirada, volvió rápidamente la cabeza y miró incrédulo al otro joven, reconociendo el rostro de su tío, el tío de su niñez e infancia, y, al percatarse del notable parecido, sus mejillas enrojecieron de embarazo. Bernabé también observaba a Bóreas, y sus cejas se alzaron y abrió la boca con gran asombro.

Saulo recordó de pronto a su hijo. Fue a Amos y le indicó a Bóreas diciendo:

—Amos, éste es mi hijo Enoc ben Saulo, y tu primo, no sólo por sangre sino por adopción.

—Bienvenidos —dijo Bóreas, y se adelantó con dignidad, extendiendo la mano. Amos pasó rápidamente la mirada de padre a hijo, y creció el rubor de su rostro, pero, con la misma dignidad de Bóreas, abrazó al joven, y dijo:

—*Shalom*, primo Enoc.

Saulo les ofreció su antigua y brillante sonrisa:

—Llámalo Bóreas, pues, como el viento, ama la tierra y la cuida solícitamente —pasó del brazo sobre los hombros de su hijo y quedó a su lado mientras los otros los miraban.

Lucano apenas podía reprimir sus deseos de reír. Había oído hablar mucho de Saulo a través de los años, y en Jerusalén y Damasco recogió muchos rumores maliciosos, aunque no los había creído. Incluso se reservó su opinión particular cuando Simón Pedro le dijera:

—Tanto judíos como nazarenos lo llaman "el gran renegado", y no confío enteramente en él, ya que es un hombre de fieras pasiones, que siempre quiere hacer su voluntad; impetuoso, impaciente e inmoderado, y ahora, aunque trata de ser humilde, hay tal altivez en él y tal condescendencia en presencia de los de clase inferior, que mal puede ser un seguidor del Mesías.

"Es posible —pensó Lucano— que haya algo de verdad en los rumores sobre Saulo ben Hilel, pero es un hombre de valor y coraje, que desdeña noblemente las opiniones y comentarios de los demás, ya que se coloca orgullosamente junto a su hijo y lo reconoce."

Bernabé había dicho a Saulo:

—El exilio, que fue tu escuela, ha terminado. Ven conmigo y con Lucano a Antioquía, donde enseñaremos y llevaremos a los hombres al conocimiento del Mesías.

Saulo se había regocijado. Su único dolor era dejar a su hijo Bóreas. En verdad, conforme fueron pasando los días, una terrible angustía se apoderó de él, pues algo le decía en su interior que jamás volvería a ver a su hijo cuando dejara Cilicia. Ignoraba cómo lo sabía, pero hacía tiempo que había abandonado toda duda respecto a sus intuiciones, y por eso conservó a Bóreas a su lado todo el tiempo que le fue posible, mientras conversaba con sus amigos y su sobrino en su casa.

Una noche Saulo le dijo de pronto, una vez que los huéspedes se hubieran retirado a sus alcobas:

—Antes de irme con mis amigos, Bóreas, debes casarte. He elegido la esposa para ti, la hija de Judá ben Isaac, hijo de mi antiguo mentor el rabino Isaac, que descanse en paz.

—No conozco a la doncella, ni a la familia —exclamó Bóreas.

—¡Bah! ¿Qué importancia tiene eso? —se detuvo y una indefinible mirada de dolor oscureció sus rasgos por un instante—. Yo conozco a la familia, y he hablado ya a Judá ben Isaac, aunque no seamos ahora amigos, por razones que no voy a contarte. La doncella se llama Tamara, tiene catorce años y es hermosa y modesta. Su padre, desde luego, no es un hombre ilustrado, pero su madre le ha enseñado el camino de la rectitud y los deberes de una esposa, y estos conocimientos son suficientes para una mujer, ya que las mujeres son vasos frágiles, no destinados a la sabiduría. La joven tiene también una hermosa dote, y esto no hay que despreciarlo. Ya está arreglado.

Bóreas meditó un instante. En las reuniones de los nazarenos se permitía que las mujeres se sentaran entre los hombres, al contrario que en las sinagogas, y, aunque eran amables y silenciosas, tenían dignidad, y los hombres no las trataban como inferiores, sino como hermanas, iguales en el amor del Mesías. Más de una cara bonita había captado la mirada de Bóreas. Le enojó la idea de que su padre hubiera elegido una esposa para él, de la que nunca había hablado, y esperara que su hijo la aceptara simplemente, sin verle siquiera el rostro hasta el día de la boda. Bóreas también se había rebelado ante la nota de ligero desprecio que latía en la voz fascinante de su padre cuando hablaba de las mujeres, incluso de las nazarenas.

Por tanto, dijo:

—No tomaré a esa muchacha por esposa hasta que le haya mirado el rostro, pues no podría vivir con una mujer que me repeliera.

Saulo dijo:

—Una mujer ha de obedecer a su padre, sus hermanos y, sobre todo, a su marido, pues ha nacido para casarse y tener hijos. ¿Somos romanos o griegos para que nuestras mujeres sean atrevidas e infames y vayan con aire descarado por calles y caminos, mercados, bancos y salas de comercio? No.

Bóreas, que tenía el mismo estilo impaciente que su padre de lanzarse a hablar sin prudencia, dijo con amargura:

—¡Estás pensando en mi madre!

Saulo palideció de cólera. Luego pensó: "Es cierto, y he ofendido a mi hijo". Por tanto, tras un instante, dijo con voz más suave:

—Dispondré que veas el rostro de la doncella, a distancia, y tú y yo hablaremos con su padre, aunque el futuro marido no se inmiscuye generalmente en esa conversación entre los padres. Y si, en realidad, ella te parece tan repulsiva, no necesitas casarte con Tamara, aunque yo lo haya deseado y, como padre, pudiera ordenártelo.

Pues ahora pensaba, con mezcla de dolor y melancolía, en cómo había desafiado él a su propio padre en el asunto de Elisheba, aunque Hilel le había ordenado que se casara con ella.

Así se dispuso el asunto, y Bóreas vio a distancia una joven virgen de rostro como un lirio, ojos oscuros y alegre sonrisa tímida, y la amó y deseó en seguida. Más tarde dijo a Saulo:

—Me casaré con esa muchacha si es deseo tuyo, padre mío —e intentó parecer resignado y obediente.

Por tanto fue desposado con Tamara bas Judá, y el matrimonio quedó fijado para antes de la marcha de Saulo hacía Antioquía. Bóreas no podía conocer la premonición, que atenazaba el corazón de su padre, de que ya no volverían a verse. Saulo deseaba que su hijo tuviera el consuelo que una esposa y una familia podrían darle.

—Vivirás con tu esposa en esta casa, que te he dejado en mi testamento —dijo Saulo—. La casa y todo lo que yo tengo es tuyo.

Hubo una conversación entre Saulo, Lucano y Bernabé que dejó extrañado a Bóreas, pues era la primera vez que éstos miraban con frialdad a su padre.

—La buena nueva —dijo Lucano— viaja en las alas de la mañana y la transportan las sombras de la noche —los grandes caminos romanos, que facilitaban los rápidos viajes y rumores, eran en parte responsables de ello, así como el poderoso comercio entre Oriente y Occidente, con su sede en Israel.

—El momento histórico fue elegido —contestó Saulo con aquel gozo y excitación en su corazón, tan familiar ahora. Iría con Bernabé a establecer más iglesias, a dar valor y coraje a los jóvenes, a terminar con las discusiones y a explicar su revelación a todos cuantos quisieran oír. En realidad había ya discusiones, pues los intérpretes surgían como las langostas, con disensiones y argumentaciones, y aunque Bernabé expresaba preocupación, Saulo era indulgente: "Sólo necesitan corrección y explicación", decía, con una esperanza que Bernabé esperaba tuviera fundamento.

Sentado allí, en sus jardines, Saulo sabía que lo hacía por última vez, y que cada día se acercaba penosamente al fin. Como su vista se había agudizado tanto desde que la recuperara tras la visión del Mesías, ahora estaba constantemente dominado por la belleza del mundo, y ya no hallaba pecado en su contemplación; sólo motivos para reverenciar a Dios y maravillarse.

Bernabé dijo:

—Como a Elías lo transportó al cielo en carro de fuego, y Nuestro Señor ascendió ante nuestros ojos, así María fue subida al cielo cuando murió en casa de Juan. Estábamos en su casa cuando falleció, y fue envuelta en sudarios y cubierta de óleos, y nosotros nos arrodillamos junto a su lecho, orando. De pronto hubo un gran ruido, mayor que cualquier trueno, pues agitó toda la casa, y una luz más vívida que el sol, y todos caímos de hinojos, mudos, ciegos, sin sentido. Cuando nos levantamos, el lecho estaba vacío, y sólo un rayo de luz brillaba en él, que se desvaneció ante nuestros ojos al mirarlo.

Instantáneamente Saulo se mostró incrédulo, aunque los otros inclinaban la cabeza con el rostro iluminado.

—¡Cómo! —exclamó—. Una simple mujer... ¡recibir tal honor! No lo creo. Estaban dominados por el dolor, y por esto esperaban un milagro...

Entonces dijo Bernabé:

—Pues ¿a dónde fue su cuerpo?

Saulo se encogió de hombros:

—¿Quién sabe? Los que buscaban un milagro, o deseaban revelar un prodigio, se la llevarían mientras estaban desvanecidos.

De pronto recordó que había pronunciado similares palabras cuando Tito Milo le hablara de la resurrección del Mesías. Pero se mostró terco. ¿Una mujer, una simple mujer, que sólo había dado su carne virginal al Señor? A despecho de Lea, de Judit, de Raquel, Rut y Sara, había muy pocas Madres en Israel, y a ninguna de ellas se le había concedido tal divino favor. Él había orado incontables veces en la tumba de Raquel en Jerusalén, y había pensado que, a pesar de la nobleza y grandeza de la mujer, había muerto y se había podrido como millones de mujeres antes que ella. Era cierto que María había sido elegida entre todas para dar a luz al Mesías, y lo había vestido, le había dado su sangre y su leche, pero sólo había sido, como decía Lucano, "la doncella del Señor", una muchacha de Galilea, de la Casa de David. Sólo había sido una mujer, el débil vaso, el río por el que había viajado la Gracia como un velero blanco. ¿Quién honra las aguas que soportan las velas y el Pasajero? El río es sólo el camino... Entonces fue cuando la tristeza cubrió el rostro de sus huéspedes.

Bernabé dijo:

—Has olvidado algo. Hasta Dios le pidió su consentimiento —una simple doncella, apenas pasada la pubertad— para enviar a Su Hijo. Ella había sido anunciada desde hacía siglos, la virgen niña. Alimentó a Dios en su pecho, lo enseñó a caminar, escuchó sus primeras palabras infantiles. Le hizo las ropitas, lo tuvo en sus brazos, le habló tiernamente, como sólo una madre sabe hacerlo. Guisó sus comidas, y le hizo el pan. Ordeñó cabras y recogió la fruta para Él. Atendió a todas las necesidades de su carne humana. Durante treinta años Él fue sólo suyo, ¡y qué maravillas no debió haberle revelado! Y ¡cómo debió ella preocuparse y llorar sobre su cuna, sabiendo que un día la dejaría para hablar a la humanidad y morir en terribles circunstancias! Los apóstoles y Lucano me han dicho todas estas cosas. El Señor hizo su primer milagro a petición de ella. Él fue quien nos la dio como Madre, a todos los hombres, cuando pendía moribundo de la infame cruz. Ella estaba presente cuando el fuego de Pentecostés descendió sobre los llorosos apóstoles y discípulos. ¿Acaso Él evitó cuidadosamente que el Espíritu soplara sobre su Madre?

"No era una "simple" mujer, Saulo. Era la Madre de Dios. Él la amó antes de amar a otros en su carne mortal. Corrió junto a ella de niño, y dependía de ella para su alimento. Los hombres amamos a nuestras madres y las reverenciamos. ¡Cuánto más, pues, debió Dios amar y bendecir a Su Madre! Nada es imposible para Dios. Si quiso elevar su cuerpo incorrupto hasta Él, como el Mesías había subido al cielo, ¿quién va a discutírselo? Aunque —siguió Bernabé, desaparecida su alegría al mirar a Saulo— fuera sólo una mujer.

Saulo reflexionó. De mala gana admitía todos los argumentos de Bernabé. Era un misterio. Sin embargo, María había sido sólo una mujer, y las mujeres no eran altamente consideradas por los profetas y patriarcas, aparte las Madres de Israel. Eran muy dispuestas a las debilidades de la carne y les flaqueaba la voluntad. Pensó en su propia madre, en Dacil, en otras muchas que había conocido...

Luego recordó la ocasión en que viera a María, cuando él era joven, en Jerusalén, y ella había estado sentada muy cerca aguardando a Su Hijo. Recordó la tierna reverencia con que el Mesías se dirigiera a ella, a la que alimentara con su propia mano. Había mostrado pena y preocupación por su Madre. La había llamado "Emi". Si el Señor podía así honrar y amar a Su Madre, ¿por qué habían de cavilar los hombres? ¿No había exclamado ella misma: "Y me llamarán bendita todas las generaciones"? Saulo agitó la cabeza.

—Es un misterio —murmuró intranquilo—. He de meditar en ello.

El matrimonio de Bóreas o Enoc ben Saulo con Tamara bas Judá tuvo efecto el día antes de que Saulo saliera de Tarso.

Un sacerdote nazareno celebró la ceremonia en casa de Judá ben Isaac, y sólo ante nazarenos. Saulo temía la hora en que habría de enfrentarse con Elisheba, tía de la novia, al mismo tiempo que anhelaba aquella oportunidad única de ver por última vez el rostro amado.

Pero Elisheba no estaba con la familia ni con los invitados. Saulo no se atrevió a preguntar, y nadie habló de ella. Era como si no existiera.

Acogió a su hijo, a su esposa e invitados en su casa, y los miró con dolor nacido del presentimiento absoluto de que no volvería a verlos. El camino le había sido revelado al fin y para siempre sería un viajero por la tierra.

Capítulo 38

Durante los años de solitario en Tarso, el convencimiento de que su misión era la de convertir a los gentiles, había penetrado en la mente y en el corazón de Saulo con la persistencia inexorable de las primeras lluvias en la tierra. Sin embargo, trataba de rechazar tal convicción. Si, por desconfianza, los judíos y nazarenos no querían escucharlo, ¿sería posible que lo escucharan los gentiles? Su labor entre ellos siempre había sido poco afortunada.

Bernabé, que nada sabía de la lenta revelación a medias entendida por Saulo en esos cuatro años de exilio, aclaró sus dudas:

—Tienes que enseñar y convertir a los gentiles. Ésa es tu misión. Por esto los judíos, por misteriosas intuiciones, jamás han querido tener nada que ver contigo. Dios, bendito sea Su Nombre, sabe lo que es necesario.

Saulo nunca había estado en Antioquía de Siria, lugar de nacimiento de Lucano o Lucas, que lo acompañaría. También Bernabé lo haría en frecuentes ocasiones.

—Mi padre adoptivo —dijo Lucas con afectuosa sonrisa— odiaba a la ciudad, llamándola guarida pestilente. Era también demasiado calurosa, demasiado extraña a su espíritu romano. Había sido enviado allí como legado y despreció cada momento de lo que llamó su exilio. Era un administrador capaz el noble Diodoro Cirino, y un firme romano "antiguo", un patriota, y, sobre todo, un soldado, que adoraba y obedecía a los viejos dioses, como hombre de justicia y honor. Por esto era respetado por los habitantes de Antioquía, aunque odiado por los recaudadores de impuestos e incomprendido por el pueblo. Para él, un asunto era completamente bueno, o totalmente malo, según la ley de Roma. Era un anacronismo en un mundo de confusión. Tenía una sencillez y pureza de carácter que no pueden comprender los hombres banales, aficionados al compromiso. ¡Ah, el mundo ha quedado empobrecido desde que él murió!

—Seguramente Dios hará crecer otras generaciones como él —dijo Saulo.

Lucano agitó la cabeza:

—¿Quién sabe? Roma está muriendo, y su espíritu también.

Aunque Saulo se inclinaba siempre a desconfiar de las opiniones e impresiones del mundo demasiado subjetivas, descubrió con desmayo que Antioquía era peor de lo que Lucano había descrito, y simpatizó con el legado romano Diodoro Cirino.

Los romanos, naturalmente, eran allí tan ubicuos como en Israel, y sus burócratas igualmente obstinados. Todo estaba regulado, supervisado, ordenado e inspeccionado por ellos, y sus minuciosos informes, según observara Lucano, seguían contando hasta las defecaciones de los hombres, y cada túnica o animal nuevo. Tenían edificios llenos de ordenados informes, y los escribas trabajaban en ellos como hormigas. En su opinión, los hombres no eran hombres, sólo hojas de pergamino, un número en un libro.

—Las naciones imperiales —decía Lucano— llegan a hacerse abrumadoras y al final caen bajo el peso de sus propias legislaciones. Cuando una nación ya no siente respeto por el individuo, sino sólo por la masa, sus días han terminado —sonrió con su sonrisa griega—: Eso declaraba siempre mi padre y tenía razón.

—También tenemos en Israel a los funcionarios romanos —dijo Saulo—. Sin embargo, son cautos y no llegan demasiado lejos. Somos un pueblo de mal genio.

—Las gentes de Antioquía prefieren alborotar, comer y acostarse con mujeres —dijo Lucano, y su sonrisa se amplió—; por tanto, no luchan abiertamente con los recaudadores de impuestos y otros funcionarios. Es como un juego: prefieren vencerlos con su ingenio, y lo encuentran divertido.

Los tres amigos, tan distintos en todo, estaban ligados con algo más fuerte que la carne y la sangre.

Más tarde, Saulo escribirá en una de sus Epístolas: "Mi vida es Cristo. Estoy crucificado con Cristo y ya no vivo en carne, vivo en la fe del Hijo de Dios, que me amó y se entregó por mí."[1] Por tanto Lucano y Bernabé no eran para él hombres separados de sí mismo, sino inextricablemente unidos con él en el amor y salvación de Dios. Y así miraban ellos también a Pablo. Para estos tres hombres, los incrédulos vivían en una oscuridad de la cual Dios quería que fueran rescatados, y merecían por tanto toda su compasión, sus oraciones y sus lágrimas.

Fue en Antioquía donde se empezó a llamar "cristianos" a los nazarenos. Para los griegos la palabra Cristo significa el Ungido. Pero no siempre la denominación de "cristianos" se usaba con respeto, sino a veces con una ironía ática, ya que se consideraba que los nazarenos se tomaban a sí mismos y a su misión con demasiada gravedad, todo lo contrario de los griegos que miraban

[1] Gálatas, 2: 20.

a los dioses como hermosos símbolos, si es que los miraban, pues a menudo los creían no sólo inexistentes, sino hasta ridículos. Como los nazarenos en Antioquía —lo mismo que en todas partes—, vivían al parecer únicamente preocupados por la vida eterna más allá de la tumba y trataban afanosamente de atraer a los demás al amparo de Crucifijo —símbolo en sí mismo horrible—, los griegos los consideraban como a gente incapaz de gozar los deleites de la vida ni de comprender el encanto de la belleza, y se alejaban de ellos compasivamente, o encogiéndose de hombros fastidiados. Los romanos, pragmáticos y no tan tolerantes, guardaban la misma actitud ante los cristianos; pero para ellos poseían una virtud: pagaban totalmente los impuestos; asombrosa virtud que ni los mismos romanos practicaban. No sólo para los romanos, sino para las mil razas diferentes que convergían en aquella cosmopolita ciudad los cristianos o nazarenos resultaban demasiado pacíficos. En verdad, no eran muchos los que había en Antioquía, pero, en cierto e increíble modo, parecían estar en todas partes a la vez, inofensivos e insistentes —encantadoramente insistentes—, y jamás preocupados por sí mismos, o por el comercio, el dinero o los banquetes, sino por los asuntos extraterrenos; demasiado extraños para que la mente de un hombre sensato los entendiera. Su misma inocencia, su tierna sonrisa, enojaba a los que los rodeaban y, con frecuencia, recibían públicas ofensas, o habían de soportar las burlas en sus propias tiendas, y eran explotados y engañados de diversos modos. Un esclavo que fuera cristiano servía con ansiosa humildad, ganándose así el odio de los demás esclavos. ¡Hasta cualquiera podía golpear impetuosamente a un cristiano, y el maldito ni siquiera se defendía o intentaba replicar!

Pero aquella agua suave empezaba ya a horadar la piedra de la humanidad.

A esta ciudad oriental, a esta ciudad lujuriosa, ruidosa, sucia y calurosa, había venido Saulo de Tarso para inspirar y animar a la Iglesia recién nacida. Resultaba algo nuevo para los romanos y griegos. Era un judío de aspecto visiblemente impetuoso, a pesar de dominarse; altivo, orgulloso e impaciente, de brillante mirada, que emanaba todo él una fuerza misteriosa y que no era de humilde condición, sino un hombre con erudición, riquezas y poder, y seguro de sí mismo. Su melena roja, ahora mezclada de gris, exigía atención, lo mismo que sus modales y su voz. Había algo militar en él, en sus abruptos gestos, en su seguridad. Se rumoraba que era fabricante de tiendas y tejedor de pelo de cabra, algo que los romanos rechazaban como absurdo, así como los griegos.

Aquí tenían a un hombre que no era débil ni amable, un hombre que no se retiraría un paso ante la agresividad del otro, que era capaz de hablar, de rugir, de actuar. Era un cristiano, pero ciertamente no de la clase de cristianos que existían en Antioquía.

Los romanos y demás gentiles no eran los únicos que opinaban de esta manera. También los cristianos llegaron a comprenderlo, y no con demasiada felicidad.

Llegó a la joven Iglesia de Antioquía y resultó evidente que se proponía tomarla a su cargo y no simplemente para rezar. En Antioquía fue el primer lugar en el que dijo a la comunidad cristiana: "Porque aunque tengan diez mil pedagogos en Cristo, pero no muchos padres, quien los engendró en Cristo por el Evangelio fui yo. Los exhorto, pues, a ser imitadores míos. ¿Qué prefieren? ¿Que venga a ustedes con la vara o que venga con amor y espíritu de mansedumbre?"[1]

Su primera pelea con la comunidad se produjo con motivo de su insistencia en repetir que los conversos gentiles no necesitaban hacerse judíos para aceptar a Cristo. Los cristianos, judíos casi la mayoría, se sintieron ultrajados con la presencia de los gentiles que se les unían. A esos gentiles les dijo Saulo: "¡Ojalá los que los molesten se mutilaran a sí mismos!" No era menos sarcástico con aquellos cristianos que predicaban que un verdadero seguidor de Cristo, debía vivir tan mansa e inofensivamente como un esclavo, y, como repetía furiosa y frecuentemente: "¡Pues con gusto soportan a los insensatos, siendo ustedes sensatos! ¡Soportan que los esclavicen, que los devoren, que los engañen, que se engrían, que los abofeteen!"[2]

[1] I Corintios, 4: 15-21.
[2] II Corintios, 11: 19-21.

Muchos dignatarios de la Iglesia se sentían ofendidos por la manera seca y terminante con que Saulo ponía fin a las discusiones y resolvía las dudas. Aunque la Iglesia entonces fuera joven, eran ya innumerables los intérpretes que pretendían recibir inspiraciones divinas y que amenazaban con el fuego del infierno a sus contradictores. Saulo los atacaba con una pasión tan devastadora como implacable. En gran parte, los cristianos de Antioquía lo exasperaban aún más que los nazarenos de Jerusalén.

Dijo a Lucas, en la víspera de la partida del griego hacia Filipos:

—En Jerusalén, muchos de los primeros nazarenos eran de familias distinguidas, educados y eruditos, hombres de altura intelectual. Pero en Antioquía sólo tenemos a los simples, iletrados y horriblemente obstinados.

Amurallada, con jardines, y patios cerrados, callejuelas estrechas y mal empedradas, cloacas pestilentes, Antioquía era una ciudad oriental. Bajo un cielo de un blanco incandescente, al mediodía ardía como un horno. Perros, camellos, cabras, ovejas, en compañía de ocas y de patos, circulaban por ella libremente. Era también una ciudad de mercados. El populacho, más turbulento que en Jerusalén, blasfemaba no en uno, sino en veinte idiomas. No dormía de noche; flautas, arpas, cítaras y hasta tambores, resonaban constantemente entre risas locas, gritos desaforados y aullidos. Las tabernas no cerraban y los borrachos daban vueltas por las calles, con sus varias vestiduras que delataban su nacionalidad de procedencia.

Los cristianos se reunían en ruinas abandonadas en las afueras de la ciudad, en campos, graneros y casitas miserables. Cuando Saulo sugirió la idea de poseer una Casa de Dios, algunos de los dignatarios, temerosos ahora de su genio, recordaron que el Señor había hablado de "un Templo no construido por manos de hombre". Ésta era otra fuente de cansancio para Saulo: todos confundían las metáforas con la realidad. Cuando el Señor había dicho: "Los que tengan hambre y sed de justicia serán hartos", había sido una clara realidad, prometida para el mundo futuro, después de su segunda aparición. Pero cuando hablaba en misteriosas parábolas —por sencillas que parecieran a primera vista—, muchos se sentían confundidos y sólo los sabios podían interpretarlas. Saulo tenía menos problema con sus amigos judíos cristianos, pues estaban enterados de los misterios y símbolos de las Escrituras, y del sentido de las alusivas palabras de los profetas, que requerían comentaristas. Los paganos convertidos, en cambio se aferraban obstinadamente a la palabra, y no al espíritu.

—El Señor —explicaba Saulo una y otra vez— hablaba en arameo, no en griego ni latín, ni egipcio o persa. Es una lengua sutil, llena de profundos significados.

Así que compró una vieja posada para los cristianos, derribó sus muros interiores e hizo en ella un Templo, y, acompañado de los dignatarios, lo santificó. Levantó un altar, y las mujeres tejieron un mantel de grosero lino blanco para cubrirlo, y lo bordaron. Saulo lo adornó con un magnífico par de candelabros de siete brazos, comprado a un mercader judío, y, tras el altar, colgó un enorme crucifijo. Los cristianos se sintieron al principio temerosos, y después orgullosos de su Templo.

Se les había explicado, incluso antes de llegar Saulo, que la consagración convertía el pan y el vino en el Cuerpo y la Sangre del Mesías. Pero muchos seguían dudando. Algunos de los viejos argüían: El Señor dijo: "Haced esto en memoria mía". Entonces miraban a Saulo triunfantes: "¡No es más que un símbolo!" Y se enorgullecían: habían atrapado finalmente a aquel hombre altivo.

Saulo agitaba la rojiza cabellera:

—Están dispuestos a aceptar símbolos cuando ustedes deciden que lo son. Pero ésta es una realidad. El pan y el vino son, en realidad, la sustancia del Señor. Cuando hablaba en arameo, sus palabras no significaban "imitación" o símbolo. Querían decir una verdad.

—Eso es cierto —dijeron los cristianos judíos, asintiendo. Inmediatamente se inició una ruidosa discusión entre ellos y los otros cristianos que no sabían arameo, y por desgracia se alzaron algunos puños. Saulo halló humorística la situación y la observó con indulgencia. Eran hombres buenos, no se golpearían... ¿Verdad? Cuando uno lo hizo, Saulo lo desterró por un periodo de cinco días, y los otros se avergonzaron y oraron para ser perdonados.

Si Saulo era el organizador e intérprete y el sumo sacerdote, Bernabé era el maestro, feliz y alegre, ansioso de perdonar, amable y gentil. A veces impedía que alguna transgresión llegara a los fieros oídos de Saulo. A veces, con ánimo desalentado, Saulo le confesaba que la Ley de Dios era perfecta, pero que evidentemente el hombre no era capaz de seguirla. "Considérame a mí —decía—, que he tenido la gracia inefable de una visión, una confrontación directa con el Mesías, y he sido enseñado directamente por Él, y no mediante las palabras de los hombres. No comprendo mis propias acciones..., pues no pongo por obra lo que quiero, sino lo que aborrezco; eso hago. No hago el bien que quiero, sino el mal que no quiero. Pues me deleito en la Ley de Dios según el hombre interior, pero siento otra ley en mis miembros, que repugna a la ley de mi mente y me encadena a la ley del pecado que está en mis miembros. ¡Desdichado de mí! ¿Quién me librará de este cuerpo de muerte?"[1]

Pero el poder de la voz de Saulo, la maravillosa elocuencia de sus enseñanzas, su intuitiva comprensión, su enorme sinceridad y el hecho de ser rico y sabio, vencieron al fin la suspicacia de los cristianos y los reunieron en un firme e iluminado cuerpo, haciéndoles olvidar las supersticiones, aumentando su amor a Dios y al hombre y dándoles valor y celo. Nunca vinieron a hacerle confidencias —las reservaban para Bernabé, más tierno—, pero confiaban en Saulo como en ningún otro, y cuando él los animaba a que se acercaran a los paganos para atraerlos al Mesías, sentían elevado su espíritu y exaltada su resolución.

Capítulo 39

Saulo dejó su pobre tienda, donde vendía el producto de su trabajo, y se dirigió a través de la escandalosa y clamorosa ciudad a casa

[1] Romanos, 7: 15-25.

del famoso médico egipcio Kefrén, amigo y colega de Lucano. Conocía ya al médico, hombre alto, sutil, de expresión perpetuamente divertida y sarcástica, piel castaño claro, ojos misteriosos y unos cabellos tan negros y finos que parecían pintados sobre su cráneo. Tenía manos largas, con las palmas teñidas de rojo y las uñas pintadas, y daba la impresión de ser no sólo sabio, sino meticuloso y rico. No era posible adivinar su edad; podría tener cuarenta años, aunque a veces parecía viejo. Llevaba una barba corta, puntiaguda y perfumada.

Un día, mientras predicaba en el nuevo templo, Saulo vio a Kefrén, en compañía de Lucas. Kefrén estaba en pie entre la sudorosa muchedumbre, y la luz del sol poniente brillaba sobre su rostro sin revelar más que un profundo interés en los negros ojos. Iba vestido ricamente con ropas rojas y grises, con preciosos anillos en todos los dedos y un collar de oro pendiente en el pecho.

Cuando el cesto de las ofrendas pasó entre la congregación, Kefrén, como al descuido, dejó caer en él un anillo y un puñado de sextercios romanos. Los que se hallaban a su lado miraron el óbolo con ojos desorbitados. Pero él seguía como un ausente Faraón entre ellos, meditando al parecer sobre lo que Saulo había dicho. Después había desaparecido mientras los comulgantes se acercaban humildemente al altar a recibir la bendición y el Sacramento.

Había vuelto dos veces y siempre se había marchado de la misma manera con la misma expresión.

Saulo había dicho a Lucas:

—Tu amigo, el médico egipcio, parece impresionado por lo que yo digo, y por las palabras de Bernabé. ¿Es posible que se haga cristiano?

—No lo creo —dijo Lucas, con aquella sonrisa pálida y fría cuyo sentido Saulo no acababa de descifrar—. Te considera un magnífico orador. Le interesas. No sólo es médico, sino estudiante de muchas religiones y de la mente humana.

Había algo en sus modales que indicaba su renuncia a discutir, y Saulo no insistió. Sin embargo, con frecuencia le hablaban de la sabiduría de Kefrén como médico y por esto aquel anochecer había ido a visitarlo a su casa.

Le recibió Kefrén con una inclinación, extendiendo después las manos. Sonrió y dijo a Saulo en arameo:

—*Shalom*. Bienvenido a esta casa, Saulo de Tarso.

Dio una palmada, apareció un esclavo, al cual pidió que sirvieran vino y pasteles y unos dulces. Saulo dijo:

—Vengo como paciente, Kefrén, no como invitado.

El médico sonrió:

—Pero yo, como invitado te recibo. Siéntate, por favor.

Saulo ocupó una silla romana de ébano, incrustada de nácar y marfil. Sentíase acalorado, polvoriento y agotado, y el lujo que lo rodeaba le hizo pensar en la aridez de su vida. Bebió el vino con especias que le sirvieron en una copa de oro y esmalte azul y rojo, comió unos pastelillos y lentamente fue abandonándolo el cansancio. Mientras tanto Kefrén hablaba en tono ligero e indiferente de Antioquía y de las noticias de Roma que hallaba risibles. Su expresión sarcástica parecía aislarlo de las locuras y estupideces de la humanidad, y Saulo creyó ver en él un espectador más que un participante de la vida.

—Decías, Saulo ben Hilel, que has venido a visitarme como paciente —dijo al fin—. ¿No es extraordinario? He oído decir a alguno de sus cristianos que todas las enfermedades son "pecados", y que sólo los malos están sometidos a los tormentos del cuerpo.

—¡Todo lo interpretan a su gusto! —exclamó Saulo—. Porque Nuestro Señor, al hacer un milagro, dijo al enfermo "Vete y no peques más" creen que quería decir que ya no se necesitaban médicos y que un hombre bueno no sufriría las enfermedades de la carne. No comprenden que Él había hecho un doble milagro, pero cada uno separado del otro. El perdón de sus pecados como hombre, y la cura de su cuerpo. Anoche vino a nuestro Templo un hombre cubierto de llagas y había muchos que deseaban arrojarlo de la congregación diciendo: "Es un pecador, y por tanto objeto de anatema, o no tendría esas llagas". Sin embargo, yo lo conozco; es un sirio tímido y amable, dueño de una herrería. Reñí a mi gente, pero ellos lo miraron con desconfianza, y más tarde, los dignatarios discutieron conmigo. Me temo que también temían ser afligidos de algún modo como castigo por su presunción.

Kefrén dijo entonces:

—Y ¿de qué sufres tú, Saulo ben Hilel?

Éste se sintió algo molesto y contestó:

—Tengo picazón en todo el cuerpo, y unos forúnculos en la espalda, desde hace varias semanas. ¡Ahora ya ni me dejan dormir!

El médico sonrió de nuevo:

—Y ¿no has orado para librarte de ellos?

Saulo se abstuvo de contener una risita y siguió al médico a su gabinete. Kefrén le examinó las anchas espaldas salpicadas de forúnculos que sangraban. Extrajo un polvillo dorado de una urna y lo esparció abundantemente por la región afectada. La quemazón y el dolor disminuyeron en seguida y Saulo suspiró aliviado. Kefrén, después de llenar de polvillo una bolsita la dejó en manos de Saulo.

—Esto te aliviará, pero no te curará. La aflicción está en tu mente. Dime: ¿Qué hay en tu vida que te irrita y exaspera tanto que el calor de tus pensamientos y tu cólera llega a atormentar la carne, impidiendo tu descanso y apareciendo en forma de pus?

Saulo quedó sorprendido. Sabía que los médicos judíos enseñaban hacía tiempo que las penas y agonías del alma aparecían visiblemente con frecuencia en la carne, y a veces afectaban la mente. Pero lo había olvidado. Se puso lentamente la ropa y luego dijo con su abrupta manera de hablar:

—Mis gentes me enojan, pues aunque les explico una y otra vez: "Como morimos en Adán, así resucitamos en Cristo", ellos no intentan comprenderlo. Muchos creen que lo que quiero decir es que no tendrá efecto la muerte del cuerpo si creen en el Mesías y confían en sus promesas, y que vivirán eternamente en un mundo sin la intervención de la muerte normal. ¿No les salvó el Mesías de la muerte de Adán? Por tanto ¡no morirán! ¡Oh, hay muchos errores de esos entre mi gente, y yo pierdo la paciencia, y me pregunto si esta generación llegará a comprenderlo alguna vez!

Kefrén hizo un gesto indulgente con sus finas y oscuras manos:

—¿Por qué no aceptas la normal estupidez y ceguera del hombre como parte de su ser? ¿Por qué no comprendes tú mismo que pocos pueden entenderlo y que otros han de ser guiados como niños estúpidos? ¿Crees que el Mesías dotó repentinamente a los que lo escuchan de extraordinaria inteligencia y comprensión? ¿No dices tú mismo que Él preguntó: "¿Quién, a fuerza de pensar, puede añadir un codo a su estatura?" En resumen, el hombre nace con inherentes capacidades, y si esas capacidades son pequeñas y débiles, no hay meditación que pueda aumentarlas.

—Pero los judíos creemos que un hombre puede aumentar en sabiduría mediante el estudio —dijo Saulo, inquieto de nuevo.

—Sólo puede comprender hasta el límite de su capacidad, que, en la mayoría de los hombres, es muy reducido. En Egipto tenemos una clase aristocrática y erudita de sacerdotes, pues somos más antiguos que ustedes y mucho más sabios, y, para los sencillos, tenemos amuletos, invocaciones y gestos preescritos; pero, para los sabios por nacimiento, tenemos otras palabras y rituales, y, para los más sabios, la introducción a los misterios. Comprendemos que, aunque todas las almas son iguales ante Dios, en asuntos de la Ley divina, cada alma es única y enteramente distinta de todas las demás, en altura, sabiduría y comprensión. Algunas almas quedan infantiles para siempre. Otras crecen, pues tienen la capacidad de crecer, dada por Osiris, el Padre Todopoderoso. ¡Ay de ustedes, cristianos, si sus maestros proclaman alguna vez que todos los hombres son iguales en lo referente al alma, comprensión e inteligencia! Si eso llega a pasar, vuestra fe se desintegrará y abundará la confusión —sonrió irónicamente—: Creo que debías escuchar a tu Mesías, más que a tus propias esperanzas, Saulo ben Hilel. Entonces quizá desaparecerían tus aflicciones. No esperes más del hombre ordinario de lo que él puede dar.

Salió al atrio con Saulo:

—Yo creo que basta con que un hombre sea inocente, y la inocencia no es precisamente atributo del hombre. Enséñale la paz; enséñale a no hacer daño. ¿No es ésta ya una tarea prodigiosa?

—Me gustaría llevarte al Mesías —dijo Saulo.

El médico se sintió a la vez divertido y asombrado.

—¡Mi querido amigo! —exclamó—. Los egipcios creíamos en Él mucho antes de que los israelitas oyeran hablar del Mesías a sus profetas. Con seguridad que, en los siglos de exilio en Egipto, sus sabios absorbieron el conocimiento de Él mediante nuestros sacerdotes y sabios. ¿Acaso nuestro Osiris, asesinado por el hombre intransigente, no se alza cuando llega la primavera y habla de nuevo a su pueblo? ¿No vuelve a ofrecerle su salvación y su paz? Jehová tiene mil hombres, y, mediante cada uno de ellos, habla a sus hijos. Insisto una vez más. Habla de amor, de caridad y paz, a tu pueblo, Él es Uno. A cada generación, a cada pueblo, Él habla eternamente —miró a través del atrio, al anochecer púrpura—: Él no es más que Uno, bendito sea Su Nombre, y para los que lo adoran, sea cual fuere el nombre que le den, Él es siempre el mismo.

Saulo sintió temblar su corazón. Antes de que pudiera replicar, Kefrén siguió:

—Habla a los ignorantes. Háblales de Él. Pues el mundo está lleno de hombres desgraciados y sin Dios, como lo estará siempre; y regocíjate con la cosecha de los corazones de esos hombres, pues esa cosecha es siempre bendita a los ojos de Dios.

Miró a Saulo con ojos opacos:

—Yo estoy sujeto a visiones, que a veces no acojo con gusto. Pero te diré esto: hay razas desconocidas ahora que oirán tu voz a través de los siglos; jamás han conocido al Único, y viven como bestias, adorando animales, árboles, piedras, y a los elementos. A ellos llevarás tu revelación, aunque aún no han nacido. Te digo: el sol sale por el Oeste.

Pero Saulo seguía mordiéndose los labios y al fin exclamó:

—¡Cómo insisten los muy estúpidos en que el Señor es alguien tan pequeño como ellos, dando énfasis a Su mansedumbre! ¡Para ellos no es masculino, fuerte, poderoso y terrible en su ira, una figura monumental! ¡Ah, eso los abruma! No entienden que su mansedumbre consiste en ofrecerse como el Cordero de Dios, sin resistencia, y por el bien de todos. Insisten en su propia pusilanimidad, porque les falta fuerza de espíritu. Hacen de su debilidad una virtud, de sus fracasos una ofrenda, y buscan modestamente lo que creen una imitación de Dios. ¿Son ésos los guerreros del Señor? ¡No! Creen que el servilismo es humildad, la timidez digna de alabanza, y la falta de orgullo amor. Sobre todo, Él deseaba ser adorado por hombres libres, ¡pero éstos no lo son!

—Ah —dijo Kefrén—. Eres duro. Me gustaría aconsejarte, amigo mío. Los judíos, vivan donde vivan, se mueven discretamente en su mayoría en torno a los romanos. Son sabios. No discuten con los romanos ni con nadie, excepto ante los tribunales. Vuelven la cabeza cuando pasan ante templos extraños, pero no escupen en sus escalones, ni hablan con desprecio en público de los que llevan incienso y ofrendas a altares paganos. Sólo piden que se les conceda el mismo respeto, y pocas veces les ha faltado. También esto es prudente.

"Pero he sabido que los cristianos están empezando a denunciar a "los dioses paganos" ante los mismos pórticos de los templos. He oído decir que algunos han entrado en ellos y han derribado las estatuas ante los ojos de los adoradores. Disputan con los hombres, y asustan a las mujeres. Invocan la ira de Dios sobre los que adoran falsos ídolos. De su debilidad, como tú la llamas, ha surgido la arrogancia. ¿No es ésa siempre la historia de los hombres débiles?

Saulo lo miró consternado:

—¡Yo no sabía nada de eso!

—Sin embargo, es cierto. Los romanos se inclinan a la tolerancia de todas las religiones, como sabes, y hay entre los cristianos hombres de todas las naciones. ¡Pero éstos son más agresivos ahora que los judíos cristianos! Ofenden a los hombres en sus emociones más profundas y fundamentales.

La espalda de Saulo comenzó a dolerle de nuevo, y movió inquieto los hombros:

—Les he dicho más de mil veces que la fe es un don de Dios y que nadie puede forzar a otro a creer contra su voluntad.

—Sólo tratas con hombres.

—Siempre lo olvido.

Desmoralizado de nuevo, regresó a su solitario cuartucho de una mísera posada, y se sentó, inclinando la cabeza. Su antigua cólera contra la humanidad volvía a enardecerlo. La noche anterior había amonestado duramente a unos cuantos falsos profetas que pretendían incluso haber sido tocados por las lenguas de fuego de la Pentecostés.

Dijo a Bernabé, que lo observaba ansiosamente:

—Tengo una medicina para la espalda. Por favor, echa un poco de este polvo —después sonrió—: ¡Mi cólera e impaciencia con nuestro pueblo me han dado los sufrimientos de Job!

Capítulo 40

—He luchado bien —se dijo Saulo—. He ganado la carrera.

Acababa de regresar de una visita a Jerusalén, donde se había enzarzado con Simón Pedro en una calurosa discusión sobre los paganos convertidos a la fe. Simón Pedro había insistido en que los paganos debían hacerse judíos antes de ser admitidos al cristianismo, pero Saulo había vencido, a despecho del amargo antagonismo de los apóstoles, y de su anterior desprecio. Veía que todavía desconfiaban de él, tanto los judíos como los cristianos. Seguía siendo para ellos "el gran renegado".

Escribió a un amigo: "Yo había recibido el Evangelio de los incircuncisos, como Pedro el de los circuncisos, pues el que obró en Pedro para el apostolado de los circuncisos obró también en mí para el de los gentiles. En su misma cara resistí a Pedro porque se había hecho reprensible, pues comía con los gentiles, pero, en cuanto aquellos otros llegaban, se retraía y apartaba por miedo a los circuncisos. Yo dije a Cefas: Si tú, siendo judío, vives como gentil y no como judío, ¿por qué obligas a los gentiles a judaizar? Nosotros somos judíos de nacimiento, no pecadores procedentes de la gentilidad'".[1]

En Antioquía al menos había convencido a su pueblo de no ser insolente con otros, de palabra u obra, ni despertar estúpidamente su antagonismo en el afán de llevarlos a Cristo. El celo era algo espléndido, pero el exceso de celo resultaba peligroso, tanto para la fe como para ellos mismos. Debían más bien trabajar con diligencia y hablar amablemente, pues ya había muchos gentiles en la iglesia de Antioquía, gran parte de ellos hombres sabios y ricos. Habían venido a escuchar al profeta judío por ocio o curiosidad, y se habían quedado a orar con el.

Para los hombres que temían y desconfiaban de sus propios dioses, que vivían aterrorizados, o sin creer en ellos, el mensaje era único, asombroso, lleno de esperanza y alegría.

Así, pues, la Iglesia de Antioquía prosperaba y entonces Saulo supo en su interior que pronto debería dejarla. Ya no era necesa-

[1] Gálatas, 2.

rio: el terreno arenoso donde la había edificado, estaba convertido en la más firme de las rocas: ya había sacerdotes ordenados, se buscaban conversos, y éstos respondían. Ciertamente, en menos de veinte años desde la Crucifixión, la cosecha había aumentado y los trabajadores también, y el Evangelio había llegado incluso a Roma y a Atenas, en pequeñas colonias, y a Egipto y otras tierras. Crecía como una pequeña planta llena de capullos y cubría el suelo de la vida, haciendo más dulce el deber, más soportable el dolor y la esclavitud bajo Roma y sus impuestos.

Saulo era el hombre que en un instante había pasado de la persecución a la adoración y que hablaba de ello con voz tan apasionada y musical como una campana. Era imposible dudar de lo que había visto, tanto si era cierto como si era locura. Y si era verdad... entonces el horizonte se ensanchaba indefinidamente y se encendía con el oro de la esperanza y la eternidad. Exclamaba, extendiendo las manos cual si ofreciera dones: "¡Si Cristo no ha resucitado, entonces nuestra fe es vana!" Y ellos sabían que Él había muerto y resucitado, y la fe tocaba sus corazones como con un dedo de plata y un clamor de exultación se elevaba en respuesta.

Parecía tener una energía incansable, aunque nadie adivinaba que era la energía del espíritu, no la de su agotado cuerpo. Hasta su ojo enfermo le daba una expresión poderosa e inexcrutable cuanto más elocuente era. Si su rostro estaba envejecido, si las canas cubrían sus rojos cabellos, pocos lo advertían, pues todos estaban dominados por su voz, sus gestos imperiosos e impacientes, y luego la repentina sonrisa a la vez comprensiva, satírica, seca y jovial. Su risa era como un rugido de león, alegre, masculina, fuerte, y tan libre como el viento. Pero cuando reñía o condenaba, temblaban todos.

A los griegos, que consideraban la vida del cristiano triste y llena de renuncia, les decía: "La fe no sólo nos rescata de la muerte espiritual, sino que nos da mayor alegría en nuestra vida actual, un éxtasis interno que no pueden proporcionarnos ni las delicias mundanas ni las experiencias sensuales. Para el hombre que ama a Dios no hay nada más, ni mayor gozo, pues el mundo se ha transformado en gloria y radiante color y música". A los pragmáticos romanos, que afirmaban que el Dios de Saulo no ofrecía dones tangibles, decía: "Él que no preservó a su propio

Hijo, sino que lo entregó por todos nosotros, ¿cómo no nos ha de dar con Él todas las cosas? En todas las cosas vencemos por Aquél que nos amó."[2]

Para muchos gentiles, los cristianos estaban locos. Los hombres que repudiaban este mundo de delicias tenían que estar contra él. De modo que empezaron a mirar a los cristianos con suspicacia. Eran peligrosos. Se iniciaron rumores de que adoraban la cabeza de un asno y celebraban ritos obscenos, ofensivos a los dioses, con ceremonias privadas criminales y blasfemas, y que preparaban algún misterioso ataque con sus malignos encantamientos.

Saulo oyó algo de esto, pero no sintió temor hasta que recibió una carta de Roma, de su primo Tito Milo Platonio, ahora general de la Guardia Pretoriana, y que vivía en el Monte Palatino.

Aunque la carta llevaba su propio sello, Milo hablaba con cautela del emperador Claudio, sobrino del ahora muerto Tiberio, pues Claudio sentía tal respeto por los pretorianos que había aumentado grandemente su número y les había recompensado con largueza su fidelidad. Pero, al fin y al cabo, los pretorianos eran los que lo habían elegido, ya que no era de la gens juliana.

"No es el loco que afirman algunos —escribía Milo—, y tiene muchos conocimientos, cosa que no puede decirse de la mayoría de sus adversarios. Ha dado importancia a los libertos, que se muestran altivos y desdeñosos, incluso frente a los patricios, cuya inconformidad y silencioso enojo me parece que divierte al César. Está casado, por cuarta vez, con Agripina, su sobrina, lo que irrita a algunos anticuados romanos, y se susurra que ella intenta prevalecer sobre él para que desherede a su hijo Británico en favor del hijo de ella, de un matrimonio anterior, un hermoso joven llamado Nerón. Que la emperatriz triunfe o no, es tema de murmuración en Roma, pues Británico es un joven de notables cualidades y dotes de mando, y Nerón, aunque lleno de encanto, con dulce voz y un rostro que hasta Apolo envidiaría, no tiene el carácter ni la fortaleza de Británico. Bien, supongo que ya estarás enterado de estos asuntos. Como soldado soy prudente, sirvo al emperador y no doy pábulo al escándalo.

[2] Romanos, 8: 31-39.

"Querido primo, recordarás que el difunto emperador Tiberio no se inclinaba en favor de las religiones orientales, y destruyó un templo a Isis... que el actual emperador ha reconstruido. Sin embargo, en Roma perdura la desconfianza inspirada por esas religiones. Los judíos fueron muy celosos en su proselitismo en Roma, pero, al descubrir el disgusto de Tiberio, desistieron en sus intentos de conversión, lo cual fue muy prudente.

"Pero ahora tenemos muchos cristianos en Roma, gentes pobres y amables en su mayoría, que viven y trabajan en el ruidoso barrio del Transtébere. La mayoría de ellos son judíos, aunque se han reunido y convertido a muchos bárbaros, esclavos, miserables libertos y trabajadores de las fábricas. Han vivido quietamente entre sus maestros y evangelistas de Israel, cumpliendo con su deber y su trabajo, y, hasta hace muy poco, no han despertado antagonismo, aunque sí muchas burlas, y los han acusado de adorar la cabeza de un asno.

"Como cristiano que soy les he enviado grandes sumas de dinero, ya que la mayoría viven en la pobreza, pues los cristianos judíos no tienen la vitalidad, independencia y fuerza de espíritu de los antiguos judíos. Les envío los regalos mediante un joven pretoriano de confianza, pues no sería adecuado que un general de la Guardia Pretoriana aliviara los sufrimientos de aquellos a los cuales todos llaman "esa chusma oriental", aunque el actual emperador se muestre indiferente hacia ellos.

"Pero hace dos semanas los cristianos despertaron la cólera de Roma. Los devotos de Cibeles se reunieron en su templo y llevaron a la diosa por las calles en un trono recamado de oro. Los romanos no creen en los dioses, pero los temen y son supersticiosos, y aplacan a todos los que encuentran en procesiones o cuando pasan ante sus templos. La procesión de Cibeles resultaba impresionante con gran número de gentes y muchos tocando cítaras, arpas, flautas y otros instrumentos. La multitud se detenía para contemplarla con placer, si no con reverencia.

"Cuando la procesión se aproximaba a la Vía Apia, hubo de pronto un movimiento entre la multitud y aparecieron unos cien hombres flameantes de cólera y con fieros ojos, gritando: "¡Maldición a esa ramera de Roma y a sus abominaciones! ¡Pues está maldita, y la ira de Dios caerá sobre ella!" La procesión se detuvo en seco, también la música, y todos retuvieron el aliento. Incluso los senadores que iban en sus literas, camino del Senado, ordenaron a sus portadores que aguardaran para observar la confusión a través de las cortinas de seda.

"Esto ya hubiera sido suficiente ultraje, pero los cristianos —pues eran ellos— se introdujeron en la procesión, se apoderaron de la imagen de la diosa Cibeles y la destrozaron. Después escaparon y fue imposible hallarlos, aunque muchos los persiguieron con palos y piedras.

"Si éste fuera el único incidente, pronto quedaría olvidado, pero es que ha habido otros, aunque no tan espectaculares. La multitud romana es muy excitante y propensa a la revuelta y al escándalo. Así grupos furiosos han atravesado el Tíber y han azotado y golpeado a los cristianos ante el mismo rostro de los guardias, que apartaban la vista.

"He hablado en secreto a muchos dignatarios entre los cristianos, haciéndoles venir a mi casa en el Palatino, a medianoche, y les he expresado mi alarma y mi propia cólera, pues los escandalosos nos han puesto en peligro a todos. Están de acuerdo conmigo y deploran el excesivo celo de su rebaño; y han prometido calmarlos y disciplinarlos. Confío en que serán efectivos.

"Deseo verte de nuevo, mi querido primo. Espero que decidas visitar Roma para calmar a los cristianos e inspirarles mayor prudencia."

Saulo leyó la carta con horror mezclado de presentimientos. ¡Los que adoraban al Príncipe de la Paz lo proclaman con violencia! Tal vez no fuera la mayoría, pero unos pocos podían llevar al desastre a los inocentes. ¿Estaban buscando deliberadamente el martirio? Si era así, estaban locos. ¿O bien trataban de llamar la atención universal a su fe y su presencia entre el populacho? Si era así, desde luego que lo estaban logrando, pues la atención que despierta el derramamiento de sangre es peor que pasar desapercibidos.

Meditó largo tiempo; luego escribió a los dignatarios y diáconos de la Iglesia de Roma reprendiéndolos por haber perdido el dominio de sus miembros:

"Todos han de estar sometidos a las autoridades superiores, que no hay autoridad sino por Dios, y las que hay, por Dios han sido ordenadas, de suerte que quien resiste a la autoridad, resiste a la disposición de Dios, y los que la resisten se atraen sobre sí la condenación. Porque los magistrados no son de temer para los que obran bien, sino para los que obran mal.

"Es preciso someterse, no sólo por temor al castigo, sino por conciencia. Paguen pues el tributo.

"No estén en deuda con nadie, sino ámense los unos a los otros, porque quien ama al prójimo ha cumplido la Ley. El amor no obra el mal del prójimo, pues el amor es el cumplimiento de la Ley. Andemos decentemente y como de día, no viviendo en medio de comilonas y borracheras, no en amancebamiento y libertinaje, no en querellas."[3]

No era la carta que hubiera escrito el joven Saulo cuando ardía de odio contra los romanos y se exaltaba ante los hechos de los esenios y zelotes. Pero ahora veía que la maldad que vive en el hombre no puede ser destruida con la maldad, sino sólo con la paciencia, con la fe, el amor y luchando constantemente por la paz y la conciliación. La espada no era el sustituto de la luz y de la justicia. La misión de los cristianos era la salvación, no la violencia. Dios, no los asuntos seculares. El gozo espiritual, no la fuerza física. Un imperio del alma, no del orden humano. El hombre incapaz de dominarse a sí mismo y a sus pasiones —por buenas que las considerara— era un peligro para su propia alma y las de sus amigos. Esto no significaba que el hombre bueno hubiera de ser como leche y agua, sino como el buen vino que da fuerzas, consuela, alegra e induce a la amistad. Sobre todo, debía transmitir alegría y amor, fundamento de su alegría.

Dejó Antioquía con Bernabé, y marchó a Corinto, puesto que la iglesia de Antioquía, floreciente y próspera, ya no lo necesitaba.

[3] Romanos, 13: 1-3.

Capítulo 41

Saulo, que había nacido en un caluroso país, y vivido y trabajado en otros semejantes, halló asombrosa a Grecia, aquel verde y dorado país; no sólo por su belleza, sino por su serenidad y clima. La clara luz, transparencia del cielo azul, la gracia y dignidad de su gente, le encantaron. Siempre había apreciado vagamente a los griegos, gracias a Aristo.

Como los eruditos griegos disfrutaban con las discusiones y el diálogo, Saulo les resultó muy pronto interesante. Acudían a su pobre posada en Corinto, donde lo encontraban por la tarde sentado al sol poniente, llenándose los ojos y el alma con la maravillosa belleza que lo rodeaba. Y Saulo descubrió que disfrutaba al conversar con aquellos hombres. Al contrario que a las gentes de Israel y de Antioquía, no les sorprendía que un sabio rico se vistiera humildemente. Decían con una sonrisa que la ostentación, la virtud y la sabiduría eran incompatibles, aunque dejaban a Saulo con la inquietud de ser considerado afectado o excéntrico, como todos los sabios. En resumen: él llevaba el uniforme adecuado a un sabio, para distinguirle de la raza corriente de hombres. Esto le molestaba, pero, a la vez, le divertía. "Me estoy haciendo griego", se decía. Cuando intentaba compartir la mentalidad griega con Bernabé, éste se sentía confuso, y decía:

"Nos vestimos humildemente porque somos humildes." De modo que Saulo abandonó el tema.

La fértil llanura de Corinto, verde y frondosa, se consideraba el huerto y el jardín de Grecia. El templo de la Acrópolis, plantado de cipreses, era un joyel de tonalidades argentinas.

Bernabé, no tan cosmopolita como Saulo, no acababa de compenetrarse con aquel ambiente. Siguiendo y practicando su teoría de que todos los hombres son iguales, prefería la compañía de la gente humilde: esclavos, libertos, campesinos, pastores, pequeños comerciantes.

Entretanto, un peligroso aguijón punzaba a Saulo: el apóstol Marcos, que se les había unido en Corinto. Más joven que él, Marcos había vivido al lado del Mesías y había asistido a la Resurrección. Sobrino de Bernabé, era alto y delgado, de cabello y barba sedosos, manos pálidas de dedos alargados, ojos inmensos, cuya mirada al fijarse en Saulo se volvía de hielo. Además, hablaba con una tal deliberada lentitud y tanto énfasis, que exasperaban a Saulo.

Marcos admitía que el Señor había venido también para los gentiles, y no se mostraba adverso a los conversos de Corinto. Pero creía, con toda el alma, que los cristianos judíos formaban el núcleo interno de Israel; únicos portadores del mensaje cristiano, únicos santos auténticos, sólo ellos tendrían en el futuro el gobierno del Reino. En cambio, los gentiles convertidos no pasarían nunca de formar una borrosa comunidad. Por esto desconfiaba de Saulo y miraba desdeñosamente la misión que se había atribuido a favor de los gentiles. Le dijo:

—El Señor nos aconsejó que no echáramos perlas a los cerdos.

—No hay limitación al Reino de Dios —contestó Saulo, sin perder la paciencia—. La misión mesiánica es para todos, no exclusiva ni prohibida a ningún hombre tocado por el dedo de Dios, sea judío o pagano —luego miró fríamente a Marcos—: Mientras los griegos acumulan sabiduría, nosotros predicamos a Cristo crucificado, escándalo para los judíos, y locura para los paganos; pero, para quienes han sido llamados, ya fueren judíos o griegos, Cristo es el poder y la sabiduría de Dios[1] —añadió—: Pues somos trabajadores junto con Dios, la economía de Dios; el edificio de Dios —como Marcos no respondiera, Saulo agregó con su natural y salvaje impaciencia—: Porque, así como siendo el cuerpo uno, tiene muchos miembros, y todos los miembros del cuerpo, con ser muchos, son un cuerpo único, así sucede también con Cristo. Porque todos nosotros hemos sido bautizados en un solo Espíritu, para constituir un solo cuerpo, y todos, ya judíos, ya gentiles, ya siervos, ya libres, hemos bebido del mismo Espíritu.[2]

—Pero tú eres fariseo —replicó Marcos—, y el Señor denunció a los fariseos. Nosotros aún los tememos y sospechamos de ellos.

[1] Corintios, 1: 22-24.
[2] Corintios, 12: 12-24.

Sin esperar la respuesta de Saulo, se marchó. Bernabé estaba preocupado. Con la obstinación de Marcos y el orgullo y certeza de Saulo, se sentía atrapado entre la espada y la pared. Sin embargo, su intuición le decía que Saulo tenía razón, y Marcos estaba equivocado, aunque fuera un apóstol. Pero la mayor preocupación de Bernabé era que estallara la disensión de la Iglesia con estruendo de protestas. Si la Iglesia se dividía, quedaría debilitada, y su misión se retrasaría. Bienvenida era en ocasiones la discusión, pues de la discusión nace la luz, pero no había lugar para la guerra y la rebelión. Cuando Marcos le dijo: "El mensaje debe darse sólo en las sinagogas, no en los mercados paganos y en las casa de los griegos idólatras", Bernabé intentó contradecirlo, pero Marcos estaba tan convencido como Saulo de tener razón.

—¡No tomaré parte en esto! —exclamó al fin y, sin despedirse de Saulo, marchó a Jerusalén para quejarse a Pedro del arrogante fariseo. No pasó mucho tiempo sin que Marcos comprendiera al fin que Saulo tenía razón, y admitiera en su Evangelio que la misión era también para los gentiles, sin restricción alguna.

Marcos, al hablar de su tío Bernabé, dijo que Saulo de Tarso había corrompido la fe de aquel hombre amable, poniendo en peligro su alma. Traía hordas de gentiles mal informados e idólatras a la Iglesia, simplemente para aumentar su autoridad e impresionar con el número. No estudiaba con diligencia el alma del hombre para estar seguro de que se le había concedido el don de la fe. ¡Lo bautizaba como si ejerciera una simple y apresurada profesión! Sin duda es un apóstata.

Otros, al escuchar a Marcos, y asintiendo con aire de preocupación, recordaban la primera persecución de Saulo. ¿Era posible que se hubiera hecho cristiano con la única intención de destruir la fe?

Pero Pedro dijo, con voz baja y vacilante:

—También yo dudé de él, por muchas razones. Mas lo visité en Antioquía, y nada malo encontré allí. Los gentiles que había convertido... me asombraron y edificaron con su fe y su alegría. Ya les he hablado de esto antes. Me convenció. Vi la sombra de la luz del espíritu en su rostro. Deben creerme: antes pensé como ustedes, pero tuve una visión. Saulo tiene su mensaje; yo tengo el mío. Cada uno de nosotros debe hacer su parte. Que no haya disensiones. Si Saulo está en error alguna vez, Nuestro Señor lo corregirá o lo apartará. Cierto, es un hombre orgulloso que se lleva bien con los gentiles, pero, ¿no son esas mismas cualidades las que le dan poder entre ellos? —concluyó.

Capítulo 42

Saulo, desolado por el abandono de Bernabé, que prefirió acompañar a Marcos a Chipre, decidió trasladarse a Atenas.

Las colinas plateadas de Atenas lo maravillaron. Todo era iridiscente a los rayos del ardiente sol, bajo un cielo increíblemente brillante. Caminaba por la Ágora mirando las tiendas, los comerciantes. Se detenía ante el templo de la música para oír a los que estudiaban. Visitaba academias y tribunales, donde las disputas de los abogados lo excitaban y divertían, y cuyos magistrados lo hacían reír. Visitaba las bibliotecas establecidas por Marco Tulio Cicerón hacía tiempo, y se detenía a admirar los libros. Iba a las colinas a contemplar las aguas del puerto del Pireo y los barcos anclados. Bajo aquella luz, vivacidad y brillo, incluso los romanos le parecían más amables e ilustrados. Sobre todo le fascinaba la Acrópolis y la gigantesca estatua de Atenea, ante el Partenón, y subió a la cumbre para caminar por los suelos de mármol entre los templos, fuentes y columnatas, y mirar desde allí la blanca ciudad a sus pies. Sentíase reverente. Por primera vez pensó: "¡Qué noble es la mente y el alma del hombre cuando se liberan de la grosería del materialismo! ¡Qué portentosa su propia sombra en mármol, cuando vence su naturaleza! La belleza ha dejado aquí su huella monumental en la piedra, y la belleza ha surgido del propio espíritu del hombre."

Pero la comunidad cristiana no compartía su entusiasmo por la ciudad. Los cristianos judíos consideraban el grandioso espectáculo de la Acrópolis "una trampa del diablo" para apartar la mirada y el espíritu del hombre de las eternas verdades, y Saulo, a punto de reñirles con ásperas palabras, recordaba que también en su juventud le había dicho tales cosas a Aristo. Los cristianos gentiles que trataba eran pobres, antiguos libertos, o campesinos, cansados por el polvo y el trabajo, y, aunque griegos, no sentían orgullo por su herencia ni podían captar sus ojos lo que Saulo veía. Lo miraban con maravillada sorpresa. ¿Qué tenía que ver todo eso con su presente o futura existencia? Las obras de los hombres, por espléndidas que fueran, eran polvo y cenizas, e indignas de un cristiano.

Después de algunas semanas, Pedro, inspirado sin duda por el Espíritu Santo, desde Jerusalén envió a Saulo un joven llamado Timoteo, de padre griego y madre judía. En consecuencia, según la ley judía, Timoteo era judío aunque no estuviera circuncidado. Pero esto desconcertaba a los judíos de las sinagogas que él frecuentaba como judío y cristiano, y Saulo, recordando su acuerdo con la comunidad de Jerusalén, le dijo suspirando que debía ser circuncidado:

—Pues visitaremos las sinagogas allí donde viajemos, para hablar a nuestros hermanos, y es pecaminoso humillar a otros, ofenderles y obligarlos a enojarse. Yo he dicho y enseñado que no es necesario que un gentil se haga judío y sea circuncidado para ser admitido en la comunidad cristiana. Pero tú, mi querido Timoteo, mi joven amigo, eres caso aparte.

Saulo tuvo por un instante el convencimiento de que Pedro, que tenía su mismo humor, se estaba burlando de él. Sin embargo, Timoteo, un joven Hermes por su aspecto, obedeció su sugerencia con una prisa que Saulo halló conmovedora, recordando a Marcos. El mismo Saulo llevó a cabo el rito y la ceremonia al modo israelita y fue el padrino de Timoteo. A partir de entonces siempre lo llamaría "mi querido hijo, mi hijo según la fe". Concibió por el joven un cariño similar al que sentía por su verdadero hijo Bóreas, cuya esposa Tamara bas Judá, le había dado ahora dos hermosos hijos. El niño fue llamado Hilel ben Enoc; la niña Dacil bas Enoc, y, al recibir la noticia, Saulo lloró con mezcla de gozo y dolor —aunque orgullo por su hijo— de que hubiera honrado a su madre, muerta tan joven. El anhelo de ver a su hijo y a sus nietos, perseguía sus noches, pero comprendía con angustia que no podía realizarlo. Confió su dolor a Timoteo, que rápidamente simpatizó con él con verdadera emoción. "Siempre estoy suspirando estos días —pensó Saulo—, y eso es una mala costumbre, que indica desesperación."

Capítulo 43

Saulo se encontró a Lucas al final de un sermón.

—¡Mi querido y glorioso médico! —exclamó, sin cesar de abrazarlo—. ¡Qué dicha para nuestros ojos! ¿Cómo te va, mi querido amigo? Pareces cansado, incluso enfermo. ¡Qué!, ¿te has estado agotando sin piedad entre los paganos?

Sus palabras salían a borbotones, tan lleno estaba de felicidad, y por eso no pudo ver los ojos acongojados de Lucano, ni su alterado rostro. Éste le puso las manos en los hombros e intentó hablar, pero no pudo. Saulo parecía no ver nada. Llamó impacientemente con la mano a Timoteo, todavía en lo alto, y le gritó:

—¡Ven en seguida! ¡Tenemos aquí a Lucas, mi querido amigo!

—Saulo... —empezó Lucas en voz baja. Después se detuvo al ver a Timoteo y a los oyentes que pasaban reconociendo en él a un griego. Algunos lo recordaban vagamente de su juventud, como médico que había vivido esporádicamente en Atenas, y lo saludaban cortésmente, gesto que él devolvía, a la vez distraído y agotado. Timoteo no lo había visto antes, y lo miró, examinándolo, y Lucas lo observó también.

—Nuestro Lucas, el Evangelista —dijo Saulo a su joven amigo, y aquél y Timoteo se abrazaron y dijeron simultáneamente:

—Que la paz de Cristo Jesús esté contigo —y Saulo les sonrió, desaparecido su cansancio, y luego caminó entre ellos, con los brazos entrelazados, y los llevó por el largo camino de la Acrópolis, pasado ante templos, jardines, fuentes y columnatas. No dejaba de lanzar exclamaciones de placer y de apretar el brazo de Lucano, y reía como un muchacho. Hombre intensamente intuitivo, sin duda su alegría le impidió ver al instante que Lucano estaba silencioso y distraído, pero Timoteo empezó a quedar más y más callado, mirándolo intranquilo.

—Tengo malas noticias para Saulo ben Hilel —dijo luego Lucas a Timoteo—. No sé qué palabras debo elegir, o cuándo debo hablar.

—Eso sospechaba, Lucas. Pero mi madre, que descanse en paz, siempre decía que un hombre puede soportar el dolor con más fortaleza cuando tiene el estómago lleno.

—Como médico, no te recomiendo que des malas noticias a un hombre que haya comido ya; puede darle un ataque al corazón. Es mejor que beba.

Timoteo meditó:

—Nunca he visto borracho a Saulo, ni siquiera en la Pascua del Nuevo Año, cuando se perdona la borrachera como una celebración. Siempre ha asistido a las bodas sin beber más que media copa de vino. Es muy austero.

—Llevo algo en mi bolsa que dejaré caer en el vino si le distraes un momento —dijo Lucano—. Sé que es austero, así que no comerá hasta saciarse. La poción aquietará sus emociones durante varias horas, y después la repetiremos.

Los ojos azules de Timoteo se humedecieron, e inclinó la cabeza. Después se alejó suspirando. Lucano fue a su alcoba.

Se reunieron poco más tarde y el posadero les llevó a una mesa distante, en el ruidoso comedor que olía a gente y a sudor, vinagre y polvo. La luz del sol entraba por las abiertas ventanas. Los tres estaban bastante aislados en un rincón donde no hacía tanto calor. Saulo se sentó entre sus amigos, brillante su rostro.

—Dime —pidió a Lucas. Miró con suspicacia las tres pequeñas copas, no demasiado limpias, que el posadero colocaba ante ellos, mientras decía:

—¡El mejor aguardiente de Siria, de un secreto lugar de mi bodega!

—Gracias —dijo Lucas, y alzó la copa. Miró a Timoteo:

—Tú eres el más joven, así que te pido un brindis, pues en esta ocasión honraremos a la juventud.

Timoteo dijo:

—Demos las gracias a Dios, Rey del Universo, por esta comida.

Un brindis del más joven era algo nuevo para Saulo y supuso que sería una costumbre griega para alguna ocasión especial. Timoteo, que jamás lo había hecho, enrojeció. Habló vacilante, mirando a Saulo:

—Creo que son cinco los próximos que debemos bautizar —la copa tembló en su mano.

Saulo le sonrió amablemente:

—Al menos hablé con seis docenas, pero alegrémonos por la pequeña cosecha, pues estos griegos son muy resbaladizos, en verdad.

Timoteo vio por el rabillo del ojo que Lucas había dejado caer algo con destreza en la copa de Saulo, y murmuró, tratando de sonreír:

—Pero Lucas es griego, y mi padre, descanse en paz, lo era también.

—Lamento mi estúpida observación —dijo Saulo. Miró con disgusto el licor y empezaba ya a apartarlo a un lado cuando Lucano dijo:

—¿Como? ¿Te niegas a beber este néctar conmigo? Si no recuerdo mal, tú y yo lo disfrutamos a bordo de cierto navío hace años. Bebe, mi querido amigo.

Saulo bebió, miró el fondo de la copa y dijo:

—Esto no sabe a aguardiente sirio; probablemente fue destilado ilegalmente en las colinas de Macedonia.

—Una alegre práctica de mis paisanos..., la falsificación —dijo Lucas. Le sirvió otra copa, Saulo la bebió y dijo:

—Ahora está mejor.

La expresión de Lucas era tan triste, que Saulo rió. Ahora se echaba a reír casi a cada observación, y Timoteo, que lo observaba, se preguntó si la porción de Lucano no sería demasiado eficaz.

—Parafraseando a Calígula —dijo Saulo—, quisiera que los buscalíos tuvieran un solo cuello.

—Afortunadamente —dijo Lucas—, soy médico, y nada me sorprende demasiado en el hombre. Sabemos que la Iglesia sobrevivirá y que las puertas del infierno no prevalecerán contra ella, pues así lo dijo Nuestro Señor. Pero, ¡no será con la ayuda del hombre! Te traigo una carta de tu sobrino. Amos ben Ezequiel, digno de su tío, y no sólo mejor médico que yo, sino más elocuente. Nunca fui un hombre demasiado paciente, y Amos no sólo tiene paciencia, sino que es la alegría misma.

El rostro de Saulo se encendió de orgullo y satisfacción:

—Se parece a mi padre —dijo. Habló con cariño de su hermana, la viuda Séfora, que ahora sólo tenía a sus hijos, uno de ellos evangelista.

—La visitaré pronto, pues está sola y ya no somos jóvenes.

Lucas habló de sus viajes y las gentes y peligros que había conocido, y Saulo lo escuchaba con ávida simpatía. Las duras líneas de su rostro se suavizaban. Bebió algo más, y comió queso, fruta y pan, escuchando con toda su atención mientras Lucas lo observaba disimuladamente. El cansancio de Saulo parecía haberse desvanecido. Cierta serenidad y calma, extrañas a su naturaleza, se habían posesionado de él. Hallaba las observaciones de Lucas más divertidas que irritantes, aunque el griego se refería con frecuencia a la terquedad y rebelión de algunas Iglesias y al resentimiento de los dignatarios cuando trataba de corregirlos, e incluso a las sonrisas despectivas de los diáconos.

Entonces Lucas, oscureciendo su rostro, agregó:

—Son cosas pequeñas y humanas que hemos de soportar. Pero lo que no puede soportarse es la pomposa y ruidosa pretensión de la suprema virtud y la razón de algunos de nuestros hermanos militantes en ciertos lugares, que despierta la cólera de los no convertidos.

—El calor me ha sofocado demasiado hoy, y el vino —dijo Saulo—. Además, ya no soy joven.

—Retirémonos a nuestras alcobas y descansemos hasta el fresco de la tarde —dijo Lucas.

—Muy bien —aceptó Saulo—. Pero sólo una hora —se levantó, cogiéndose a la mesa, y se forzó a enderezarse—. ¿Es posible que esté borracho? —preguntó totalmente anonadado.

—No —dijo Lucas, cogiéndole el brazo mientras todos los del comedor sonreían y se daban con el codo—. Estás agotado. Ven. Tengo algo grave que decirte, y éste no es el lugar. Cuando estés en la cama te daré algunas noticias.

Los párpados de Saulo se cerraban, y agitaba la cabeza una y otra vez. Lucas dejó un montón de monedas de oro en la mesa, acto que Saulo era ya incapaz de observar. Luego hizo una seña con la cabeza al pálido y mudo Timoteo, y, sosteniéndolo éste por el otro lado, sacaron a Saulo del comedor.

Llegaron por las sucias escaleras a sus calurosas habitaciones. Las piernas de Saulo estaban pesadas, sus pies parecían hundirse en el suelo:

—Nunca he estado borracho, pues jamás bebo. ¿Me habré puesto enfermo? ¡No puede ser! ¡No tengo tiempo para ello!

—No estás enfermo —dijo Lucano—, pero sí muy cansado, y hasta el caballo del guerrero baja la cabeza y duerme sin escuchar los tambores hasta que ha descansado.

Cayó en la cama con un suspiro de satisfacción. Pero Lucano tomó una silla y se sentó junto a Saulo, que lo miró sorprendido. Timoteo, temblando, quedó en pie con las manos unidas. Luego, a una señal de Lucas, corrió las cortinas de lana ante la pequeña ventana, y el cuarto quedó inmediatamente sumido en la oscuridad.

Entonces Lucas se inclinó, le puso la mano en la sofocada mejilla y dijo:

—Abre los ojos Saulo, y mírame, pues necesito tu atención.

Cogió de la mesa una vela, se la dio a Timoteo y le dijo:

—Enciéndela y vuelve a toda prisa.

Lucano movió la vela de un lado a otro ante las dilatadas pupilas de Saulo, a la vez que murmuraba:

—Mirarás intensamente la llama, y, cuando chasquee los dedos, te dormirás. Pero oirás cuanto te diga mientras duermes, y despertarás a una señal mía, aceptándolo todo con serenidad.

Con gran asombro suyo, Saulo apartó la vela con la mano y se sentó de pronto en la cama, mirando a su amigo con unos ojos ya no húmedos sino brillantes como una llama. Dijo amablemente:

—Querido Lucas, no soy tonto. He visto practicar el hipnotismo a los médicos egipcios. Aunque no lo he manifestado, me he dado cuenta, desde tu llegada, de que estás dominado por el dolor, y he comprendido que me traes malas nuevas. También te vi dejar caer algo en mi copa, y me siento agradecido por ello, pues estoy cansado y sé que te proponías calmarme. Pero, ¿crees que soy un niño? ¿He de ser tranquilizado mediante el hipnotismo y las drogas por temor a que no sea capaz de soportar otra carga, otra desesperación? Si me crees un niño me ofenderé. Si me consideras un hombre, dímelo, y lo más rápidamente posible.

Lucano dejó a un lado la vela, su ascético rostro tembló, y timoteo también.

—Está bien —dijo Lucano—. Lamento haberte tratado así, pues en verdad eres un hombre entre los hombres, y no un ser débil cuyas emociones haya que sofocar por temor a la histeria y la locura. Pero ante todo soy médico, y el hábito de la curación es duro de vencer, y a menudo creemos que es mejor alejar de otros la espada del dolor y la angustia.

Hablaba amablemente, pero sus ojos se llenaron de lágrimas e inclinó la cabeza. Después comenzó su relato.

Había visitado a la comunidad cristiana de Tarso dos meses antes, a petición de Pedro, debido a las deserciones y luchas surgidas allí. También se necesitaba un evangelista entre los paganos. "La comunidad cristiana de Tarso —había escrito Pedro— ha empezado a discutir mi autoridad y está en contra de los gentiles y de los no convertidos aún." Así que Lucano obedeció su orden.

Los cristianos eran aceptados en la comunidad judía, pues en su mayoría se trataba de antiguos judíos que adoraban juntos en la sinagoga, cumpliendo con los Días Santos, como en tiempo de sus padres. Cuando los diáconos y sacerdotes hablaban de Yeshua de Nazaret y de su resurrección, los judíos no convencidos escuchaban cortésmente y muchos lo aceptaban al fin, a Él y a Su misión, y entre ellos había algunos rabinos.

Aunque no todo estaba tranquilo entre los jóvenes fanáticos judíos de profundas y tradicionales creencias, y los igualmente fanáticos judíos cristianos, se admitía generalmente que los cristianos hablaban con amor y deseo de salvar las almas de los hombres, y que por eso no debían ser despreciados ni atacados. Pero era irritante que dijeran que, a menos que hasta los hombres más santos y píos aceptaran al proclamado Mesías, estaban condenados a pasar la eternidad en el infierno, y que sus fieles padres ardían ahora en aquel lugar, incluidos los niños sin culpa, y los profetas, y el rey David, y las virtuosas doncellas y matronas. Toda la devoción, fe, amor y obediencia a Dios que los judíos habían observado a través de los siglos, decían, no les valían de nada. Estaban condenados y condenados seguirían. Aquel amor, fe, obediencia y devoción era como si se los hubiera dado al diablo, o a Moloc. Para los judíos, esto resultaba ultrajante, y un insulto a Dios. Pero los diáconos cristianos, más prudentes, calmaban su ira, y por eso los cristianos eran aún admitidos en las sinagogas.

Los cristianos gentiles eran otro asunto. Se mostraban excesivamente celosos, y su celo no era menor por el hecho de que carecieran de la raíz de la que había surgido su fe. Por tanto hablaban de las palabras del Mesías como de misterios, sin conocer el contexto hebreo en que Él había hablado. Si Jesús mencionaba a Elías, Isaías, David, Moisés, Salomón y Abraham, los gentiles consideraban a esos hombres místicos, como ángeles de gloriosos dioses que habitaron por algún tiempo la tierra.

Hubieran podido seguir las controversias en la comunidad de Tarso sin gran peligro —excepto para los desertores, cismáticos y disidentes— de no haber sido porque los más celosos llegaron a convencerse de que tenían la misión de destruir cualquier fe que encontraran que no fuera la suya. Se burlaban de las enseñanzas, y persuasiones y razonamientos de los más caritativos y serenos. Había que convertir inmediatamente a los paganos y destruir sus ídolos, o Dios no los perdonaría. De modo que, como antes hicieran sus hermanos en Roma, atacaron abiertamente a las procesiones religiosas, invadieron los templos y derribaron estatuas de dioses y diosas, gritando por las calles que todos se condenarían si seguían honrando a los habitantes del Olimpo; que los que no aceptaran inmediatamente al Mesías estaban malditos y condenados al eterno tormento —cuando Él volviera, que probablemente sería mañana mismo—, y que los que se obstinaban en sus creencias eran vil anatema para los buenos. Peor aún: había que desobedecer, pasiva o francamente, las leyes de Roma o de cualquier autoridad local como señal del apartamiento de la comunidad cristiana del resto de los hombres. —¡Somos los testigos! —gritaban en la plaza del mercado, en el foro y en los templos paganos—. Crean cuanto decimos o morirán y los abrasarán para siempre en las llamas de infierno. ¿Quién es el César, para que debamos obedecerlo?, lo depravado, la maldad establecida. Venimos a libertarlos del César, de sus monstruosidades y de sus leyes. Somos otro mundo, gobernado por el Mesías... que ha de venir, ¡quizá en estos mismos días!

Los militares romanos, que honraban al más grande de sus generales, César Augusto, y le habían conferido el manto de la divinidad, construyeron un templo en Tarso, según hicieran en muchas ciudades, y colocaron en él una gigantesca y glorificada imagen de su César, a quien muchos suponían mayor que el mismo Julio, también declarado deidad. Nombraron sacerdotes a su servicio, y capitanes, centuriones y soldados llenaban el templo.

En este templo entró rugiendo un atardecer un tropel de cristianos, cuando algunos viejos capitanes y centuriones honraban a Augusto, y no sólo se limitaron a exclamar esta vez: "¡Ay de ustedes!", sino que agarraron y derribaron la estatua del César. El traslúcido alabastro, hermosamente cincelado, cayó en fragmentos sobre el suelo, arrastrando con él al mismo altar, y, al caer, las velas encendieron las cortinas de seda. Los sacerdotes corrieron horrorizados a las ruinas, y alzaron las manos gritando: "¡Sea vengada esta infamia o no podremos llamarnos romanos, sino asnos y perros cobardes!"

Los romanos, tolerantes y cínicos hacia sus dioses, habían despreciado los anteriores excesos de los cristianos, a pesar de las protestas de los habitantes de Tarso. ¿A quién le importaba Isis, Cibeles, Osiris, Horus, y todos aquellos dioses orientales? Pero cuando fue atacado César Augusto, la paciencia y tolerancia de los romanos llegó a su fin.

El legado, hombre grueso y pacífico, odiaba la controversia, así que preguntó a los soldados qué le sugerían. Pidieron que se multara a la comunidad judía con la suma suficiente para reemplazar la santa estatua, y que se les ordenara adorarla. Esto pareció muy razonable al legado, que llamó a los jefes de la comunidad cristiana y judía a una audiencia con él. —Roma —les dijo— es una ciudad poderosa, pero pacífica, y sus legiones gobiernan al mundo para mantener la ley y la Pax Romana. Los miembros de sus sectas han despreciado y destruido una estatua sagrada del César Augusto, desafiando la orden de Roma de que todas las religiones han de ser respetadas y reverenciadas. Deben pagar en oro la restauración de la estatua y la destrucción del templo, y luego todo su pueblo debe adorar a esa divinidad un día a la semana, hombres, mujeres, niños enfermos o inválidos, y hacer un justo sacrificio en su nombre.

La comunidad judía y cristiana se mostró de acuerdo con la restauración de la estatua. Un rabino dijo:

—Eran jóvenes fanáticos, a los que repudiamos por su vergonzosa violencia, y, si llegamos a saber sus nombres, los castigaremos.

El legado dijo:

—No entiendo de sectas judías, ni me interesa entenderlas. Como romano, sin embargo, respeto su religión. Pero, a la vez, ustedes deben honrar a la mía. Adorarán la estatua del divino César Augusto cuando haya sido reconstruida con su dinero. He hablado; no diré más.

Los jefes judíos y cristianos se decían unos a otros que, seguramente, con la restauración de la estatua, el legado se olvidaría de la orden de adoración pública. Pero confiaron en vano, pues los soldados romanos no permitieron que el legado la olvidara.

Los judíos y cristianos que disponían de fortuna se trasladaron discretamente a otras ciudades "por razones de salud", pero aquellos cuya fe vacilaba decidieron que valía la pena hacer una simple reverencia a la estatua, con reserva interior, por la seguridad y la tranquilidad. "Después de todo —se dijeron—, ¿no nos hemos visto forzados, a través de los siglos, a adorar a Baal y Moloc y otros dioses paganos, y no hemos hecho penitencia luego en el Día de la Expiación por lo que nos vimos obligados a hacer, y fuimos perdonados por Dios de todo ello, bendito sea Su Nombre?"

Pero los hombres fervorosos, de firmes convicciones, lo mismo judíos que cristianos, declararon que preferían la muerte a la idolatría. Y tan vehementes se mostraron en sus manifestaciones, tanto en la sinagoga como en público, que irritaron no sólo a los soldados romanos, sino al populacho, el cual siempre había despreciado a los judíos y más particularmente a los cristianos.

Entonces, una tarde cálida de verano, cuando la más grande de las sinagogas de Tarso rebosaba de fieles, tanto de judíos como de cristianos, los soldados, seguidos de una multitud de esclavos, sedientos de sangre, asediaron el edificio y, después de obturar las puertas, le prendieron fuego. Nadie pudo escapar. Se oían gritos enloquecidos pidiendo auxilio, las escalofriantes plegarias de los agonizantes...

Lucas no pudo proseguir el relato. Los sollozos le ahogaban la voz. Pero Saulo seguía sentado, muy erguido, mirando al muro de yeso, con el rostro de un difunto.

Dijo:

—Continúa. Sé que mi hijo Bóreas ha muerto, y que has venido a decírmelo —su voz era serena.

—Cierto —dijo Lucas cuando pudo dominarse—. Y su joven esposa Tamara bas Judá murió también, y sus niñitos, y todos los de la casa de Judá ben Isaac, y la esposa de tu antiguo tutor Aristo, y doscientas personas más. Bóreas intentó salvar a su hijita, confiando en que alguien del exterior sería piadoso, y la lanzó por una de las ventanas.

—Y la niña fue asesinada también —concluyó Saulo.

Lucas no podía hablar. El silencio en la habitación era como el silencio de la muerte. Al fin continuó el médico:

—Aristo era ya viejo... Debo decírselo todo. Cuando su esposa murió en aquel incendio, se ahorcó. Todos los que amabas en Tarso han perecido, Saulo.

Volvió éste su leonina cabeza y miró fijamente, sin lágrimas, la vela que humeaba en la mesa situada junto a él.

—Soy cristiano, pero también soy un hombre —dijo Lucas en voz baja—. Entre los que perecieron se hallaba la hija única del mismo legado. Él no sabía que la doncella y su madre eran cristianas, recientemente bautizadas. Cuatro esposas de centuriones y capitanes fueron incineradas también. Sus maridos ignoraban que se habían convertido. Los incitadores e incendiarios han sido encarcelados, y morirán por su crimen.

Saulo se alzó de la cama como un hombre hipnotizado, buscó la daga y se rasgó las ropas lenta y deliberadamente. Después se sentó en un rincón, inclinó la cabeza e inicio la larga lamentación por los muertos, murmurando: "El Señor da. El Señor quita. Bendito sea...", pero no pudo pronunciar las palabras finales y sólo siguió balanceándose, gruñendo como un animal mortalmente herido.

—"Bendito sea el nombre del Señor" —dijo Timoteo con voz alterada, pero Saulo no lo repitió.

Entonces Lucas se levantó, se aceró a Saulo y dijo con voz profunda y temblorosa:

—"Yo soy la Resurrección y la Vida."

Como viera que no lo oía, se arrodilló a su lado y le cogió los brazos. Pero, con gesto convulsivo, como una agonizante, Saulo lo apartó de sí. Después se arrojó al suelo como muerto y cesaron sus gemidos.

Lucas y Timoteo llevaron a aquel hombre inconsciente al lecho y el médico le tomó el pulso que encontró muy débil y secó el frío sudor de su rostro. Recordó que había estado ante la sinagoga, escuchando los gritos de los niños y sus madres, hasta ver cómo al fin caían misericordiosamente las paredes sobre ellos, en una última y terrible explosión de llamas. Miró a Saulo y se preguntó por qué este hombre, que había entregado toda su vida y corazón a Dios, tenía que sufrir así, como un castigo.

Dijo a Timoteo:

—¡Ojalá muriera antes de recobrar el conocimiento! Pero sin duda no le será concedido. Continuará hasta el final. Es un guerrero más fuerte que yo, pues confieso que, si todos cuantos yo amara, hubieran muerto así, tan inocentes e indefensos, y yo me apartaría...

—Viven de nuevo en la Visión del Mesías, bendito sea Su Nombre —dijo Timoteo—. Sólo nos queda llorar y recordarlos.

Lucas no respondió.

Capítulo 44

Lucas se quedó en la posada con Saulo durante muchos días. Lo alimentaba y lo bañaba. Compraba el mejor vino para él y lo mezclaba con ciertas pociones medicinales.

Timoteo se sentía como un hijo sin padre. Para distraerlo, Lucas le encargaba redactar la correspondencia y hacer los mandados, mientras él se quedaba en la alcoba, contemplando con dolor a Saulo y estrujándose las manos.

Enterado Pedro de tan dramáticos sucesos envió una afectuosa carta al hombre que en otros tiempos había motejado de espina clavada en sus pies. Le recordaba que el Mesías había dicho que los hombres, aunque mueran, vivirán de nuevo en la radiante sombra de Su Ser, y que los que perecen en su nombre estarán inmediatamente a Su lado. Séfora escribió también una consoladora carta, y lo mismo muchos miembros de la comunidad de Jerusalén, dignatarios y diáconos que antes riñeran con él y ahora sufrían con Saulo. Lucas le leyó todas aquellas hermosas cartas, sin que Saulo dijera nada. Los miembros de la comunidad cristiana de Tarso vinieron en grupos a consolarlo, pero él se negó a recibirlos. Prometieron oraciones por el alivio de su dolor, pero él no contestó.

Llegó el invierno a Atenas, y Lucas compró un pequeño brasero para la alcoba de Saulo, en la que ahora también dormía él, para asistirlo mejor.

Una noche despertó Saulo de su letargo con todos sus sentidos alerta. Vio a Lucas que dormía cerca de él. Vio la débil llama de la vela. Confusos recuerdos volvían a su mente, pero los apartó. Luego cayó dormido y empezó a soñar.

Soñó que vagaba por un gran jardín de enormes árboles bañados en una neblina de oro; todas las flores brillaban como con rocío de plata.

Entonces vio a un ángel que se le acercaba sobre la hierba, con sus grandes alas de luz palpitando desde sus hombros. Una espada colgaba de su cinto de gemas, una espada en forma de rayo, y había también un rayo en su frente.

—Saulo ben Hilel —dijo con voz a la vez íntima y lejana, que llenaba el silencio del aire—. Tengo un mensaje para ti.

Saulo se arrodilló ante él, unió las manos y esperó, mirando el rostro angélico.

—Hay un tiempo para el dolor, y ese tiempo ha pasado —dijo el desconocido—. Has olvidado demasiadas cosas, pero se te ha perdonado todo, ya que todo se perdona a los que aman. Ahora debes levantarte como un hombre y continuar con lo que se te ha ordenado, o los que te aman lamentarán que su muerte haya terminado tu vida y tu misión. Multitudes han llorado antes que tú, y multitudes llorarán después que tú, pero el dolor es vano, pues sólo Uno puede curar, y no se lo has pedido.

—Mi corazón es humano —dijo Saulo—. Lloro con un corazón humano.

—También Él tiene un Corazón humano —dijo el desconocido con severidad—. Ha llorado y llora aún como ningún hombre podría lamentarse. La humanidad de Su Corazón sobrepasa al tuyo, Saulo ben Hilel, y Su dolor es como una montaña.

Saulo empezó a llorar. El ángel continuó:

—Dios también tiene un Hijo, y lo vio ofrecerse por la humanidad; vio su carne destrozada, clavada, rasgada. Vio su humillación y el temor de aquel humanísimo Corazón. Vio la malicia que lo rodeaba y presenció su muerte.

Saulo alzó el rostro lleno de lágrimas, extendió los brazos, miró al cielo y dijo:

—Perdóname, mi Señor y mi Dios, y dame fuerzas para que pueda soportarlo, para que no me olvide de nuevo. Extiende tus alas y condúceme. Pues no soy Dios. Sólo soy un hombre, y Tú me has hecho para sufrir como hombre.

Cuando miró hacia el ángel, éste había desaparecido. La oscuridad envolvió a Saulo, que se despertó para ver que ya era la mañana, y que Lucas llenaba de carbón el brasero.

Entonces dijo con voz débil pero clara:

—Querido amigo, he visto un ángel y él me ha reprobado —lloró ahora, en realidad sus primeras lágrimas, y Lucas lo sostuvo en sus brazos y no se lo impidió, sino que lo confortó en silencio.

Y ahora comenzaron sus largos viajes misioneros. Acompañado por Timoteo y Lucas siguió con la colosal tarea que le parecía interminable, frecuentemente dolorosa, desesperada, ingrata por la oposición, persecución y terquedad de los miembros de la joven Iglesia. Al recibir una carta de Corinto, ciudad que no había vuelto a visitar, contestó triste y tiernamente: "He hecho propósito de no ir otra vez a ustedes, mientras me domine la tristeza. Porque si yo los contristo, ¿quién va a ser el que a mí me alegre, sino aquel que se contrista por mi causa? Y esto mismo les escribo para que, cuando vaya, no tenga que entristecerme de lo que debiera alegrarme. Les escribo en medio de una gran tribulación y ansiedad de corazón con muchas lágrimas, no para que se estristezcan, sino para que conozcan el gran amor que les tengo."[1]

Conforme pasó el tiempo empezó a molestarle el ojo enfermo, y sus fuerzas, que por años fueran pura energía de corazón y espíritu, se debilitaron de modo alarmante. En vano Lucas lo exhortaba a trabajar de forma menos agotadora, a descansar entre los viajes. —Si he de poner orden en este caos doctrinal —respondía—, he de darme prisa. Ya llegará la hora de morir, y ¡ojalá la muerte no me encuentre durmiendo en la ociosidad y en el olvido! Mi tarea no está terminada.

El dolor y los años habían extinguido el brillo de su rojiza cabellera, blanca ahora lo mismo que sus cejas; profundas arrugas surcaban su rostro y un leve aunque persistente temblor le afectaba la boca. Pero caminaba erguido, fuerte sobre sus arqueadas piernas, y la mirada era aún leonina y dominante, y la voz tenía todavía una nota imperiosa, y una fascinación que retenía los corazones de los hombres. Nadie podía mostrarse indiferente hacia él. Era fiera y apasionadamente amado, o bien fiera y apasionadamente odiado. Riñendo, exhortando, condenando, alabando, enseñando, convirtiendo, confortando, riendo o llorando, marchaba aparentemente sin fatiga con su mirada tierna o brillante de ira, según el caso; y los modales secos, violentos, impacientes o conciliatorios, según los que encontrara. Si se sorprendía a menudo ante la ciega estupidez del hombre, que abrazaba el error, el

[1] II Corintios, 2: 1-4.

pecado y la muerte del alma que tanto lo aterrorizaba, también sabía ver ahora su dolorosa situación, su desamparo, su desconcierto, el ansioso dolor y las enfermedades; y se maravillaba de que una criatura tan frágil poseyera asimismo la fortaleza y el deseo de la verdad, y la certidumbre que debía mover los corazones de los ángeles.

Mientras viajaba desde las escarpadas costas de Listra al dorado Éfeso, a Macedonia, a Filipos, rodeado de sus grandes montañas rocosas y de llanuras pobladas de álamos, crecieron sus dificultades. En Filipos fue donde los romanos —cada vez más exasperados por los cristianos—, al oír que se trataba de un hombre turbulento que "insultaba a los dioses, profanaba los templos y animaba la rebelión entre los esclavos, los libertos y el populacho", lo encarcelaron.

Los romanos lo llevaron ante un magistrado. Saulo dijo con su antiguo orgullo:

—Soy ciudadano romano, y no por compra de derechos, sino por nacimiento, y exijo un tribunal competente. Pues soy inocente de los cargos que se me imputan, de todas esas mentiras y calumnias. Vine en paz, y quisiera irme en paz.

El magistrado quedó impresionado, e hizo que le quitaran las esposas de manos y pies —pues sólo se esposaba a los esclavos y siervos—, y que le dieran un vaso de vino, pan, queso y carne tres veces al día mientras aguardaba su juicio en la cárcel.

Lucas, ciudadano romano también, podía visitarlo y llevarle mantas, y los romanos se sentían desconcertados ante el aspecto del griego, su voz y su profesión.

—¡Ah, que tengas que encontrarme aquí! —dijo Saulo, e inmediatamente le preguntó por la comunidad cristiana. Lucas no le reveló que era como todas las jóvenes comunidades, lacerada por las disensiones, amenazada por el cisma, las luchas doctrinales y los fanáticos que hablaban de "la espada de Dios". En cambio dijo que era grande y floreciente —cosa cierta—, y que se hacían muchos conversos entre los gentiles. Aseguró a su amigo que pronto quedaría libre de falsas acusaciones y en libertad, aunque no estaba demasiado seguro de ello. En cuanto a él, debía seguir sus propios viajes, como evangelista.

Los dos amigos se abrazaron, dándose ánimo. Saulo, a través de los barrotes de su celda, lo vio retirarse por el pétreo corredor.

Los días pasaron y, una tarde, se dio cuenta de pronto de que reinaba el silencio más completo, ni roto siquiera por los pasos de las patrullas. Escuchó ávidamente. Todo estaba mortalmente silencioso, como si se hubiera hundido en el profundo seno de la tierra, donde nadie viviera más que él. Se alzó de las mantas y metió la cabeza entre los barrotes, mirando al corredor.

Lo que vio era increíble. Los soldados no dormían, sino que estaban petrificados como estatuas en las acciones y posturas en que se hallaban. Unos seguían rígidamente sentados contra la pared, otros quietos en el instante de echar los dados; algunos de pie, con el vaso junto a la boca, otros detenidos en el acto de masticar, o en el instante de echar a andar, como si hubieran visto a Medusa. Un joven soldado estaba inmovilizado en el aire, sobre la espalda del compañero que acababa de lanzarlo por encima de su hombro, y otro, con las rodillas dobladas y el casco torcido, tenía el puño cerrado contra la boca de su compañero.

No podía creerlo. Vio que los soldados no estaban inconscientes, pues captó el brillo de sus ojos abiertos, aterrorizados, a la luz de la antorcha prendida en la pared. Aquellos ojos seguían mirándolo y por sus jóvenes rostros corría el sudor, mientras luchaban por librarse de la invisible cadena que aprisionaba sus cuerpos.

Entonces, ellos y Saulo, vieron cómo la negra puerta de hierro se abría lentamente. Al oír el ruido, los soldados rodaron los ojos en su dirección, pues ésta era la única parte de su cuerpo que podían mover.

En el umbral apareció un joven de larga túnica blanca, rubio y hermoso como un dios, e igualmente sereno e indiferente.

Miró con indiferente amabilidad a los petrificados soldados, pasó con soltura entre ellos y recorrió el corredor hasta la celda de Saulo, sin que sus sandalias hicieran el menor ruido sobre las húmedas piedras. Era como si caminara por el aire. Se detuvo ante los barrotes y miró el rostro de Saulo con aquella calma y serenidad que eran más terribles que toda violencia, más que la cólera, pues no eran humanas, y nada humano podía turbarlas.

Saulo percibió el aura luminosa que lo rodeaba, como oro pálido, surgiendo de su rostro, túnica, manos y pies. Aquel ser sonrió delicadamente, pero no con la inquietud de un amigo a otro en apuros. Dijo, y su voz despertó ecos en el corredor, como el sonido de la suave música:

—Ponte las sandalias, Saulo de Tarso, y coge tu capa, pues he venido a libertarte.

El ángel colocó las manos en los barrotes de la celda y los agitó, no vigorosamente, sino como lo haría un niño, con el menor esfuerzo. Y en ese instante la tierra gimió como en un terremoto, el suelo vaciló bajó los pies de Saulo, de modo que éstos le fallaron y cayó pesadamente contra la pared de la celda mientras su corazón latía aterrorizado. El trueno despertó ecos en el aire, y las paredes oscilaron, y la antorcha también, como si una corriente de aire fuera a apagarla.

Oyó un ruido. La puerta de su celda estaba abierta de par en par; colgaba de los goznes, rota, y no por manos humanas. El visitante había desaparecido. Saulo dejó la celda con piernas temblorosas. Recorrió lentamente el corredor y dijo a los soldados que lo observaban:

—No teman, pronto estarán libres.

Pasó de la prisión a la oscuridad de la ciudad, únicamente iluminada por el rojizo resplandor de antorchas y linternas en las calles. El temblor de tierra había hecho poco daño, pero había grupos de gente agitada, soldados alarmados. Saulo se dirigió a la posada y encontró allí a Timoteo.

—¡Saulo! —gritó el muchacho, alzándose del lecho y saltando a su cuello con una exclamación de alivio y gozo—. ¿Te han libertado los romanos?

—No —dijo Saulo—. Fue Dios.

Puso las manos en los hombros de Timoteo y continuó:

—Estaba llorando, me sentía perdido y olvidado, y Dios envió a su mensajero para que me sacara de la prisión.

Pero, como romano y abogado, conocía su deber. Al día siguiente, después de un tranquilo y pacífico sueño, fue al magistrado que le enviara a la prisión. Sin embargo, el rumor de lo que había sucedido la noche anterior había corrido antes que él, y el magistrado lo miró gravemente.

—He oído a los soldados —dijo—. Si los dioses no quieren que sigas en la cárcel, ¿quién soy yo para declararte culpable?

Capítulo 45

Después de su milagrosa liberación, Saulo reinició sus viajes por Asia Menor y Europa; no sólo fundaba nuevas iglesias, sino que aumentaba y fortalecía las establecidas. Escribía constantemente epístolas interminables, especialmente a sus queridos amigos de Corinto, al tejedor Aquila y a su esposa Priscilia, en cuya casa se había alojado. Aquellas epístolas eran atesoradas y guardadas, pero muchas se perdieron para siempre, aunque se conservó su espíritu. Sufrió que lo apedrearan, golpearan y azotaran en sus viajes, pues, para los piadosos judíos, todavía era "el gran renegado", y muchos cristianos recordaban sus anteriores persecuciones a la Iglesia. Los sacerdotes de las religiones locales se resentían de sus conversiones, que les privaban de algunos ingresos, y los romanos encontraban sospechoso a aquel hombre que se expresaba tan cultamente y que, en cambio, vivía como un esclavo.

Sin embargo, numerosos romanos se convertían y no faltaban entre ellos soldados y oficiales, sobre todo de Filipos, maravillados por la milagrosa liberación de Saulo, cuyo relato propalaban. Y como algunos de los conversos eran ricos, la Iglesia podía extender sus actividades caritativas y aportar mayores socorros a los enfermos y moribundos, y a los niños abandonados.

Un día dijo a Timoteo, quien ya no era tan joven:

—Mi tiempo se acorta. He tenido una visión. Debo volver de nuevo a Jerusalén. En la visión, contemplé una nube sobre la amada ciudad... Después, ya nunca volveré a verla.

—Estás cansado —dijo Timoteo—. Es tu cuerpo cansado el que habla, y no tu alma.

Pero Saulo tenía sus premoniciones.

—Anhelo ver de nuevo a mi hermana, y a sus nietos, a los que no conozco —dijo evasivo—. Saber de mi sobrino Amos y de sus triunfos en sus viajes y administraciones, y quizás lo encuentre en Jerusalén —sonrió a Timoteo—: Sólo soy un hombre, y necesito consuelo humano, aunque nadie parece darse cuenta de eso.

Recibió cartas de Lucas, al que contestó, y ambos se regocijaron con sus mutuas victorias y conversos. "Un día —escribía Lucas— no habrá pueblo ni nación que ignore Su Nombre, y habrá llegado el triunfo que Él predijo. Sigue adelante, querido amigo, aunque te quejes de la debilidad de la carne, del cansancio inagotable. Sólo se trata de nuestro cuerpo, al que es preciso dominar, pues Él nos dará el sostén necesario para nuestras almas, y no nos dejará morir sin haber cumplido nuestra misión."

Había ocasiones en que Saulo se sentía vencido por una angustia cuyo origen reconocía, pero contra la que no podía luchar: ¿Habría sido un sueño toda su vida? A veces gemía como Job: "Mis ojos están nublados por el dolor, y mis miembros se desvanecen como una sombra". En esta oscura confusión vagaba durante días e incluso semanas.

Entonces, una noche, recibió la llamada para volver a Jerusalén y se despertó diciéndose:

—Ha llegado el principio del fin, y pronto hallaré descanso.

Capítulo 46

Pero todo había sido el reverso de la paz en Jerusalén durante las largas ausencias de Saulo.

Los cristianos —o nazarenos, según los judíos seguían llamándolos en la ciudad— y especialmente los jóvenes, se habían unido a los esenios y zelotes. Y uno de ellos, el zelote Eleazar, predicando que había llegado la hora de liberar a su bien amado país, consiguió arrastrarlos a una batalla sin cuartel contra los romanos. Si el alzamiento fue feroz y salvaje, la represión resultó tremenda. El cónsul romano declaró la ciudad en estado de guerra, y casi treinta mil judíos, entre fieles y nazarenos, fueron muertos entre los muros del templo. Eleazar fue prendido y ejecutado públicamente. Y el odio más amargo hirvió entre el pueblo.

Las familias de los judíos asesinados echaban la culpa a los nazarenos, a los que ahora consideraban "herejes", enemigos mortales que atraían la matanza y la ruina sobre todo su pueblo. Detestaban a los judíos "renegados" todavía más que a los conversos gentiles, pues, ¿no eran éstos los más humildes y, generalmente, los más pacíficos? Y acababa de irritarlos que entre los "herejes" figurasen miembros de las familias más inteligentes, acaudaladas y eruditas del pueblo judío, los cuales, en vez de haberse opuesto a Eleazar y sus zelotes, habían hecho causa común con ellos para alzarse contra Roma.

—¡Tumultuarios! ¡Proscritos! —gritaban a los cristianos—. ¡Traicionan a su propio pueblo y lo llevan al matadero!

El emperador de Roma lo tomó tan a pecho que advirtió a los judíos de Alejandría que si admitían misioneros, serían condenados como participantes "en la plaga que amenazaba ahora a todo el mundo". Para los romanos no había diferencias significativas entre judíos nazarenos y judíos "fieles", pues la nueva secta era "una secta judía, dirigida por los irresponsables zelotes y esenios".

Saulo, enterado de todo esto, sabía que judíos y romanos lo consideraban pura y simplemente como un zelote más.

Cuando los nazarenos abandonaron la adoración en las sinagogas de Roma, el emperador permitió su reapertura. Pero eso no consiguió borrar la amargura y el miedo, y se afirmó la división entre nazarenos y el resto de los judíos. "Los jóvenes nazarenos —escribió más tarde el historiador Josefo— son salvajes intolerantes, ilegales, y su mismo aspecto excita la animosidad romana, pues parecen bárbaros, y no parte de una comunidad civilizada. Caminan y hablan ofensivamente, y, con abierto desprecio a la autoridad. Inician peleas con los guardias de las ciudades, gritando que está cerca el regreso del Mesías y que ellos son la vanguardia de su ejército."

De modo que Saulo volvió a Jerusalén para reconciliar a los judíos y cristianos y salvar la Iglesia.

Saulo halló la realidad mucho peor de lo que había imaginado, y, en su paso por Jaffa, donde residió algunos días, se enteró de que Pedro, obispo de la comunidad cristiana, había salido para

Roma, con el deseo de llevar orden y consuelo a los cristianos y aliviar los horrores de los otros judíos.

La casa de su hermana, donde naciera el marido de Séfora, y el padre de Ezequiel, y todos sus hijos, era como un refugio para Saulo. Los cabellos de Séfora, antes tan brillantes, eran ahora casi tan blancos como los de él, y los nietos la rodeaban como los zarcillos a un viejo árbol. Abrazó a Saulo con risas y lágrimas, y los besos de los niños, puros y queridos, vinieron a sanar las cicatrices de su alma.

—Milo —dijo— se siente desgraciado a las órdenes de ese malvado jefe de la Guardia Pretoriana, Tigelino. Milo es un vivo reproche para la corte romana y para Nerón, pues es hombre virtuoso y cristiano, aunque esto lo ignoren muchos. ¿No podríamos inducir a nuestro primo a regresar a Israel, donde nació en la misma noche que el Mesías? Es viejo, pero indomable. Si se queda en Roma, seguramente morirá.

—También yo se lo he dicho en mis cartas —dijo Séfora—. Pero él responde que su deber está en la ciudad de sus padres. Es también romano, además de judío. ¿Por qué no lo visitas, Saulo, y le ruegas que vuelva a nosotros, al menos por algún tiempo?

—¿Yo? ¿Visitar Roma? —la miraba incrédulo—. ¿Esa sede del vicio, la infamia y el asesinato, el lujo y el terror?

—Pues Simón Pedro está allí. ¿No lo sabías? Se marchó hace sólo un mes, ya que aquella comunidad está muy alterada. He oído que Nerón es un hombre vicioso y decadente, y me pregunto por qué permitió que los judíos volvieran a Roma y recuperaran en cierta medida sus propiedades.

—Quizás —dijo Saulo con melancolía— quiere hacer de ellos la víctima expiatoria, como otros gobernantes en otras naciones —sus palabras le parecieron increíbles una vez pronunciadas; le pareció que una ráfaga de helado viento le azotaba la espalda, y tembló—. Sabía que Pedro había ido a Roma. Nunca nos apreciamos, pues cada uno creía que el suyo era el único camino —sonrió—. Pero en Su Nombre nos reconciliamos, a pesar de Marcos, que tampoco me quiso nunca.

Séfora cogió la morena y callosa mano de Saulo entre las suyas:

—Hermano mío, tú eres tan fácilmente odiado como querido, pues nunca dudas, tus opiniones son inflexibles y tu juicio, ¡ay!, generalmente es certero.

Luego le habló de Jerusalén y del pueblo, cuya desesperación crecía por momentos. El nuevo cónsul, Félix, odiaba a los judíos todavía más que Poncio Pilato, y conspiraba con el Sumo Sacerdote y sus secuaces para oprimir y robar al pueblo y destrozar su espíritu. Lo que habían sufrido bajo Pilato no era nada comparado con lo de ahora, pues sus propios sacerdotes los habían abandonado y conspiraban contra ellos. Los impuestos habían llegado a ser insoportables, tanto los destinados a Roma como los destinados al sostén del Templo, que los sacerdotes profanaban con su misma presencia. Imponían diezmos abusivos, incluso a los pobres, y, ¡ay del hombre y su familia, si no entregaban el dinero! Asesinos sin nombre corrían por los recintos del Templo, dejando sangre y cadáveres a su paso, y nadie sabía contra quiénes se dirigía su venganza: si contra los adoradores o contra los opresores. Se decía que el rey Agripa era el responsable, que quería reducir a su pueblo a la total esclavitud con objeto de complacer a los romanos. Pero otros decían que los asesinos eran zelotes o esenios que vengaban el insulto al Templo. Y había quienes aseguraban que eran cristianos, o nazarenos, como aún eran llamados en Jerusalén, jóvenes interesados en derribar al gobierno de Félix, de Roma, y del rey Agripa.

Saulo miró el suave cielo azul, los almendros en flor, las rozagantes palmeras, y pensó cuán hermoso era el mundo y cuán malvado el hombre que llevaba el crimen, el odio, la ruina y la fealdad en su propio corazón.

—Creo que he hecho bien en volver —dijo—. Se me ordenó en una visión, pero soy sólo un hombre, y ni judíos ni cristianos me escucharán aquí, en mi propia nación y pueblo. No sé por qué he venido. Estoy en manos de Dios, pues ignoro por dónde debo empezar, y qué habré de soportar.

Capítulo 47

—El gran renegado nos vuelve a imponer su presencia —decían los judíos de la ciudad.

—El hombre que nos persiguió y encarceló ha regresado —decían los nazarenos.

—El promovedor de discordias —decían los sacerdotes del Templo— está de nuevo entre nosotros. ¿Qué preparará ahora ese zelote?

—Él nos amonestó y repudió —decían zelotes y esenios—, aunque pretendía querernos, según dicen nuestros padres. ¿Habrá vuelto para matarnos?

Félix, cónsul romano, que pasaba la agradable primavera en Cesárea, junto al mar, oyó hablar del llamado Pablo de Tarso. Los soldados y muchos sacerdotes le llevaron la noticia.

—Causó graves disensiones en Jerusalén y en toda Judea, y su pueblo lo odiaba —decían los soldados.

—Él fue quien levantó a nazarenos o cristianos en toda Asia Menor y Europa contra Roma —decían los sacerdotes—. Ha originado levantamientos dondequiera que ha ido. Se susurra que es miembro de los zelotes y esenios, que sólo viven para destruir.

—Si todos lo detestan —preguntaba Félix indolentemente—, ¿por qué no lo han matado ya? —juzgaba divertida la situación y se limitaba a apartar a Saulo de su mente.

Mientras tanto, éste recorría las calles de la ciudad, en la que no había estado en muchos años. Se detenía en el lugar donde, por primera vez, viera al Mesías y a su madre, sentándose en el banco que ocupó aquel día, y mirando el otro banco vacío ante él. Recorría también la plaza del mercado, donde oyera su nombre dicho por aquella voz resonante: "¡Saulo! ¡Saulo de Tarso!" Entraba en el Templo a una hora en que no estaba muy concurrido, y se colocaba en el mismo lugar en que sintiera la presencia del Mesías. Salía al desierto, donde crucificaran a los jóvenes zelotes, donde Jesucristo les confortara y ellos lo conocieran, aunque los demás no. Se quedaba en aquel cruce de calles donde el Mesías imprecara a escribas y fariseos. Caminaba por la vía que el Señor recorriera con la cruz, hasta el lugar de su muerte. Y visitó la tumba que le cedió José de Arimatea, y de la que Él había resucitado. Fue al monte desde donde Jesús subió al cielo, y a la cueva donde nació.

"Se me ha ordenado que vuelva aquí —pensó—, pero no sé para qué, pues nadie me escucha, ni judíos, ni cristianos, y todos me maldicen. Sigo esperando..." Mientras tanto jugaba con los nietos de Séfora y recorría los jardines de su casa, meditando impaciente.

Un sábado se sintió urgentemente movido a ir al Templo. Latiéndole el corazón se vistió sus mejores ropas, unas hermosas sandalias, el chal de las plegarias y la filacteria. Al salir de la casa halló a Séfora sentada en el patio con dos de los niños. Ella, al mirarlo, le pareció que Saulo tenía un aspecto grave, extraterreno. Se levantó sin hablar. Él la cogió entre sus brazos y la besó en la frente, y de pronto Séfora se aferró a su cuello sin poder hablar. Sentía el dolor de su hermano, profundo y sin palabras. Saulo dejó la casa con la cabeza inclinada, pues sabía que nunca más vería a su hermana.

—¡Saulo! ¡Saulo! —gritó Séfora recuperando la voz, y corrió al pórtico.

Pero él se alejaba en la distancia y no le respondió. La puesta de sol inflamaba las montañas y el cielo sobre la ciudad. Séfora ni siquiera podía llorar. Se llevó las manos a la boca y se quedó mirando a su hermano hasta perderlo de vista; luego, apoyándose en una columna, rompió en llanto.

Si los sacerdotes y diáconos cristianos habían temido a Saulo y sólo lo habían consultado brevemente, en pocas ocasiones y por la noche; si los judíos lo habían evitado, como hereje y supuesto zelote que originaría disturbios en Israel; si todos habían esperado que su presencia no molestaría demasiado a los romanos, tenían razón para el desaliento. Las guarniciones y oficiales romanos estaban bien conscientes de su presencia, y los espías, animados por el Sumo Sacerdote, Ananías, sabían de cada paso que daba y con quién conversaba. El Sumo Sacerdote estaba decidido a que Saulo no causara más problemas en Israel. Sentía un odio especial por aquel fariseo, odio personal, pues sabía del desprecio de Saulo por el sacerdocio de Israel y su denuncia en muchas ciudades. El Sanedrín conocía su presencia. Pero si Saulo había oído a veces ruidos por la noche, y sentido la mirada del enemigo sobre él durante el día, lo había atribuido a la imaginación.

El sacerdocio rugía de ira, pues ni los cristianos ni los judíos parecían dispuestos ahora a actuar contra Saulo. Únicamente había una cosa que hacer: reunir a la chusma de las calles y hacer que denunciaran a Saulo en el Templo o en las plazas para conseguir su encarcelamiento. Había miles entre el populacho que lo harían con promesas de soborno, de excitación y violencia. Mucho antes de que Saulo fuera al Templo aquel sábado, ya se había forjado el cuidadoso plan. Sólo se necesitaba la aparición pública de Saulo ben Hilel. Y ahora se dirigía al Templo.

El Templo estaba siempre abarrotado en sábado, incluso el Patio de las Mujeres y el de los Gentiles, y por unos instantes no se dio cuenta de que le era imposible alzar siquiera los brazos, y que parecía ser arrastrado por una marea. Cuando lo advirtió comenzó a retrasar el paso, mirando en torno a los hombres encapuchados, y vio ojos fieros y brillantes clavados en él, y dientes de lobo. Su instinto le gritó que estaba a punto de ser asesinado, e intentó apartarse de aquella masa de hombros, cabezas, codos, brazos y piernas, pero ellos aún se apretujaron más en torno a él, y ahora escuchó el sonido que aterra a cualquier hombre: el gruñido del odio y la sed de sangre.

La muchedumbre se movía ahora. Comenzó a dejarlo en el centro de un pequeño círculo, y el frío de la muerte recorrió su cuerpo. Vio las flameantes antorchas prendidas en los muros lejanos, y las linternas, las distantes puertas de bronce abiertas de par en par, y los rostros pálidos de la muchedumbre que lo observaba. Entonces dedicó su atención a los que lo rodeaban, y preguntó, con el rostro totalmente sereno:

—¿Qué quieren? —pero la gente callaba. No había más que el siseo de las antorchas en medio del imponente silencio.

—¡A ti! —gritó entonces un hombre—. ¡Vil enemigo de Israel, renegado, hereje, traidor a tu pueblo!

La muchedumbre rugió, se alzaron algunos puños y muchos escupieron a Saulo, que siguió inmóvil.

—Hombres de Israel —dijo, cuando acabaron los furiosos ecos—, ¡profanan el Templo con sus gritos e imprecaciones!

El que hacía de jefe, un individuo de aspecto vicioso, gritó:

—¡Saquémoslo de este sagrado lugar, pues su sangre no debe manchar los escalones del Templo!

A los soldados romanos se les había avisado que no entraran al Templo, y se dispusieran a actuar sólo si los disturbios se producían fuera. Ahora vieron salir a los hombres arrastrando a Saulo, de cuya boca corría ya la sangre.

El Sumo Sacerdote había insinuado claramente al capitán que si Saulo moría "a manos de la multitud" sería lamentable, pero, al fin y al cabo, era lo que se merecía, pues, ¿no incitaba los disturbios por dondequiera que viajara?

La muchedumbre empujaba y tiraba a Saulo de un lado a otro, aunque sin dejarlo caer al suelo, golpeándolo con puños y pies. El cálido aire de la noche del sábado bullía de gritos y golpes, imprecaciones y bofetadas, miradas de animales enfurecidos y, sobre todo, se elevaba la voz del jefe, que insistía:

—¡Mátenlo! ¡Maten al blasfemo, al hereje, al enemigo de Israel!

A la vez trataba de acercarse a él con la daga desenvainada.

Entonces fue cuando actuó el romano. Avanzaron sus hombres y se lanzaron contra la muchedumbre, y los agresores de Saulo, enfurecidos, trataron de evitar que les arrebataran a su víctima. Pero los romanos eran más fuertes... y estaban entrenados para tales faenas. Golpeaban con la parte plana de la espada. Arrojaron al suelo a los asesinos de Saulo y pasaron sobre ellos, utilizando los escudos contra los demás.

El capitán cogió por el brazo a Saulo cuando trataban de llevárselo y lo sostuvo en pie, medio desmayado y sangrando. Hasta sus cabellos, ya blancos, estaban manchados de sangre. El romano le puso las esposas y lo dejó en manos de dos soldados. Luego se enfrentó contra la rugiente y frustrada muchedumbre, observando despectativamente los ojos inyectados en sangre, la inhumana espuma que caía de sus labios. Hubo un repentino silencio y luego se inició un murmullo, como si una nube de gigantescas abejas hubiera invadido la calle.

—Óiganme —dijo—. ¡Allí donde yo tenga jurisdicción, nadie será asesinado por el populacho, por mucho que éste desee su muerte! —alzó la voz, de modo que hasta los ocultos sacerdotes pudieran oírlo y correr a sus amos con el informe—. Me llevaré a este hombre a la Fortaleza Antonia, y allí se le someterá a justo juicio. En cuanto a ustedes, un nuevo levantamiento como éste y lo lamentarán..., si es que quedan con vida.

Capítulo 48

A la mañana siguiente, Saulo fue llevado ante el Sanedrín.

El día era caluroso, tormentoso, pero no llovía. Los jueces se sentaron y lo miraron con rostro severo, cerrado, grave. Estaba allí Ananías, el Sumo Sacerdote, hombre alto, cuya figura, bajo sus ropas de ceremonia, se veía deformada por una monstruosa barriga. Sin embargo, sus miembros y su rostro eran delgados, y llevaba la mitra y espléndidas vestiduras llenas de joyas, la barba perfumada y el anillo sacerdotal en la mano. Sus rasgos eran inteligentes y alertas; y, no obstante, curiosamente débiles e inseguros, y sus ojos se mostraban amenazadores al mirar al hombre que más odiaba en el mundo.

Saulo se inclinó ante el Sanedrín, se tocó la frente, los labios y el pecho, y dijo:

—Hombres y hermanos, he vivido en buena conciencia ante Dios hasta este día.

Ananías hizo una señal a los dos guardias del Templo que estaban junto a Saulo, y uno lo golpeó violentamente en la boca haciéndole vacilar. Pero él no apartó los ojos del Sumo Sacerdote y dijo:

—Dios te castigará, sepulcro blanqueado, por sentarte ahí a juzgarme según la ley, y ordenar que sea golpeado en contra de la ley.

Algunos miembros del Sanedrín gritaron:

—¡Te atreves a insultar al Sumo Sacerdote!

Saulo los miró amargamente y dijo con fuerte voz:

—¡Ojalá, hermanos, no fuera él el Sumo Sacerdote! Pues está escrito: "No hablarás mal del que gobierna a tu pueblo".

El capitán romano y varios de sus hombres habían insistido en entrar en la Cámara con Saulo y permanecían a distancia, junto a las altas puertas, y aquél sonrió aprobando las palabras de Saulo. Verdaderamente este hombre era romano, y no un manso judío.

Mientras tanto Saulo había estado estudiando a sus jueces, y vio que muchos eran saduceos y fariseos. Ahora dedicó toda su atención a éstos, ya que seguía detestando a los mundanos y ateos saduceos. Su voz se hizo más fuerte al dirigirse solamente a los fariseos.

—¡Hombres y hermanos! También yo soy fariseo, e hijo de fariseo. De la esperanza y resurrección de los muertos soy llamado a responder.

Ésta era una astuta apelación, pues los saduceos no creían en la vida del más allá, ni en la resurrección de los muertos, y por ello seguían luchando amargamente con los fariseos. Éstos se miraron consternados, y uno de ellos susurró:

—Ha predicado la resurrección de los muertos, según las enseñanzas de sus padres. ¿Ha de ser por ello culpable?

De pronto Saulo y todo lo que él representaba tuvo menos importancia para los fariseos que los mismos saduceos, que no creían en la vida, ni en el ángel, ni el espíritu; y la antigua enemistad los encendió de nuevo. Miraron a los saduceos, que les devolvieron la mirada con frío desprecio. ¿Por qué había sido llevado aquel hombre ante el Sanedrín? En verdad se decía que era nazareno, pero también fariseo de noble casa, y nunca había repudiado ni a su pueblo ni a su secta, sino que sólo había tratado de llevar la verdad a los gentiles. ¿Era eso tan gran crimen? ¿No habían hecho prosélitos los fariseos a través de los siglos, trayendo a miles de gentiles a la Casa de Israel, y sólo ahora habían dejado de hacerlo por orden de los romanos?

Instantáneamente quedó olvidado Saulo. Los saduceos se levantaron también e iniciaron un furioso debate con los fariseos, tan agitado de gestos y palabras que el capitán temió de nuevo por la vida del ciudadano romano, que no mostraba temor ante los que podían ordenar su muerte. Avanzó pues con sus hombres y se apoderó cortésmente de Saulo, sacándolo de la Cámara.

Cuando Saulo quedó de nuevo encerrado en su cómoda celda, en la fortaleza, el capitán se sentó a la mesa y pidió vino para ambos, y fruta y pasta. Parecía divertido y agitaba la cabeza.

—¡Qué sabios y jueces tan poco moderados! —observó.

Saulo rió con él. Su nariz, y una de sus mejillas, estaban aún amoratadas por los golpes recibidos, pero sonreía.

—Se ha escrito que no hay nadie tan estúpido como los sabios —observó. Bebió un poco y comió pensativamente algo de fruta. La presencia del joven romano le resultaba consoladora, y así empezó a hablarle de sus viajes, y su relato resultaba tan fascinante que el capitán no sentía deseos de dejarlo y volver a sus deberes.

Saulo se sintió a su vez dominado por una gran paz. No había dormido mucho la noche anterior por el dolor en sus heridas, a pesar de los ungüentos y lociones ordenadas por el capitán. Ahora lo venció una dulce cansancio, se echó en el catre y empezó a soñar.

Vio de nuevo al Mesías, su rostro poderoso, los ojos varoniles, y triunfantes, la boca heroica, la frente de la que parecían salir rayos de luz. Y Él dijo:

—Alégrate, Saulo, pues has dado testimonio de Mí en Jerusalén, y también debes darlo en Roma.

El joven capitán Claudio Lisias se encontraba ante un dilema. No podía mantener prisionero a Saulo indefinidamente, ni podía liberarlo para entregarlo a la venganza del sumo sacerdote Ananías. No estaba acostumbrado a enfrentarse con dilemas, pues la vida era muy sencilla para él. Mientras rumiaba en su habitación de la fortaleza, bebiendo melancólicamente, un centurión se le acercó y le dijo:

—Capitán, un personaje desea hablar contigo. Su nombre es Amos ben Ezequiel, hombre de distinción y de aparente riqueza, pues viste lujosamente. Declara que es sobrino de Pablo de Tarso y que anoche llegó a Jerusalén. También es médico y ciudadano de Roma.

—¡Ah! —dijo el capitán, suponiendo que su dilema estaba resuelto—. Hazlo pasar en seguida.

Entró el visitante y, a su vista, el capitán romano se alzó lentamente, pues Amos era alto, de aire digno, vestía de seda azul y escarlata, y llevaba joyas en las manos, y sandalias doradas. En sus cabellos y barba se mezclaban las hebras rubias y blancas, pues Amos ya no era joven, sino un hombre maduro. Su aire majestuoso y seguro, merecieron el respeto del capitán, que se tocó la frente en ligero saludo y ofreció una silla a su visitante:

Amos le sonrió gravemente y se sentó:

—Gracias, capitán Lisias, por recibirme. He oído que has tratado con amabilidad y discreción a mi tío Saulo ben Hilel, y que por dos veces le has salvado la vida. ¿Puedo ofrecerte una muestra de mi estima? —y, quitándose una hermosa joya del índice, la dejó en la mesa. El capitán enrojeció:

—Sólo cumplí con mi deber, Amos ben Ezequiel.

Amos sonrió de nuevo:

—Pero ¿no debes ser recompensado? Te ruego que lo tomes; de otro modo me sentiré insultado, y mi tío también, si no aceptas esta muestra de nuestra gratitud.

Hablaba en perfecto latín. El capitán recordó que su visitante era ciudadano romano, y a los tales no se les insulta, así que dijo:

—Acepto con gratitud —y, en un instante, el anillo estuvo en su bolsa. Amos reprimió una sonrisa indulgente que iba a brotar de sus labios.

—Tengo malas noticias —dijo— que debo comunicarte rápidamente. Esta mañana he sabido que se ha reunido una banda de cuarenta hombres (ya puedes suponer por instigación de quién) y han prestado juramento a los sacerdotes diciendo: "Malditos seamos todos hasta que hayamos matado a Saulo ben Hilel." El sumo sacerdote ha mandado a un mensajero que vendrá a ti antes de la puesta del sol, solicitando que tu prisionero sea llevado ante el Sanedrín a primera hora de la mañana para interrogarlo. Pero mi tío nunca llegará al templo, pues esos hombres van a esperarlo y a asesinarlo en la calle.

—¡No se atreverán a asesinar a un ciudadano romano antes de ser juzgado y condenado!

Amos inclinó la cabeza e hizo un elocuente gesto con la mano:

—Sin embargo, eso es lo que esos chacales se proponen. Luego desaparecerán, como la langosta cuando ya ha limpiado el campo, y nadie dirá que los ha visto.

—¡Ah! —gritó Claudio Lisias golpeando la mesa con la mano. Llamó a su centurión, que acudió inmediatamente, y pidió pluma y pergamino, cera para el sello y una vela. Empezó a escribir, lenta y laboriosamente, y, cuando hubo terminado, después de echar arena sobre la tinta y agitar el pergamino, entregó el mensaje a Amos.

"Claudio Lisias, en Jerusalén, al excelente gobernador Félix. Salud.

"Este prisionero fue arrebatado a los judíos, pues habría muerto a sus manos. Yo acudí con mis soldados y lo rescaté al saber que era romano. No ignoraba de qué lo acusaban, y por tanto lo llevé a su tribunal. Se trataba de problemas de su Ley, pero nada que fuera digno de la muerte. Ahora ha sabido que una banda de asesinos lo espera por la mañana, y por tanto te lo envío por razones de seguridad, y diré a sus acusadores que aparezcan ante ti para decirte lo que hay contra él."

Amos solicitó ver a su tío. El capitán lo llevó a la celda, cuya puerta abrió. Saulo se levantó y miró a Amos sin reconocerlo de inmediato, ya que no lo había visto en muchos años. Luego lanzó un gran grito de gozo y corrió a sus brazos.

El cónsul Félix era un hombre pequeño e impaciente, de rostro activo y cuerpo más activo aún. Detestaba las intrigas y decía secamente a los que acudían a él: "Sí, sí, pero ¿cuál es la petición fundamental? ¿Por qué me molestas con trivialidades y explicaciones?" Como el carácter judío es dado a explicar y repetir elaboradamente para no descuidar nada, Félix sentía hacia ellos tanto disgusto como Poncio Pilato, aunque estuviera casado con una judía.

Cuando le entregamos a Saulo había fruncido el ceño diciendo:

—Lisias no pudo hallar falta en ti. Pero los judíos tienen quejas, que ya había oído mucho antes de que fueras traído a Cesárea.

Por tanto, como procurador, tengo que oírlos, y te retendré hasta que ellos aparezcan ante mí. Sin embargo si, como romano, no has violado ninguna ley romana, no me preocupan otros cargos que no se te puedan imputar... como romano.

Le gustó Saulo, pues éste no se había lanzado inmediatamente en su defensa, sino que había asentido simplemente, como hombre razonable. De modo que lo confinó al Pretorio de Herodes, en Cesárea, una casa pequeña pero hermosa, con jardines, sobre una colina que daba al mar y a los dos puertos gemelos, en los que cargaban y descargaban los barcos. Saulo sólo tenía un guardián, un anciano subalterno y una sirviente, una vieja de la ciudad, judía, que preparaba sus sencillas comidas. Vivía pues en paz y oración, y se limitaba a descansar y a recuperar las fuerzas. Se sentaba durante horas en el viejo muro de piedra que daba al mar, y suspiraba observando el tráfico marino que le recordaba Tarso. Escribía muchas cartas en el fresco atrio, y Félix tuvo la amabilidad de enviarlas después de haberlas examinado con asombro. Eran para la multitud de iglesias que Saulo había fundado o a cuya expansión había contribuido, y aquel lenguaje deslumbrante aunque sencillo intrigaba al cónsul, amante de la poesía.

El sumo sacerdote Ananías llegó al fin a Cesárea acompañado de un hombre de gran elocuencia, un orador llamado Tertulio. Félix dijo en seguida:

—Si traes más quejas eclesiásticas, no quiero oírlas. Si tienes algún cargo concerniente a la ley romana, entonces te oiré; siempre que no me agotes la paciencia con trivialidades.

Después de las explicaciones de Tertulio y Saulo, en su presencia, Félix bostezó y, mirando al reloj de agua, dijo en tono virtuoso:

—Cualquiera que declara que los dioses han muerto es blasfemo e idiota —miró de pronto al sumo sacerdote—: ¿Eres tú uno de esos saduceos?

Las pálidas mejillas de Ananías enrojecieron. Lanzó una mirada a Saulo:

—El asunto no es tan sencillo.

—Nada es sencillo cuando se trata de judíos —asintió Félix, rascándose la oreja—. Mi propia esposa Drusila es incapaz de hablar de cualquier cosa sencillamente y con pocas palabras, y en eso es aún peor que otras mujeres. Todas hablan horas y horas sin decir nada, pero mi mujer puede hablar durante días y terminar con la misma frase que empezó. Creo que todos los judíos y todas las mujeres son abogados natos, y me disgustan los abogados.

Frunció las cejas en dirección a Ananías, que miraba con aire de mártir a Tertulio, el cual, a su vez, parecía haber perdido todo su talento para la oratoria. Por tanto, Félix dijo:

—Si no tienes más que acusaciones doctrinales contra este hombre —que hasta ésas niega—, entonces no hay que tratar más que los cargos que se le imputan referentes a la sedición contra Roma, y de eso juzgaremos más tarde. Ahora se halla fuera de tu provincia.

Luego habló a Saulo:

—Los cargos de sedición contra Roma son graves, y, aunque estos hombres no tienen pruebas, sino sólo opiniones, en las que no confio, y ningún romano te ha acusado aún, debo retenerte por algún tiempo para considerar el asunto.

Capítulo 49

Pasaron los meses, cambiaron las estaciones. Saulo ya no estaba confinado a la casa y al jardín, sino que podía pasear por la pequeña ciudad, y bajar al puerto para ver los barcos. Bautizó a Drusila, pero Félix era otra cosa, aunque Saulo le informara de que multitud de romanos se había convertido ya al cristianismo.

—Quizá tu esposa, que tiene muchas virtudes y ama al Mesías, te lleve a Su presencia como llevaría a un niño.

A eso, Félix soltó una carcajada:

—Su religión es muy tristona, y su cielo no me apetece. Prefiero mis esclavitas, sin importarme lo que haya más allá de la tumba.

Conforme pasaban los meses Saulo fue perdiendo la serenidad, pues creía haberse pasado demasiados años, desde su juventud, esperando. La cosecha era mucha, y los trabajadores pocos.

Un día entró Félix a toda prisa en el atrio de la casa de Saulo y lo llamó con irritadas voces. El activo hombrecillo se dejó caer en una silla, inspeccionó irritado un cesto de fruta, eligió un higo, y empezó a comerlo. Cuando Saulo entró del jardín, donde había estado recogiendo dátiles, Félix estalló:

—¡Llevas aquí casi dos años y Roma no dice nada respecto a ti!

Saulo se inclinó:

—Siento mucho, noble Félix, que no te agrade mi forzada estancia a tu lado.

Félix soltó una palabrota y cogió otro higo, inspeccionándolo con cierta suspicacia y acabando por arrojarlo al suelo.

—¡Cómo retuerces mis palabras, Pablo! En lo que a mí y a Drusila se refiere, puedes quedarte para siempre, pues tu compañía es fascinante. ¡Pero se trata del sumo sacerdote, Ananías! No pasan tres días sin que reciba una carta suya referente a tus abominables cristianos... y a ti. Especialmente a ti.

Saulo dijo en voz baja:

—Me ha hablado el Mesías en una visión, y me ha ordenado que vaya a Roma, para dar testimonio de Él.

—¡Excelente! —dijo Félix—. Ve inmediatamente.

—Los saduceos se encolerizarían, y no son estúpidos. Te denunciarían a Agripa.

—¡Cómo me has complicado la vida! —dijo Félix—. Eres un auténtico dilema para mí.

—Tengo un primo en Roma y he pensado en apelar a él, pero me asquea hacerlo por temor a complicarlo también en esto, ya que los cargos que hay contra mí no caen bajo su jurisdicción. ¿No te habló Lisias?

—El capitán utilizó las menos palabras posibles, y sólo aquellas directamente relacionadas con el tema —Félix se incorporó en la silla—. Pero ¿quién es ese famoso primo tuyo?

—Es general de la Guardia Pretoriana, bajo el mando de Tigelino...

Al oír este odiado nombre, Félix tembló, y, por un momento, no comprendió que Saulo tuviera un familiar en la famosa guardia. Al fin gritó:

—¡Su nombre! ¡Su nombre!

—Tito Milo Platonio.

Se puso en pie de un salto, mirándolo fijamente. Perdió el color.

—¿Tito Milo Platonio? —repitió casi en un susurro—. ¿Es primo tuyo?

Saulo quedó anonadado ante aquel cambio de expresión que no podía entender.

—Claro que sí. Somos de la misma sangre. Él nació en Israel, y su padre era un famoso soldado.

Félix se sentó lentamente de nuevo, pero sin apartar sus inquietos ojos del rostro de Saulo. Se hallaba profundamente agitado. Luego, en voz baja, dijo:

—Aulio Platonio fue el más querido amigo de mi padre —apartó la vista, como si ocultara el rostro, y Saulo alarmado, se aproximó a él, sufriendo una premonición.

—¡Si tienes malas noticias que decirme, noble Félix, habla rápidamente!

Éste no contestó por un momento. Luego se puso en pie y se volvió a mirarlo. No era un hombre tierno y amable, pero ahora le puso la mano en el hombro y miró a Saulo a los ojos, y en los suyos se transparentaba la compasión.

—¿Has oído hablar de Faenio Rufo, colega de Tigelino, ese envenenador y asesino, y de Plauto Laterano, cónsul electo de Roma?

—No.

—Ambos eran miembros de la Guardia Pretoriana, como tu primo; y había también muchos centuriones y algunos tribunos... —apretó los labios—. Se dice que fueron descubiertos en una conspiración para asesinar a Nerón, hace unos cuatro meses. Todos ellos —y gran número de pretorianos— fueron ejecutados.

Saulo sintió que iba a caer al suelo y se agarró al borde de la mesa para sostenerse. Parecía haber envejecido de nuevo.

—¿Milo era uno de ellos?

—Cierto. De haberlo sabido cuando me enteré del asunto, te lo hubiera dicho en seguida, pero ignoraba que Tito Milo Platonio fuera tu primo.

Saulo exclamó desesperado:

—¡Milo era cristiano, y por odioso que sea Nerón nada podía inducirlo a unirse a una conspiración de asesinato!

Félix agitó la cabeza:

—Tampoco los otros eran culpables. Se dice que Popea, la esposa de Nerón, instigó a los asesinos por razones propias. Es una Furia, a pesar de su belleza. Instigó la muerte de Británico, hijo de Claudio y de la hermosa Octavia, casada con Nerón, e hizo de él también un matricida. Milo no era joven, según recuerdo —dijo, oprimiéndole compasivamente el hombro.

—Es verdad. Pero el mundo ha quedado empobrecido por la muerte de un hombre como él. ¡Y yo no lo sabía! No tuve la menor premonición, ni siquiera un sueño.

—Es posible que tu Dios quisiera evitarte el dolor el mayor tiempo posible.

Pero Saulo no lo oía, y dijo entre lágrimas:

—¡Era el más honrado de los romanos, y murió en el deshonor!

—¡Ah! ¡Nadie asesinado por Nerón muere en el deshonor! En realidad, es más bien un honor —agitó de nuevo la cabeza—. Roma ya no es Roma...

Saulo se despertó a la mañana siguiente para encontrar una rama de ciprés, símbolo de luto, junto a su pórtico, y se sintió conmovido ante el silencioso tributo de Félix y su gesto en honor del noble difunto.

Una tarde vino Félix a verlo de nuevo y dijo:

—He sido llamado a Roma, ¡gracias sean dadas a los dioses! Partiré con mi esposa dentro de pocos días. Tengo que entregar esta casa —y a ti mismo— a Porcio Festo, a quien se espera en cualquier momento en Cesárea.

—¡Ah, otro amigo que pierdo! —se lamentó Saulo.

—Es posible que él traiga noticias de Roma, referentes a ti. Le conozco bien. Es poco lúcido, pero amable, e inclinado a la bondad. Lo dejaré una carta hablándole de ti.

Drusila vino también a despedirse, y dijo:

—Según tú me has enseñado y también me enseñaron mis padres, todo obedece a la voluntad de Dios.

—Que en ocasiones encuentro incomprensible —confesó Saulo.

No podía imaginar cuánto sentiría la marcha de sus amigos hasta que vio los preparativos que se hacían en su casa. Pues a menudo había cenado allí, escuchando divertido los exabruptos de Félix y sus peleas con Drusila.

Una mañana se escuchó gran bullicio en el palacio, y Saulo se acercó a observar la llegada de Porcio Festo con su familia, séquito y guardias.

Dos días más tarde envió éste a llamarle, y dos soldados le acompañaron al antiguo palacio de Poncio Pilato.

Capítulo 50

Porcio Festo estaba sentado en el atrio, con las vestiduras de su cargo. Era tan bajo como Félix, pero enormemente grueso, con la cabeza calva y rosada, un rostro saludable con doble papada bajo el mentón, y agudos ojos azules. Saulo permaneció en pie ante él, que lo estudiaba detenidamente, frotándose la barbilla y susurrando entre dientes. Llevaba las carnosas manos cubiertas de brillantes anillos, vestía una túnica del más puro lino, y se había perfumado además. Al fin dijo:

—De modo que tú eres Pablo de Tarso, odiado por tu propio pueblo, que desea tu muerte, y amado por Félix y todos los de su casa...

Saulo se inclinó:

—Nada he hecho para merecer el odio del sumo sacerdote Ananías, y, desde luego, no soy digno del afecto del noble Félix.

A esto sonrió Festo, y Saulo pensó que Félix había subestimado la inteligencia de aquel hombre y quizá su buena voluntad.

—He recibido un mensaje del sanguinario Ananías. Ruega que le seas entregado en Jerusalén para el juicio. Pero yo he ordenado que él y su tribunal vengan aquí, a fin de que pueda oírlo.

Saulo suspiró:

—Va a ser agotador, señor, escuchar de nuevo todos los antiguos cargos contra mí.

—Sin embargo, es necesario que estés aquí, pues eres ciudadano romano y éste es tu derecho —su voz era un amistoso rugido. Saulo le dejó con una inclinación y regresó a su casa.

Al cabo de unos días, Ananías y todo el tribunal de saduceos llegaron a Cesárea para exponer sus quejas ante el nuevo cónsul. A Festo le desagradó inmediatamente el sumo sacerdote, pues tenía un aire remoto y despectivo, demostraba su agotada paciencia y resignación ante el romano. Llamaron a Saulo. Ananías apartó la vista, como si se enfrentara con una obscenidad, y su corte pareció retirarse también, de modo que Saulo quedó solo en un amplio círculo, ante el cónsul, cuyos ojillos azules se fijaron un instante en él, y después pasaron al sumo sacerdote, al que ordenó que expusiera sus quejas.

Saulo cerró los ojos con profundo agotamiento, y Festo sonrió interiormente mientras escuchaba al sacerdote. Cuando éste hubo terminado su explicación, dijo:

—No soy más que un ignorante romano, desde luego no muy listo. Pero creo ver que Pablo de Tarso es culpable de ciertos errores doctrinales judíos, que no me conciernen. El cargo de sedición contra Roma es muy difuso, e insostenible como acusación —volvió su atención a Saulo—: Habla, Pablo de Tarso, ciudadano de Roma. Contesta si eres culpable.

Como Ananías y el tribunal no eran ciudadanos romanos se sintieron afrentados. Sus rostros se endurecieron, pues sabían que el cónsul había hablado así a propósito. Mantuvieron apartados los ojos cuando Saulo empezó a hablar.

—Estoy ante el tribunal del César: en él debo ser juzgado. Ninguna injuria he hecho a los judíos, como tú bien sabes. Si he cometido alguna injusticia o crimen digno de muerte, no rehúso morir. Pero si no hay nada de todo eso de que me acusan, nadie puede entregarme a ellos. Apelo al César[1].

Festo murmuraba por lo bajo como una gigantesca abeja en el silencio de la cámara. Examinaba sus anillos, bostezaba, se rascaba la oreja. Al fin se levantó con gesto de despedida y dijo:

—Has apelado al César. Al César, pues, irás.

Un anochecer dorado escuchó un ruido estruendoso y salió al jardín a descubrir la razón. Vio que había llegado el rey Agripa con su séquito para saludar a Festo, y con el rey estaba la reina,

[1] Hechos, 25: 10-11.

la hermosa Berenice, y todas sus esclavas y amigas. Las fiestas y celebraciones continuaron a lo largo de varios días y noches, y el suave y tranquilo aire de Cesárea se llenó de músicas y risas, gritos y alegría. Después, con la saciedad y el agotamiento, renació la calma y todo estuvo tranquilo de nuevo.

Agripa despreciaba a Ananías. Éste lo trataba con una respetuosa altivez que le resultaba insultante, pues Ananías era saduceo, y la familia de Agripa de la tribu de Dan, comparativamente más humilde. Dijo:

—Ananías debía ser el maestro de los gladiadores, ya que está sediento de sangre. Hazme traer a ese Saulo de Tarso, a quien llamas Pablo, y lo oiré personalmente.

Festo bostezó:

—Olvidaba decirte, amigo mío, que Ananías llega mañana de nuevo con su corte de acusadores contra mi prisionero; así que también habrás de oírlos a ellos.

—Me siento feliz, rey Agripa —dijo Saulo, cuando fue llevado a su presencia—, porque puedo hablar hoy por mí mismo ante ti, refutando todo aquello de que me acusan. Sé que eres experto en todas nuestras costumbres y problemas. Por tanto, te ruego que me escuches pacientemente.

Entonces habló de su familia, su nacimiento, su tribu. Habló de su lucha constante con los saduceos.

—¿Por qué ha de resultar increíble que Dios resucite a los muertos? —preguntó implorante, recordando a Agripa que ésa era la enseñanza de los fariseos: que Dios abriría un día todas las tumbas.

El rey tampoco estimaba a los saduceos, y su esposa era muy devota, aunque se vistiera como una egipcia. Apoyó el codo en el dorado brazo del sillón y se ocultó el rostro con la mano mientras escuchaba a Saulo, pensando: "Así debieron ser las voces de los profetas, elocuentes y llenas de verdad".

Saulo seguía hablando, con gestos apasionados y ojos ardientes como fuego azul, y su delgada y cansada figura parecía crecer en estatura. Habló de toda su vida, de su búsqueda de Dios, de su persecución a los nazarenos. Luego habló del viaje a Damasco, y, fuera de su voz, ningún otro sonido se escuchaba en el atrio. Y cuando lloró al relatar la visión del Mesías, otros lloraron con él sin saber por qué, y los labios de la reina temblaron y sus pestañas se humedecieron de lágrimas. Sólo Festo parecía divertido.

Saulo habló de su misión a los gentiles, y las negras cejas de Agripa se fruncieron, sin apartar un instante su mirada del rostro enardecido de Saulo.

—Por esto ha sido condenada mi misión, pues se dice que profané el Templo y las sinagogas. Pero Cristo había mostrado una luz a su pueblo, y a los gentiles, según fue profetizado por Isaías —se detuvo y dijo en alta voz—: ¡Rey Agripa! ¿Crees en los profetas? ¡Yo sé que tú crees!

Agripa no contestó. Había un brillo amenazador en sus ojos y en la gravedad de su rostro. Al fin miró las puertas del atrio, como si meditara, luego al techo, luego a los muros y a su esposa, que le devolvió una larga mirada de adoración y súplica.

Al fin dijo:

—Poco más, y me persuades a que me haga cristiano.[2]

Festo dejó de sonreír. Todos quedaron muy quietos. Saulo dijo con su voz más amable:

—Plugiese a Dios que no sólo tú, sino todos los que me oyen, se hicieran hoy tales como lo soy yo.

Agripa le hizo señas de que se apartara, y él y Festo se acercaron a los consejeros y hablaron con ellos. El rey dijo:

—Este hombre no ha hecho nada que merezca la muerte o la prisión. Podría ponérsele en libertad, si no hubiera apelado al César.[3]

—Y si no hubiera apelado —dijo Festo, con amplia sonrisa—, ¡Ananías le hubiera hecho matar hace tiempo!

Capítulo 51

La noche antes de su partida tuvo Saulo una terrible visión. Era como si estuviera en el punto más elevado de la tierra y viera todo

[2] Hechos, 26: 28.
[3] Hechos, 26: 31-32.

el mundo, y la ciudad de Roma, y todo fuera un vasto y murmurante sonido, lleno de color, rayos y movimientos, ejércitos y caravanas, truenos y repentinos estallidos de terror humano, sol, y llamas, y polvo, caminos y montañas interminables, aguas tan rojas como la sangre, muros y columnas derribados. Desvió la vista y dirigió una ojeada a extrañas ciudades y luego sus ojos volvieron a Roma. Y, al contemplar la poderosa ciudad, la vio en una tempestad de fuego, y sus blancas columnas, como bosques de blancura, iluminadas en ella. Se desmoronaban las casas, se agitaba la tierra, y de una multitud de gargantas se elevaba un gran grito: "¡Ay de Roma!" Luego, un inmenso coro contestó desde todos los rincones del mundo: ¡"Ay de la humanidad!"

Saulo se levantó al amanecer, temblando, bañado en sudor, y cayó de rodillas para suplicar que no llegaran a realizarse sus aterradoras visiones, para que todos los hombres acudieran al Cordero Divino en busca de salvación; pero siguió sintiendo una gran pesadumbre.

—Queda poco tiempo, debo apresurarme —dijo en voz alta.

Pocas horas más tarde se encontraba en el barco que había de conducirlo a Roma.

Apoyado en la barandilla contemplaba la pequeña pero bulliciosa ciudad. Vio el antiguo palacio de Poncio Pilato, la casa donde él mismo había habitado durante cuatro largos años, los anfiteatros, los edificios del gobierno, los mercados, las callejuelas tortuosas. Mientras tanto, a su alrededor, las naves izaban las velas, entre un fuerte olor de brea y de resina y los gritos de los marineros y descargadores. El agua azul deslumbraba y, en tierra, la llanura se perdía en lo infinito.

Entonces supo que nunca más volvería a ver a su amado país, ni a sus compatriotas, ni al dorado Templo, ni a la santa ciudad de Jerusalén. Empezó a llorar y luego murmuró: "Si te olvido, ¡oh Jerusalén!, que mi mano derecha..."

Cruzó la cubierta por temor a dejarse dominar por el dolor, y miró la amplia llanura de luz, el gran mar que lo llevaría a Roma. Era sólo un hombre. ¿Cómo soportar la idea de no volver a ver más a sus paisanos, ni oír los sonidos de su país, y saber que por siempre estaría en el exilio, hacia un futuro desconocido, hacia una muerte ignorada? ¿Qué tierra guardaría sus huesos? ¿Qué amigos lo llorarían? Miró al cielo, demasiado radiante para fijar la vista en él, hundió la barbilla en sus manos y le pareció que había vivido demasiado tiempo, que estaba demasiado cansado. ¿De qué le serviría ahora a Dios, él, un viejo, cuando lo que se necesitaba era la juventud? Dios merecía que los jóvenes fueran sus testigos.

Entonces, al apoyar las manos en la barandilla, hundida la cabeza, en postración de dolor humano, creyó oír la voz de su padre, Hilel ben Boruch, como la oyera en su juventud. Y la voz de su padre era tierna, fuerte, amorosa:

Oh, Dios, Tú eres mi Dios.
Temprano te buscaré.
Mi alma tiene sed de ti
en una tierra seca y árida
en la que no hay agua.
Para ver tu poder y tu gloria
te he buscado en el Santuario.
¡Porque tu bondad
es mejor que la vida!
Mis labios te alabarán
¡así te bendeciré mientras viva!
Alzaré mis manos en tu nombre.
Mi alma quedará satisfecha
y mi boca te alabará con labios gozosos...
Mi alma te busca con anhelo, Señor...

Alzó la cabeza y echó una última mirada a su país, pues el barco se movía ya y sus velas se llenaban de viento y de luz. Las lágrimas velaron sus ojos, pero sus labios sonreían con amor, y, alzando las manos, dijo:

—¡Oye, oh Israel! ¡El Señor es eterno, el Señor es Uno!

Su alma era fuerte de nuevo, y joven. Vio hundirse su país tras la curva del mundo y supo que el Mesías volvería de nuevo a su pueblo y que toda la tierra se regocijaría gritando ¡Hosana! pues todas las naciones eran Suyas.

Esta obra se terminó de imprimir
en agosto de 2000, en
Litográfica Barsa, S.A. de C.V.
Pte. 152, núm. 693
Col. Industrial Vallejo
Del. Azcapotzalco